CW00643814

1) Introduction.
N'Diaye.
Background.

2) Documents. - photographs

3) Themes

4) Character Analysis
↳ Fanny
→ Other characters

5) Quotes.

6.)

# EN FAMILLE

DU MÊME AUTEUR

QUANT AU RICHE AVENIR, *roman,* 1985
LA FEMME CHANGÉE EN BÛCHE, *roman,* 1989
EN FAMILLE, *roman,* 1991
UN TEMPS DE SAISON, *roman,* 1994 (“double”, n° 28)
LA SORCIÈRE, *roman,* 1996 (“double”, n° 21)
HILDA, *théâtre,* 1999
ROSIE CARPE, *roman,* 2001
PAPA DOIT MANGER, *théâtre,* 2003
LES SERPENTS, *théâtre,* 2004

*Chez d'autres éditeurs*

COMÉDIE CLASSIQUE, *roman,* 1987
LA DIABLESSE ET SON ENFANT, L'École des loisirs, 2000
LES PARADIS DE PRUNELLE, Albin Michel jeunesse, 2003
AUTOPORTRAIT EN VERT, Mercure de France, 2005
LE SOUHAIT, L'École des loisirs, 2005
MON CŒUR À L'ÉTROIT, *roman*, Gallimard, 2007
PUZZLE, *théâtre* (avec Jean-Yves cendrey), Gallimard, 2007

MARIE NDIAYE

# EN FAMILLE

LES ÉDITIONS DE MINUIT

7, rue Bernard-Palissy, 75006 Paris
www.leseditionsdeminuit.fr



ISBN : 978-2-7073-2002-5

PREMIÈRE PARTIE

## Chapitre 1. — En famille.

Quand elle arriva devant la maison de l'aïeule, au bout du village, les deux chiens qu'elle avait bien souvent caressés autrefois, maintenant si vieux qu'ils n'y voyaient plus, trouvèrent assez de forces pour se jeter rageusement contre la grille, et ils aboyaient, dès qu'elle faisait mine de passer son visage entre les barreaux, avec une violence qu'elle ne leur avait jamais connue. Elle les appela doucement par leur nom. Leur fureur redoubla. Posant sa valise, elle se hissa sur une grosse pierre à une extrémité de la grille et, certaine alors que les chiens ne l'atteindraient pas, elle engagea le buste entier entre deux barreaux, criant vers la maison qu'on vînt lui ouvrir. Et elle était chagrinée que les chiens ne l'eussent pas reconnue, voyait là le signe d'un grave manquement de sa part.

Un de ses oncles parut sur le seuil. Que fait-il chez l'aïeule aujourd'hui ? se demanda-t-elle avec un petit rire, car l'oncle avait perdu beaucoup de cheveux. Il lui semblait, pourtant, que sa dernière visite à la famille était assez récente pour que l'oncle fût resté le même et que les chiens eussent gardé souvenir d'elle.

L'oncle à demi chauve tenait un verre à la main et, de l'autre, un friand qu'il croquait sans se soucier des miettes. Il ordonna aux chiens de se taire, puis lui demanda ce qu'elle voulait.

« Voyons, Georges, c'est moi, ta nièce ! » dit-elle en souriant. Et elle tendait les bras vers lui malgré la douleur que lui causaient les barreaux au moindre mouvement. Elle respirait d'ailleurs avec difficulté, mais pouvait-elle rester derrière la grille comme une étrangère, humiliée par les chiens ? Elle n'avait, à sa connaissance, jamais fait de tort à la famille et s'était toujours occupée des deux chiens avec sollicitude, lors de ses brefs séjours chez l'aïeule. Mais, qu'on lui en voulût pour une raison qu'elle ignorait, voilà qui était probable, voilà devant quoi il fallait s'incliner.

L'oncle fronça les sourcils, tout en la dévisageant d'un air indifférent. Il ne fit pas un geste vers elle, mais avala une dernière bouchée, finit son verre, puis haussa les épaules et rentra lentement chez l'aïeule, la porte claqua. L'oncle Georges lui avait offert autrefois une poupée aux longs cheveux qu'elle avait encore ! Elle songea que le bruit se répandrait vite que Georges l'avait laissée dehors, ce dont toute la famille lui ferait honte jusqu'à la fin de ses jours. Dégageant un bras elle appuya sur la sonnette et, contorsionnée, la taille broyée, y maintint son doigt, tandis que les chiens rendus fous se précipitaient sur la grille. Du coin de l'œil elle surveillait sa valise abandonnée sur le trottoir, hier soigneusement bouclée pour le long voyage. Mais voilà que la porte de la maison s'ouvrait enfin. Et, surprise, elle reconnut plusieurs de ses oncles, tantes et cousins, qui se pressaient sur le perron sans oser encore s'avancer dans la cour. Les robes étaient brillantes, les costumes sombres, les chemises blanches et boutonnées jusqu'au col. Et son cousin Eugène était là, avec ses mèches luisantes, il leur était arrivé quelquefois de s'embrasser, par hasard, dans l'ombre d'une armoire. Alors elle se rappela d'un coup que c'était aujourd'hui l'anniversaire de l'aïeule. Elle avait oublié l'anniversaire, toute à ses préparatifs, absorbée par cette grande idée qui la tenait. Mais on ne l'avait pas invitée pour autant, et la famille se réunissait pour festoyer sans prendre garde qu'un de ses membres manquait qui ne lui avait jamais fait de tort, qui n'avait, même au loin, jamais parlé d'elle en mauvaise part. N'avait-elle pas toujours consciencieusement dissimulé à quel point la famille lui était étrangère, le ressentant comme une offense, et parfois haïssable par un grand nombre de mesquineries ? Et, cependant, on néglige de l'inviter pour l'anniversaire de l'aïeule, voilà qu'on la laisse pendue à la grille, à moitié étranglée par les barreaux, et le regard qu'on fixe sur toute sa personne est perplexe et froid. Seul Eugène lui souriait vaguement. Il portait une veste courte, collante, qu'il lissait avec plaisir sur sa poitrine de ses doigts écartés. Et, de loin, ses mèches aplaties lui faisaient un casque étincelant, régulièrement il les caressait du plat de la main puis essuyait la graisse sur son pantalon. Il disparut bientôt, se désintéressant de l'affaire, après un demi-tour sur la pointe de ses bottes. D'abord hésitante, une femme se détacha du groupe et s'approcha de la grille, d'un claquement de langue fit taire les chiens, et dit enfin, levant la tête : Oui ? – Pourquoi ne m'a-t-on pas prévenue qu'on fêtait aujourd'hui l'anniversaire de grand-mère ? Tante Colette, je suis tout de même la fille de ta sœur ! Aide-moi à descendre !

Tante Colette fit un pas en arrière, comme effarouchée, puis rougit et ouvrit la grille d'un geste brusque, maladroit.

– Vois-tu, Fanny, commença-t-elle en étreignant gauchement les hanches de sa nièce. – Je ne m'appelle pas Fanny, Tante Colette ! Tu as donc tout oublié ? Mais cela ne fait rien, appelle-moi Fanny. Il me fallait, de toute façon, dit Fanny avec plaisir, un nouveau prénom. – Ah, fit Tante Colette qui s'essayait à sourire.

Voulant se montrer aimable, elle attrapa la valise de Fanny, Fanny sauta joyeusement à terre et elles entrèrent dans la cour, cependant que l'oncle Georges retenait les chiens qui, en dépit de leur affaiblissement, de leur placidité naturelle, de la confiance qu'ils lui avaient toujours manifestée (n'avait-elle pas joué avec eux tout au long de son enfance ?), semblaient vouloir se jeter sur Fanny, souriante et fraîche, et âgée maintenant de presque dix-huit ans. Georges la regardait avec une indécision ennuyée mais Fanny l'ignora, n'eut pas même le geste coutumier d'aller l'embrasser, étant sa nièce. Elle l'avait pourtant jugé, autrefois, comme le plus accommodant de ses oncles. A l'intérieur, son indignation s'accrut et elle tourna vers Tante Colette des yeux pleins de reproche. Mais Colette avait filé, plantant là la valise, et Fanny eut beau l'appeler, se hausser sur la pointe des pieds, il lui fut impossible de l'apercevoir, bien que Tante Colette fût corpulente et vêtue, pour l'anniversaire, d'une robe bleue pailletée. Fanny se rappelait avoir déjà vu cette robe et s'en émouvait.

Comme chaque année, la famille entière s'était réunie. Jamais auparavant Fanny n'avait oublié l'anniversaire de l'aïeule ni la fête qu'on organisait en cet honneur, et elle reconnaissait la faute, l'écart de conduite, même la vilaine pensée envers l'aïeule, aimée pourtant, dont cela témoignait. Mais, ne la voyant pas, personne ne s'était soucié d'elle, et Tante Colette, si pointilleuse, avait été jusqu'à confondre son prénom avec celui d'elle ne savait qui, n'ayant jamais rencontré de Fanny ailleurs que dans les livres. Resterait-il seulement une place pour elle ou devrait-elle manger à la cuisine, en compagnie des enfants, ce qui la mortifierait aux larmes car elle aurait alors les moins bons morceaux, les fonds de bouteille, les tartes dégarnies, et subirait comme la honte d'un abaissement, d'une épreuve autrefois passée qu'on lui imposerait de recommencer pour la punir ? Se dirigeant vers la salle à manger (elle avait laissé sa valise dans l'entrée, bien cachée derrière les manteaux), elle remarqua plusieurs gamins qu'elle ne connaissait pas et qui devaient être d'une branche de la famille lointaine. Elle les regarda avec sévérité. Aucun n'avait levé les joues vers elle ni même ne l'avait saluée. Elle croisa son cousin Eugène, sifflotant. Il tirait sur les jambes de son pantalon moulant afin qu'il couvrît bien le haut de ses bottes et il eut, voyant Fanny soudain mécontente, un sourire narquois, une légère révérence, mais elle lui saisit le bras et lui demanda si lui au moins la reconnaissait, et ce qu'il lui fallait penser qu'on ne l'eût pas invitée pour l'anniversaire de l'aïeule, malgré son attitude correcte, sa bonne volonté de toujours, son respect de la famille et des traditions. Elle secouait Eugène tout en avançant son visage tout près du sien, puis elle l'immobilisa contre le mur.

— Bien sûr, dit Eugène, bien sûr je t'ai reconnue. Qu'est-ce que tu t'imagines donc ?

A son sourire, Fanny douta que ce fût la vérité. Elle lui donna une bourrade, le cousin Eugène protesta et se dégagea en riant.

— On ne sait jamais s'il faut te croire ! dit Fanny furieuse. Et elle fixait les lèvres humides d'Eugène, dans une irritation grandissante. Qu'avait-elle fait pour que la famille l'éloignât d'elle, insoucieuse de ce qu'elle lui devait ? Elle s'était réjouie de chaque naissance, jamais n'avait prononcé un mot contre une personne de la famille...

Elle retourna rapidement dans l'entrée, ouvrit sa valise, en sortit une photographie qu'elle glissa dans sa poche, puis elle revint dans la salle à manger où l'on commençait à s'installer autour de la longue table fleurie, selon l'ordre immuable. Fanny alla, souriante, embrasser chacun, et elle aperçut dans un coin Tante Colette qui la suivait des yeux. La ronde figure de Tante Colette était tout empreinte d'une expression de surprise inquiète, de totale incompréhension. Pourquoi me regarde-t-elle ainsi, se dit Fanny, puisque tout le monde m'embrasse et me salue comme les autres fois ? Voilà que Robert voulait lui pincer le menton, on lui trouvait bonne mine. On lui demanda même, ce qui la rassura complètement, des nouvelles de ses parents que les occupations diverses, l'ennui du déplacement, peut-être une indifférence lasse, retenaient au loin chacun de son côté. Mais personne ne l'appela par son prénom et, lorsqu'elle eut dit qu'elle se nommait dès à présent Fanny, on acquiesça en silence, seule Tante Colette soupira. Un couvert supplémentaire fut apporté et Fanny s'assit à sa place habituelle. L'aïeule, lui dit-on, s'était retirée dans sa chambre, Fanny pourrait la voir après le déjeuner. Fanny souriait à tous, désireuse de montrer qu'il n'y avait aucune raison pour qu'on la crût changée, ou différente de ce que devait être un membre de la famille, ayant à compenser de surcroît la défaillance de ses parents absents. Et sur son dos robuste s'accumulaient les négligences fautives des parents. Eugène est entouré, songeait Fanny le voyant bâiller, et libre de se conduire mal, car son père et sa mère sont là sur qui il n'y a rien à redire. N'avaient-ils pas transmis à Eugène jusqu'aux traits adéquats ? Son cousin Eugène ressemblait au grand-oncle défunt. Maintenant il se levait de table sans un mot et s'en allait fumer dans le jardin en traînant ses bottes sur le plancher. Tante Colette, assise à côté de Fanny, lui montra du doigt son mari, puis elle chuchota : Eugène est notre fils. – Bien sûr, dit Fanny, comment pourrais-je l'ignorer ? Et elle songeait alors aux lèvres humides d'Eugène. Mais Tante Colette ne parut pas l'entendre, une ombre de sourire glissait, dès que Fanny parlait, sur son visage tendu, concentré, et Tante Colette portait son regard sur un point invisible de l'espace. Elle s'interrompait fréquemment de manger pour expliquer à Fanny ce que Fanny savait depuis toujours ; et elle lui contait dans le détail telle aventure connue de toute la famille, s'étonnant à peine quand Fanny, excédée, finissait à sa place, mais disant doucement : Il faut bien connaître tout cela. Ces pauvres histoires ! pensait Fanny avec colère. Y avait-il pourtant quelqu'un qui mieux qu'elle savait les menues péripéties de la famille, et le nom de chacun, dont la mémoire fût plus sûre, les souvenirs plus exacts ? Mais les parents de Fanny n'étaient pas irréprochables, sans doute pleins de mépris pour l'aïeule aux idées étroites. Et, dédaignant de se déranger pour l'anniversaire, ils ne s'en excusaient pas.

A la fin du repas, comme on apportait le gâteau et le café, Fanny sortit la photographie de sa poche et l'appuya contre son verre. On l'y voyait âgée de trois ou quatre ans dans les bras de sa mère souriante et tendre, et alors jolie comme Fanny aujourd'hui qui n'avait pas cependant autant de gaieté dans les yeux. Tante Colette se pencha sur la photographie, d'autres personnes tendaient le cou. A la grande satisfaction de Fanny, Tante Colette fit passer la photographie, et chacun y jetait un œil avec un air de discrétion puis, rapidement, la donnait à son voisin, sans rien dire. Au moins, pensa Fanny, ils doivent reconnaître maman, qui en dépit de ses erreurs reste liée à chacun d'entre eux. On prononça, en effet, le nom de la mère de Fanny, et parfois non sans bienveillance. Quelqu'un regretta à voix basse que Fanny n'eût pas gardé la même figure que sur la photographie. Et malgré ses sourires et sa bonne volonté on n'osait s'adresser à elle directement. Les yeux l'effleuraient avec gêne, mais la conversation n'intéressait nullement Fanny, qui écoutait par devoir. On se mit à parler de l'époque de la photographie. Fanny raconta un souvenir d'enfance. Il était question de la rivière, du petit pont qui danse. On opina sans préciser si l'on voyait bien tout ce que décrivait Fanny ou si, simplement, on reconnaissait à Fanny le droit de s'exprimer comme dans les livres, avec les belles images et l'enthousiasme qu'on y rencontre parfois. On souriait légèrement, la voyant s'émouvoir. Tante Colette murmura qu'elle ne se rappelait rien de ce que relatait Fanny. Personne, cependant, ni les vieux eux-mêmes, n'aurait pu contredire Fanny, qui avait une mémoire illimitée et rigoureuse, connaissant le passé proche plus précisément que ceux qui l'avaient vécu.

Eugène revint du jardin pour manger sa part de gâteau et l'on mit de côté un gros morceau pour l'aïeule. Songeant aux baisers, Fanny regardait avec plaisir son cousin Eugène. Et, imaginant le long voyage, elle pensait l'emmener, ayant besoin d'un compagnon fidèle. Le moment arriva où elle jugea bon de mettre la famille au courant de son projet. Les enfants étaient sortis de table ; on se renversait sur le dossier de sa chaise et les yeux se fermaient à demi, tandis que dans les plats éparpillés les restes de graisse figeaient. Seuls Eugène et Fanny se tortillaient sur leur siège. Le cousin Eugène soupirait avec bruit, l'œil éteint, il portait un pull-over noir étroit et une ceinture de métal. Et il possédait depuis peu une petite voiture rapide, qui lui avait donné de l'assurance. D'un coup Fanny se leva, ses voisins sursautèrent. Elle annonça alors qu'elle devait dire quelque chose d'important et solliciter l'aide de chacun, n'ayant pas besoin d'argent (elle avait vu des regards s'assombrir) mais de renseignements sur tante Léda, la sœur de sa mère. Léda, dit Tante Colette d'un air inquiet, personne ne sait où elle est. – Je n'ai jamais vu Tante Léda, dit Fanny, pas plus en réalité qu'en photographie, car elle n'est venue à aucune fête d'anniversaire et peut-être même ignore-t-elle que ces fêtes ont eu lieu ici chaque année. En tout cas, comment pourrait-elle le savoir, puisque personne ne l'a vue ni ne lui a parlé depuis qu'on fête l'anniversaire de l'aïeule ? Pourtant je vous ai entendus parler d'elle quelquefois. Vous regrettiez de ne rien connaître de la vie de Tante Léda qui fait partie de la famille comme si chacun de vous la voyait tous les jours de l'année et comme si, malgré tout, elle n'avait pas si mal agi en ne donnant plus de ses nouvelles. L'affection semble aussi grande que si vous en receviez même une toute petite partie en retour, ce qui n'est pas le cas. Bon. Tante Léda a le privilège d'être aimée de tous malgré sa négligence ou son indifférence à votre égard. Quant à moi, je ne suis pas d'ici, bien que je l'aie toujours cru jusqu'alors. Je suis au mieux un élément toléré, mais il apparaît que je n'ai jamais fait qu'imiter et cela ne saurait vous tromper plus longtemps, vous l'avez compris avant moi. Cependant, je connais mes fautes, ou celles de mes parents. Tout le malheur vient de ce que Tante Léda n'a pas été informée de ma naissance comme l'a été chacun de vous, et Tante Léda est la sœur de ma propre mère. De même, vous étiez présents lors de ma véritable entrée dans la famille, un repas a été organisé et j'ai encore certains des menus cadeaux qui m'ont été offerts à cette époque, j'avais alors quatre mois et dix-sept jours. Léda, bien sûr, était absente, ce dont personne ne s'est préoccupé. Aucune recherche n'a été tentée pour lui annoncer que sa première nièce venait d'être mise au monde, et si Léda, par hasard, s'est trouvée habiter encore notre ville lorsque c'est arrivé (car, personne ne sachant où elle vivait, aussi bien pouvait-elle être tout près de nous et nous côtoyer sans que nous nous en doutions), peut-être même l'a-t-elle appris par le journal, comme n'importe qui. Ainsi, les choses n'ont pas été accomplies comme elles doivent l'être en toute circonstance, et la faute de mes parents est immense, quoiqu'ils l'ignorent. Et chacun de vous m'a fait un peu de tort. N'avez-vous pas feint de m'accueillir, tout en manifestant que mes droits étaient limités, ce dont je m'aperçois clairement aujourd'hui où vous m'avez tout bonnement oubliée ? Retrouver tante Léda est tout ce que je peux faire maintenant. Alors nous organiserons, conclut Fanny en souriant, un second repas de naissance en mon honneur, et Léda sera au bout de la table, encadrée par mes parents. Leur erreur ne peut se racheter qu'à moitié, malheureusement. Car j'ai maintenant dix-huit ans et déjà j'ai payé de beaucoup de malheurs et d'ennuis l'insouciance de ceux qui m'ont faite.

Fanny se rassit et croisa les mains sur la table. Elle pencha légèrement la tête, mais sous ses paupières baissées ses yeux allaient rapidement de l'un à l'autre. Et elle voyait qu'Eugène regardait dans le vide avec un air d'ennui profond, la bouche entrouverte, où ses dents brillaient. L'avait-il seulement écoutée jusqu'au bout ?

— Cette pauvre Léda, dit Tante Colette, n'a pas fait grand-chose de sa vie.

On se mit alors à parler de Léda en tous sens mais on ne dit rien qui pût servir à Fanny et il ne fut pas question de ce qu'elle venait de raconter, restant maintenant silencieuse comme si tout ceci ne l'avait pas concernée. Tante Colette, sans s'en apercevoir, la poussait peu à peu vers le coin de la table, par de grands gestes nerveux. Elle soutenait que Léda s'était enfuie à l'étranger avec un homme, qu'il n'y avait dans l'histoire de Léda rien que de très ordinaire, et même de très vulgaire parfois. Tante Colette n'était pas sûre de l'âge de Léda, sa propre sœur. Mais elle croyait savoir que l'homme avec qui Léda s'était sauvée avait énormément d'argent, que Léda avait toujours convoité, n'ayant pas de métier ni la moindre instruction, ni beaucoup d'esprit ni de beauté véritable. Certains murmurèrent qu'ils n'étaient pas d'accord. Et l'oncle Georges, même, semblait en colère, le cou gonflé. Mais Tante Colette parlait fort, elle était la sœur de Léda et celle qui l'avait le mieux connue, autrefois. Elle avait oublié la présence de Fanny à son côté et ses mains allaient et venaient en des gestes d'une ampleur telle que Fanny devait continuellement déplacer sa chaise pour éviter d'être cognée. As-tu une idée du pays où Léda est partie ? demanda Fanny lorsque Tante Colette se fut tue. – Personne ne sait où elle est, répondit Colette sans regarder Fanny. D'une voix rapide elle ajouta que les propos de Fanny lui avaient paru confus et qu'elle n'avait, quant à elle, aucun moyen de l'aider, ne comprenant guère de quoi Fanny avait besoin. Car, chacun était responsable de ce qui lui arrive. Et si Fanny avait été oubliée, comme elle le prétendait, cela venait sans doute de l'affairement des préparatifs. Elle-même n'avait-elle pas oublié l'anniversaire de l'aïeule ? Puis Tante Colette se tourna vers Eugène, qui bâillait, elle le chicana au sujet d'une tache de vin qu'il s'était faite, sur le tissu clair de son pantalon.

## Chapitre 2. – L'AÏEULE.

Quand, enfin, on se fut levé pour un petit tour dans le jardin ou une partie de belote au salon, Fanny s'en alla voir l'aïeule, qui se reposait dans la chambre. Celle-ci donnait directement sur l'étroite cuisine enfumée où deux jeunes filles engagées pour la journée finissaient de laver la vaisselle, ayant, tout à l'heure, servi le repas. Comme la porte de la chambre refusait de se fermer plus qu'aux trois quarts, on distinguait de la cuisine le grand lit de l'aïeule ; et, tout au bout, un toupet de cheveux gris. Fanny avança une chaise contre le lit, si haut que le bord lui arrivait au menton. L'aïeule s'était dressée et la dévisageait avec curiosité en tiraillant les cordons de sa chemise de nuit, qui serraient le col. Fanny se souleva pour embrasser sa joue. Et il lui sembla que l'aïeule était sur le point de mourir, voyant dans ses yeux comme un immense effroi. Elle n'y avait jamais pensé, elle s'en trouva toute surprise, presque scandalisée. Des cadeaux jetés sur le lit lui firent honte, elle qui n'avait rien apporté. Elle avait offert, l'année précédente, un beau livre sur la nature, transmettant les vœux de sa mère qui n'avait pu venir et ainsi réparant un peu cette négligence. Elle arrivait aujourd'hui les mains vides et sans la moindre excuse pour ses parents que la mort prochaine de l'aïeule n'effrayait pas, car ils avaient mille occupations, mille petits tracas les absorbant ! Responsables du malheur de Fanny, ils ne redoutaient rien comme l'ennui, la perte de temps, les activités inutiles — pas même la mort en personne, dont il semblait à Fanny qu'elle découvrait ici la figure, avec stupéfaction.

L'aïeule avait la bouche ouverte et elle ne répondit pas au baiser de Fanny. Son regard était vif encore. Elle appela Fanny par son véritable prénom et dit qu'elle était bien contente de la voir. Dans la chambre obscure, les ombres des meubles lourds enflaient, faisaient disparaître l'aïeule dont on ne voyait, vaguement, que le visage blême, comme dépouillé de chair, tout pareil à une carcasse. Fanny eut un élan d'affection, voulut saisir la main de l'aïeule, mais elle tâta la courtepointe sans la trouver et l'aïeule ne la lui donna pas. A côté, les filles parlaient haut et choquaient la vaisselle, n'entendant rien venant de la chambre. L'aïeule, alors, lui fit toutes sortes de questions. Elle demanda à Fanny où elle en était dans ses études, ce qu'elle comptait faire dans l'avenir, à quoi elle avait passé les années précédentes, choses qu'elle aurait dû connaître parfaitement car Fanny l'avait toujours tenue au courant de ses activités. Et l'aïeule voulait savoir le détail du moindre événement, elle tirait sur les cordons de sa chemise comme pour presser Fanny de lui en dire davantage. Grand-mère, tout cela est passé ! s'écria Fanny exaspérée. Elle déclara qu'elle partait ce jour même à la recherche de Léda et qu'elle ne reviendrait pas avant de l'avoir trouvée, préférant mourir en route plutôt que de poursuivre une existence dont la ligne, dès le début, avait été déformée, tordue par la paresse et l'oubli, de ce fait seulement remplie jusqu'à présent de pauvres choses indicibles, de malheureuses histoires boiteuses dont le récit eût couvert une demi-page. Elle s'était agrippée des deux mains au bord du lit et tendait son visage vers celui de l'aïeule, qui reculait imperceptiblement. Ne pouvait-on d'ailleurs expliquer l'intolérable nullité de sa vie par un sort que Léda lui eût jeté avant de s'enfuir, se voyant oubliée de sa propre sœur ? La mère de Fanny et Léda avaient été autrefois intimement liées et, longtemps, s'étaient coiffées de la même façon : elles divisaient leurs cheveux en deux parties qu'elles nattaient, puis enroulaient les tresses au-dessus des oreilles, les fixant d'une barrette dorée. La veille, avant de partir, Fanny avait fait couper ses cheveux très court, se figurant qu'il y avait là, pour voyager, comme une dignité. Elle n'emportait que des vêtements noirs, à peine deux ou trois bijoux. Enfin, elle désirait connaître l'avis de l'aïeule et recevoir, surtout, son approbation. Mais comme l'aïeule était petite, perdue dans le vaste lit ! Nulle sérénité ne luisait dans son regard sombre, mais une crainte terrible et vague, et l'aïeule avait vécu un si grand nombre d'années, elle avait vu déjà tant de choses, et la mort elle-même de nombreuses fois ! Fanny frissonnait, sentant s'affaiblir doucement sa confiance en l'aïeule. Maintenant, l'aïeule fronçait les sourcils et scrutait Fanny avec perplexité. Elle dit enfin qu'elle n'avait jamais entendu que les tantes ou quelque autre membre de la famille dussent obligatoirement être avertis de chaque naissance, en particulier lorsqu'on n'avait aucune nouvelle d'elles depuis des années, comme c'était le cas pour Léda. Léda, sans doute, se moquait bien, dit l'aïeule, de l'existence de Fanny, et on ne pouvait l'en blâmer, de même qu'on ne pouvait sérieusement reprocher aux parents de Fanny de n'avoir rien tenté pour retrouver Léda. Si Fanny s'estimait malheureuse, la raison n'en était certainement pas d'une omission lors de sa venue au monde, personne ne connaissant cela. Et il ne lui semblait pas, s'étonnait l'aïeule, que les parents de Fanny lui avaient fait beaucoup de tort, mais qu'ils l'avaient élevée du mieux qu'ils pouvaient. Ils se fichent éperdument de ton anniversaire ! s'écria Fanny malgré elle ; et elle continua, lancée, tout en martelant le bord du lit : Ils dénigrent la famille, personne n'y échappe ! Mais on les aime pourtant, on pense à eux, tandis que tous mes efforts ne servent qu'à me faire oublier davantage. Sans le savoir, on me punit pour chacune de leurs fautes !

L'aïeule secouait la tête, elle paraissait lentement s'enfoncer sous les draps et Fanny, s'imaginant qu'elle la fatiguait, se tut, mais elle tremblait de colère. L'aïeule lui demanda qui lui avait mis dans l'esprit que l'absence de Léda, autrefois, avait agi sur son existence. Fanny répondit que c'était nécessaire, et fatal. Et elle le savait depuis longtemps, alors que chacun peu à peu l'oubliait. Toi aussi ! dit-elle avec désolation. Je pensais pourtant que toi, au moins... Elle eut un grand geste résigné. L'aïeule était comme les autres ! Elle avait, cependant, d'anciennes superstitions, des croyances absurdes, et tenait pour vraies les histoires invraisemblables qu'elle contait à Fanny autrefois pour l'endormir, dans un murmure respectueux et craintif. Voilà que l'aïeule la regardait avec compassion ! Elle demanda doucement quels étaient donc les malheurs dont Fanny se plaignait. C'est justement qu'il n'y a rien, dit Fanny que ces questions ennuyaient.

La porte s'ouvrit brutalement, une des jeunes filles de la cuisine se montra, échevelée, le visage gai, elle avait renversé tout à l'heure tout un bol de sauce sur le col d'un vieux cousin.

— Est-ce qu'on peut y aller maintenant ? Mais l'aïeule n'avait pas répondu que la jeune fille était déjà partie, et Fanny, l'entendant rire à côté avec les autres, eut un douloureux pincement d'envie. Oui, je pensais que toi, au moins, répéta-t-elle machinalement. Et elle contemplait le crucifix au-dessus de l'aïeule, profondément déçue. Elle avait espéré, à l'annonce de son voyage, des encouragements et, parce que l'entreprise lui semblait téméraire, la cause puissante et belle, quelques craintes, beaucoup de félicitations. L'aïeule accomplissait pourtant de nombreux rites religieux et croyait au destin ! N'avait-elle pas parlé, une fois, à mots couverts, d'une voisine qu'elle disait ensorcelée, avec sur ses traits, soudain, l'expression d'une peur réelle, et la familiarité avec le mystère ?

Fanny pensait à son cousin Eugène, balançant si elle pouvait l'emmener, lui faire confiance. Puis, comme ses yeux tombaient sur la figure desséchée de l'aïeule, les douces lèvres tièdes d'Eugène traversèrent son esprit et elle ne douta plus qu'il ferait un compagnon obéissant, probe et courageux.

Mais elle ne voulait pas encore quitter l'aïeule, sentant sa fin prochaine. Et elle réussit cette fois à lui prendre une main, qu'elle serra. L'aïeule respirait avec difficulté. Elle sourit cependant. Elle parla du repas qu'on avait organisé pour la naissance de Fanny et auquel Léda, faute d'avoir été prévenue, n'avait pas assisté. Elle se souvenait très bien de certains détails. On avait eu, en entrée, de la tête de veau, que l'aïeule n'aimait pas. Et, dans un coin de la salle, Fanny avait pleuré tout au long du repas, dans son petit lit protégé d'un voile.

Etait-ce vraiment, d'ailleurs, dit l'aïeule en retirant sa main, la glissant sous le drap, à l'occasion de la naissance de Fanny qu'on avait donné ce repas, ou pour se réjouir de ce que le père de Fanny, à ce moment-là, était passé directeur dans l'importante maison qui l'employait ? Alors son salaire avait doublé, on l'avait congratulé comme il le méritait et la mère de Fanny, à chaque fois, souriait avec ravissement, laissant entendre qu'elle n'avait pas peu contribué au succès de son mari.

L'aïeule toussa et, de pitié, Fanny haussa les épaules. Elle se souleva pour tapoter les oreillers, remonter l'aïeule légèrement, sentant sous ses doigts la chair froide, les os pointus. Et, comme l'aïeule le lui demandait, elle noua bien serrés les cordons de la chemise. Puis elle fit quelques pas dans la chambre, se cognant à toutes sortes de meubles qu'elle ne se rappelait pas avoir jamais vus, un secrétaire à multiples tiroirs, une bergère, une énorme armoire qui coupait la pièce où s'en trouvaient deux déjà, côte à côte contre un mur. Elle avait gardé le souvenir d'une vaste pièce claire ! Sur une petite table, quelques photographies étaient encadrées. Ne pouvant les voir distinctement, elle les prit à tout hasard et les fourra dans la ceinture de son pantalon, sur lequel elle rabattit son pull-over pour les cacher à l'aïeule. Celle-ci, au bout de la chambre, avait fermé les yeux, et sa tête pendait un peu sur son épaule. Tout son corps tremblait, semblant, ainsi, terrifié. Assise de nouveau, Fanny demanda à l'aïeule si elle possédait une photographie de Léda, sa fille. Mais l'aïeule n'en avait aucune. Elle confia qu'il s'était écoulé tant d'années depuis le départ de Léda qu'elle oubliait peu à peu son visage et, même, arrivait à douter presque que Léda eût véritablement existé, bien qu'elle crût l'entendre parfois, la nuit, derrière les volets. Peut-être, songeait-elle alors, Léda n'est-elle jamais partie et peut-être l'ai-je croisée bien souvent sans la reconnaître, ma propre fille !

— Mes parents m'ont fait tant de mal que je respirerai quand ils mourront ! s'écria Fanny.

Chapitre 3. — LE DÉPART.

Elle alla trouver Eugène qui s'ennuyait paisiblement dans la cour, auprès des chiens. On les avait attachés et ils se contentèrent cette fois de grogner à la vue de Fanny, dont le cœur se serra un peu. Elle attira Eugène dans un coin, le fit asseoir tout près d'elle, sur un banc. Elle lui rappela des journées semblables, autrefois, quand ils s'embrassaient gauchement sur ce banc, et Eugène sourit avec un peu de hauteur en renversant la tête pour chasser une mèche, il étendit ses jambes d'un air nonchalant. Puis il bâilla. Elle lui donna un léger coup dans les côtes. — Veux-tu m'accompagner ? — Où ça ? fit-il méfiant. Elle lui reprocha de ne l'avoir pas écoutée, tout à l'heure. Eugène était distrait, paresseux, et il se fatiguait si vite qu'on avait à peine le temps d'arriver au bout d'une phrase, déjà son attention était ailleurs ! Elle lui parla du voyage qu'elle avait décidé, avoua qu'il lui fallait un compagnon sûr, qui lui obéît en tout, ne l'abandonnât jamais, jusqu'à ce qu'elle eût rencontré Tante Léda. Sa voix était pressante car elle ne voyait guère qu'Eugène pour accepter de la suivre ainsi, et elle s'appuyait contre lui et serrait dans les siennes ses deux mains de telle façon qu'il ne pouvait faire un geste et que sa respiration, même, était devenue haletante. Et sa bouche était maintenant si près de la bouche entreclose d'Eugène que leurs lèvres se frôlaient au moindre mot qu'elle prononçait. Mais Eugène se borna à quelques hum ! qui ne l'engageaient pas. Il eut une légère grimace, sceptique, et Fanny se sentit fausse, double, n'ayant pourtant rien caché. Disant ce qu'elle pensait, cela se transformait en mensonge !

Elle se souvint qu'Eugène rêvait d'un poste important, d'un vaste bureau pour lui seul d'où il dirigerait quelques dizaines de personnes, en contemplant par une baie la ville à ses pieds, face aux douces collines nuageuses. Il voulait être dans les affaires et ne savait comment s'y prendre, il accusait son jeune âge parfois, ou son manque de fonds. D'une voix rapide, Fanny l'assura que Léda ferait quelque chose pour lui si, comme on le disait, elle avait épousé un homme riche, qu'elle ne pourrait d'ailleurs refuser de l'aider, car il était son neveu.

— Elle doit avoir le bras long, maintenant, dit Fanny en plissant les yeux, en secouant le propre bras d'Eugène. Ce ne sera rien pour elle que de te pousser !

Les chiens s'étaient mis à gronder plus fort et ils bondissaient au bout de leur chaîne en direction de Fanny que leur attitude, à présent, n'était pas loin de désespérer.

— Allez-vous cesser ? cria-t-elle, les larmes aux yeux. Puis, à Eugène : Autrefois ces deux-là m'obéissaient au doigt et à l'œil !

Elle se lamenta longtemps, toujours collée à Eugène, qui paraissait réfléchir. Il dit enfin, mollement : Alors, quand partons-nous ? — Aujourd'hui ! Tout de suite ! dit Fanny en sautant sur ses pieds. Mais il s'inquiétait de sa mère, d'un rendez-vous qu'il avait pris, de ses amis, de toutes sortes de choses interminables. Quelle vie remplie ! dit Fanny, jalouse. Il se grattait la tête et semblait presque, déjà, regretter sa décision. Elle lui accorda trente minutes pour aller prévenir Tante Colette et s'occuper de tout le reste par téléphone, ajoutant qu'elle avait un peu d'argent et qu'elle lui achèterait en route ce dont il aurait besoin.

Eugène parti, elle tira les photographies de sa ceinture. Le ciel était gris, le village aux maisons basses, brunâtres, sèches et fermées comme les visages qui parfois se montraient, rarement, sous un coin de rideau, aux fenêtres à ras de terre — assombri par un brouillard lourd, humide. Et, de son banc, Fanny contemplait tout cela à travers la grille, le trouvant majestueux, et elle souhaitait que la demeure de l'aïeule plus tard lui revînt.

Sur la première photographie, Eugène posait aux côtés de ses parents qui le tenaient par l'épaule. Derrière souriaient deux cousines moins connues de Fanny, également accompagnées de leurs parents dont les liens avec l'aïeule étaient lointains, indirects, aussi s'étonna-t-elle un peu que l'aïeule les eût exposés dans sa chambre, face à son lit. Un groupe d'enfants figurait sur la deuxième photographie. Elle reconnut dans un coin Eugène, l'air boudeur, et il lui sembla que tous ses cousins germains étaient réunis là, dans le jardin de l'aïeule où la photographie avait été prise. Elle se chercha attentivement mais ne se vit nulle part. Elle en fut vexée, vaguement. Elle se dit, bien qu'elle n'eût pas le souvenir de cette scène, qu'elle pouvait se trouver cachée derrière la grande fille du premier rang, qui riait, ayant dans ses bras les deux chiens alors gros comme le poing. C'était eux qu'on voyait sur la dernière photographie et Fanny en eut de l'amertume. Je les ai promenés souvent, songea-t-elle. Combien de fois ai-je nettoyé leur niche ! Elle se leva et, sans réfléchir, ramassa une pierre tranchante, la lança vers les chiens. L'un, le plus doux, fut atteint à l'œil. Ils hurlèrent tous deux pendant qu'elle se sauvait dans la maison avec la crainte de voir apparaître quelqu'un. Ne lui reprocherait-on pas d'être venue semer le désordre, elle qu'on ne s'était pas soucié d'appeler, s'en trouvant bien ainsi ? Dans l'entrée où était sa valise, elle rencontra Eugène. Il lui annonça que ses affaires étaient réglées, et il se dandinait, mains dans les poches, sa courte veste lui sanglant la poitrine.

— As-tu un peu d'argent ? demanda Fanny. — Rien du tout ! Il en semblait fier et Fanny en fut agacée qui s'était mise à croire en même temps qu'elle le racontait que Léda se ferait un devoir d'aider Eugène à devenir quelqu'un, et à qui il apparaissait dès lors, Eugène et elle ayant un égal profit à tirer du voyage, qu'ils devaient partager les frais. Ta mère ne veut donc rien te donner ? insista-t-elle, l'air distrait. – Celle-là ! fit Eugène avec un grand geste. Tante Colette était furieuse, tellement qu'elle s'était détournée pour ne pas l'embrasser. Il l'avait entendue murmurer toutes sortes d'imprécations contre Fanny, rejointe par le reste de la famille qui se promenait dans le jardin et qui avait voué Fanny au diable. Et sa photographie qu'elle avait oubliée sur la table, avait été déchirée en deux morceaux par l'oncle Georges, dans un geste plein de colère et de mépris. C'est inutile d'y aller, dit Eugène, voyant Fanny sur le point de s'élancer, ils te jetteront dehors. Mon père et quelques autres gardent la porte de l'aïeule afin que tu ne puisses lui dire au revoir. Elle dort, d'ailleurs.

Il s'exprimait avec satisfaction, comme si tout se fût passé selon son désir, et il se montrait maintenant si impatient de partir qu'il allait et venait de la porte au vestiaire, sans se préoccuper de Fanny. Allons-y, dit-elle dans un soupir. Elle empoigna sa valise, serra les pans de son manteau, tristement. Dans la cour, elle évita de regarder les chiens. Ils étaient muets, elle s'en effraya et sortit en hâte. Il tombait une pluie dense, glaciale. Ma voiture est là, devant, dit Eugène qui grelottait. – Mais nous allons à pied ! s'écria Fanny. Il s'arrêta, incrédule. Elle ne sut donner que de vagues raisons, affirmant qu'un tel voyage ne se pouvait faire qu'à pied, avec lenteur, difficultés de toutes sortes, mais sûre de son fait et s'entêtant comme si, ayant oublié les causes précises, peut-être anciennes, il lui fût resté néanmoins la certitude de cette obligation. Et elle s'offensait de la surprise d'Eugène, où elle sentait un outrage sans percevoir distinctement à quoi. Eugène, furieux, tapait ses bottes l'une contre l'autre.

– C'est incroyable ! C'est la meilleure ! s'exclamait-il.

Sa veste mouillée paraissait rétrécir et on eût dit, comme il respirait à petits coups irréguliers, qu'elle était sur le point de l'étouffer. Il regardait tour à tour sa voiture et le visage déterminé de Fanny, qui sortait maintenant un parapluie de sa valise, l'ouvrait, calmement. La voyant, il n'osa, par orgueil, remonter chez l'aïeule, où on penserait qu'il s'était rendu aux raisons de sa mère. Quelques dizaines de kilomètres ne nous tueront pas, dit Fanny tout en l'abritant. Comme elle tenait le parapluie, elle lui donna la valise à porter. Ils partirent. Plusieurs fois Eugène se retourna pour contempler son auto, et il soupirait, ralentissait, se traitait tout bas d'imbécile, sourd aux gais encouragements de Fanny lui promettant qu'il en aurait, plus tard, quand Léda lui aurait trouvé l'excellente place qu'il méritait, deux ou trois devant sa porte s'il le désirait, autrement plus puissantes que celle-ci. Elle le tenait solidement par le bras et, pour atténuer la brutalité de sa poigne, de ses doigts fins lui caressait doucement le poignet.

Ils traversèrent le village d'un bon pas. Leurs talons résonnaient dans le silence, aux fenêtres éclairées quelques têtes parurent. Mais elles disparaissaient dès que Fanny levait les yeux, rapides comme des ombres, et Eugène eut beau lui affirmer que telle ou telle personne de leur connaissance les avait observés de longues minutes derrière sa vitre, lui avait même, parfois, adressé un signe discret auquel il n'avait pu répondre, Fanny ne vit rien et pensa qu'Eugène lui jouait un tour. A un moment, il leur sembla apercevoir la silhouette de Tante Colette. Débouchant d'une petite rue, elle s'engouffrait dans une maison aux volets clos, devant eux. Eugène hésita à l'appeler, puis il haussa les épaules et ils continuèrent en se disant que ce ne pouvait être elle, avec un peu d'embarras néanmoins. Fanny le serra plus fort. Et, sous prétexte de le réchauffer, elle pressa sa hanche charnue contre la hanche d'Eugène. Il commençait à grogner d'ailleurs, se plaignant du froid, de la pluie, de l'obscurité, ayant faim déjà. Ils sortaient à peine du village qu'il se mit à trouver la valise de Fanny lourde et encombrante. Elle lui battait les jambes, lui sciait la main. Enfin il parla de tout réunir en un baluchon, qui serait plus commode à porter. Elle se récria. Toutes ses affaires seraient chiffonnées, perdues. Eugène se tut et Fanny dut faire tous les frais de la conversation, craignant le silence où la mauvaise humeur d'Eugène serait comme un obstacle sous leur pas. Elle lui apprit qu'ils marchaient en direction du village de son père. Elle avait à l'entretenir de choses importantes, ne l'ayant pas vu depuis longtemps, par ressentiment. Surtout, elle avait des raisons de penser qu'il savait de quel côté était partie Tante Léda autrefois, grâce à une petite enquête à laquelle elle s'était livrée, à des informations qu'elle avait recueillies au travers d'un courrier consulté en cachette. Mais Eugène ne l'écoutait plus, tout occupé à faire sauter d'une main les boutons de sa veste qui l'oppressait. La veste ouverte, il fut transi. Il sacra, il fallut s'arrêter. La nuit était venue et ils entendaient montant de la campagne déserte mille bruits légers qui leur faisaient tendre l'oreille inutilement. Parfois une voiture les dépassait et Eugène ne manquait pas de soupirer, il se poussait de mauvaise grâce, au dernier moment, et il ressentait à se ranger sur le bas-côté une vive blessure d'orgueil. Fanny le caressait, l'embrassait sur la joue. Elle tournait autour de lui et lissait ses cheveux à l'arrière, rajustait sa ceinture, elle l'écoutait se plaindre et faisait : Oui, oui, doucement, avec gaieté. Allant vers le but, elle se moquait bien de la pluie !

Cependant ils n'avançaient pas. Elle voulut prêter un pull-over à Eugène qui se fit prier, puis le déclara trop juste. Enfin il se buta, posa la valise, croisa les bras et dit qu'il abandonnait. Et il la regardait avec mécontentement, comme si elle l'eût trompé en l'entraînant sur des chemins aussi durs, et Fanny, rougissant, ne douta pas, bien qu'elle ne pût se rappeler comment, de lui avoir menti, tout à l'heure, sans le vouloir. Elle était mensonge des pieds à la tête, conçue ainsi ! Derrière eux des pas retentirent. Soudain, un homme se montra dans un long ciré noir, une lampe-torche à la main — un voisin de l'aïeule. Son visage brutalement éclairé les effraya, comme flottant dans la nuit. Eugène bomba la poitrine, prit sur lui d'avancer d'un pas, en traînant ses bottes. L'homme lui tendit brusquement un paquet de billets roulés et serrés d'un élastique. De la part de ta mère, et le double si tu reviens, fit-il avec humeur. — On ne m'achète pas ! s'écria Eugène. Il allait refuser l'argent quand Fanny s'interposa, ne pouvant réprimer un petit cri, et, le traitant d'inconscient, lui souffla de prendre les billets, qui ne l'obligeaient à rien. Et elle saisit le bras d'Eugène, amena sa main vers le paquet, rudement. Quand il eut donné l'argent, l'homme s'évanouit, si rapidement que Fanny ne put le prier de leur vendre sa lampe, s'étant rappelé tout à coup qu'ils n'avaient pas de lumière et que les voitures étaient trop peu nombreuses pour les éclairer durablement. Cependant Eugène avait oublié son refus de continuer. Flatté, il se moquait de Tante Colette, si peureuse. Et, même, il se fâchait presque de penser qu'elle se moquait de son avenir et préférait le garder près d'elle, dans une existence médiocre, plutôt que de le voir partir vers une quelconque chance de réussite, redoutant sans doute qu'il lui revînt changé. Puis il s'inquiétait. Il devenait silencieux et Fanny croyait voir alors, dans ses yeux mi-clos, glisser, obscures, une lueur de fourberie, une mystérieuse expression de calcul. Mais, se pressant contre lui, elle n'y songeait plus.

A présent, la lumière de la lune pleine leur découvrait le chemin et, comme la pluie tombait moins drue, ils se redressèrent et se mirent à bavarder joyeusement, et Fanny enviait

Eugène qui toujours s'était senti planté bien droit, poussé solide en un sol ferme qu'il ne craignait ni de quitter ni de renier, le sachant bien à lui. Eugène parlait beaucoup, insouciant, faisait des plans, sortait de grands mots parfois. Il décrivait sa vie future telle qu'il la voyait, et rêvait d'un large bureau à cylindre.

Fanny en ayant exprimé le souhait, ils confrontèrent leurs souvenirs. Mais, soit qu'Eugène y mît de la mauvaise volonté, soit que Fanny s'exagérât l'ampleur des événements et se fût ingéniée à retenir des insignifiances, Eugène fut incapable de se remémorer la moindre scène relatée par Fanny, qui s'emporta presque, lui assurant qu'il avait comme elle participé à tout ce qu'elle retraçait, autrefois, lors des nombreuses vacances passées ensemble chez l'aïeule. Vraiment, je ne vois pas, ne cessait de dire Eugène en gonflant les joues. Des situations pénibles, de petites humiliations, une discussion où elle s'était ridiculisée, avaient taraudé Fanny des années durant, quand il n'en restait pas une trace dans l'heureuse mémoire d'Eugène ! A l'idée des regrets inutiles, des hontes perdues, elle lui en voulait, se sentant peser à son bras. Le plus étonnant était cependant qu'elle n'eût aucun souvenir de ce que se mit alors à raconter Eugène avec force détails, mais elle n'osa l'avouer, dans le vague pressentiment qu'il l'accuserait de duplicité ou de manquement à la famille et qu'il se détournerait d'elle, peut-être, avec le plus grand dégoût. Tandis qu'elle devait mettre au compte de la légèreté seulement qu'Eugène eût oublié ce dont elle avait parlé, car la naissance d'Eugène avait eu lieu dans une belle observance des traditions. N'était-il pas, du reste, assez convenable de figure et d'esprit pour pouvoir s'en passer, et tout rayonnant de perfection ?

Fanny écarta prudemment le sujet des souvenirs. Ne trouvant rien à se dire, ils marchèrent en silence. De temps en temps, Fanny comprimait le bras d'Eugène à le broyer, ce qui le fâchait. Pour se venger, il menaçait de jeter la valise sous les roues d'une voiture. Elle le suppliait, le cajolait, ils se sentaient plus proches.

Fatigués, ils firent halte à une station-service où Eugène acheta des biscuits et un saucisson à l'ail, et Fanny une revue mondaine dont, depuis des années, elle ne ratait jamais un numéro, aimant comparer sa propre existence inexprimable à celle des personnages célèbres, s'oubliant en des songeries un peu moroses. Sur les indications du pompiste, ils gagnèrent une auberge non loin. Ils pourraient en repartir tôt le lendemain et arriver chez le père de Fanny avant le déjeuner.

En bordure de la route, violemment éclairée au néon, l'auberge était remplie de voyageurs de commerce attablés, une serviette blanche sous le menton, identiques les uns aux autres. Ils dévisagèrent curieusement Fanny, et leur regard était si sérieux, leur mine si grave, qu'il lui sembla s'être transformée soudain en une énorme faute de goût. A son côté, Eugène ne reçut que des coups d'œil indifférents. Certains allèrent jusqu'à bouger leur chaise pour examiner Fanny plus commodément, une fois qu'elle se fut installée avec Eugène devant une table à l'écart. Et, ayant fini leur repas, ils croisaient les jambes, allumaient des cigares, et la fumée peu à peu voilait leur visage grassouillet obstinément tourné vers Fanny, se mêlait à la confusion des bavardages. Une serveuse revêche vint prendre leur commande. Il semblait qu'elle eût attendu le plus longtemps possible avant de s'approcher enfin, nonchalamment, dans l'espoir peut-être que ces deux-là, intimidés, s'éclipseraient sans rien demander. Mais Eugène avait faim. Quant à Fanny, l'attention concentrée des voyageurs de commerce lui défendait de se retirer, l'eût-elle voulu, étant ici comme chez eux. Eugène désira tout en même temps un consommé de poisson, des calamars frits à l'huile d'olive, des cœurs de palmier en vinaigrette, une matelotte d'anguille, deux ou trois desserts. Fanny se contenterait d'une sole et d'un doigt de vin rouge. Elle parlait bas, le front penché, mais la serveuse répéta sa commande d'une voix tonitruante et une sorte de remous se fit parmi les représentants. Fanny, embarrassée, glissa un regard vers Eugène. N'avait-il pas honte d'une telle compagnie ? Il ne remarquait rien, tout à l'observation du menu. Il jetait des cris ravis, s'exclamait : Comme ça doit être bon ! en claquant sa cuisse.

Plus tard, il s'endormit à peine couché dans le grand lit et son petit derrière pointu gêna Fanny jusqu'au matin, tant Eugène occupait de place. Et il parla, en rêvant, d'une jeune fille inconnue de Fanny, avec un large sourire béat.

## Chapitre 4. – Chez le père de Fanny.

La chaleur était accablante, après le froid de la veille. Au village du père ils se rafraîchirent à une fontaine. C'était l'heure de la sieste, Eugène boudait, n'ayant pas déjeuné. Il avait englouti le saucisson et les biscuits dans la matinée, puis traîné les pieds en se plaignant que Fanny marchait trop vite. Pour économiser ses forces, disait-il, il lançait la valise devant lui, la reprenait, la lançait de nouveau, et Fanny l'avait laissé faire dans la crainte qu'une altercation les retardât encore. Mais sa colère était grande. Eugène n'est qu'une brute, se disait-elle, il ne comprend rien à ce voyage et n'a aucune idée de la dignité, de la solennité, de l'humilité nécessaires. Mon cousin Eugène n'est qu'un vulgaire profiteur !

Comme ils entraient dans le village silencieux, elle reprit le bras d'Eugène, non sans brusquerie, et ne desserra pas sa poigne avant qu'ils fussent arrivés devant la maison du père. Il lui semblait du reste qu'Eugène éprouvait à se sentir tenu ainsi une sorte de plaisir mou. Elle appliqua un rouge vif sur ses lèvres, plaça Eugène légèrement en retrait, puis sonna, tentant vainement de percevoir quelque bruit derrière le haut mur qui ceignait la maison où vivait depuis longtemps déjà son père devenu riche. Elle ne l'avait pas vu depuis de nombreuses années et se demandait maintenant s'il allait la reconnaître ou, à sa vue, froncer les sourcils avec scepticisme. Riche et honoré comme il l'était à présent, ne pourrait-il pas la soupçonner de vouloir se faire passer pour sa fille par intérêt, et la flanquer dehors avec indignation ? Elle regrettait de n'avoir pas osé, chez l'aïeule, reprendre la photographie où on la voyait dans les bras de sa mère et que l'oncle Georges avait déchirée contre tout droit. Cette photographie, par ailleurs médiocre, constituait la seule preuve qu'elle eût pu fournir, à moins que son père aujourd'hui estimé de tous n'eût poussé la méfiance ou la mauvaise foi jusqu'à refuser de reconnaître la mère de Fanny, alors jolie, gaie, aimée tendrement. Fanny, de son côté, était certaine qu'il s'agissait bien là de la maison de son père. C'était la plus grande du village, la plus moderne et la mieux dissimulée aux regards.

Au bout d'un long moment, un domestique vint ouvrir, vêtu d'un uniforme voyant. Vous êtes sans doute mademoiselle Fanny ? dit-il d'une voix maussade. — Mais ce n'est pas mon vrai prénom ! s'écria Fanny surprise et enchantée. Le domestique haussa les épaules. De gros boutons de cuivre fermaient sa veste rouge. Il prit la valise des mains d'Eugène qui s'était approché avec curiosité et tous trois traversèrent le jardin sec, planté d'arbustes racornis. Sans un mot, le domestique les abandonna dans le hall de marbre. Puis une porte s'ouvrit et le père de Fanny fut là. Elle aperçut dans l'entrebâillement un vaste lit défait, une femme qui la regarda sans expression, un petit chien blanc entortillé dans les draps. La vie de son père lui était plus inconnue que celle d'un parfait étranger ! C'est donc toi, dit le père de Fanny. Il l'embrassa machinalement tandis qu'avec fougue elle le serrait dans ses bras et, même, soulagée, voulant impressionner Eugène, et prise d'une sorte de désir ancien, oublié, elle s'amusa à lui tirer la barbe qu'il avait épaisse et noire, telle que dans son souvenir. Allons, allons, fit le père de Fanny d'un air ennuyé. – Si nous mangions ? dit Eugène. Avec un empressement soudain, le père les conduisit dans la cuisine, ordonna au domestique de faire réchauffer les restes du déjeuner, puis disparut en glissant silencieusement. Et Fanny remarqua, comme il s'éloignait, un geste qu'il eut pour ajuster ses cheveux singulièrement fournis, brillants, ondulés. Dépitée, elle laissa à Eugène sa part de viande.

– Qui vous a dit de m'appeler Fanny ? demanda-t-elle au domestique, qui allait et venait dans la cuisine en bâillant et triturant ses boutons de cuivre.

– C'est sous ce prénom que j'ai entendu parler de vous, dit-il avec indifférence. A moins que je ne confonde et que ce ne soit pas de vous qu'on ait parlé quand on parlait de Fanny. D'ailleurs, était-ce bien Fanny ? Je ne me souviens pas précisément.

– Ah, quel âne ! s'écria Fanny en colère. Comment peut-on avoir aussi peu de mémoire ?

Le domestique pinça les lèvres et ne dit plus rien, il ne répondit même pas à Eugène qui s'inquiétait du dessert et il lui enleva son assiette si prestement qu'un peu de jus jaillit sur son pantalon. Mon père sait-il bien qui je suis ? se demandait Fanny avec anxiété. Il l'avait reconnue, mais était-ce bien elle qu'il pensait avoir embrassée, Fanny telle qu'elle était véritablement ? Et, s'il s'apercevait de sa méprise, si Fanny se révélait fort différente de ce qu'il avait cru, et leur lien de parenté tout d'un coup bien improbable, bien inconsistant (au point qu'il vînt à se dire : Et après ?), ne pourrait-il pas l'accuser, non d'imposture mais de trahison, d'hypocrisie, lui reprocher son long silence pendant lequel elle s'était sciemment éloignée de lui, de la plus proche famille ? Elle voulait, comme s'il était assez de n'en dire jamais de mal, que la famille lui fît fête !

— Parle-t-on souvent de moi ? demanda Fanny au domestique ; se penchant, elle lui effleura le genou afin de se faire pardonner sa brutalité de tout à l'heure.

— Je vous ai déjà dit, bougonna-t-il, que je ne sais pas si c'est de vous qu'on parle quand il est question d'une certaine Fanny.

— Ce doit être de moi, dit Fanny après réflexion, puisque je m'appelle Fanny.

— Je ne suis même pas sûr, continua le domestique, qu'il s'agisse bien de Fanny, ni que ce prénom ait jamais été prononcé ici. Alors, comment voulez-vous que je sache si on parle de vous ? D'ailleurs, qui êtes-vous ?

— Je suis Fanny ! s'écria Fanny irritée.

— Eh, Fanny, cela ne veut rien dire ! s'exclama-t-il à son tour.

— Je ne suis rien d'autre, dit-elle butée, que Fanny, et cela vous suffirait bien si vous suiviez mon histoire dans un livre.

— Sans doute, fit le domestique avec conviction.

Là-dessus il se tut et son visage prit un petit air de tranquille satisfaction, comme s'il eût réglé le problème à son avantage et qu'il n'eût plus été utile d'ajouter un mot. Fanny le traita tout bas d'ignorant. Puisque tu discutes avec ton père, dit Eugène, je vais te laisser et aller dormir un peu. — Mais ce n'est pas mon père, c'est le domestique ! Et Fanny eut un rire indigné, stupéfait. Froissé, l'homme lui tourna le dos et fit mine de regarder par la fenêtre. Quant à Eugène, il haussa les épaules, dans un long bâillement : il lui était égal, en vérité, de savoir qui était ici le père de Fanny. Avisant un divan dans un coin de la cuisine, il alla s'y étendre. Ses yeux se fermèrent, il ronflait légèrement, ses lèvres entrouvertes étaient gonflées, repues.

## Chapitre 5. – DEVANT LA TÉLÉVISION.

Fanny rejoignit son père dans le salon d'où il l'avait fait appeler afin de lui offrir le thé de l'après-midi, ne pouvant faire moins pour sa fille en visite. Il renvoya trois fois de suite, d'un ton sec, le domestique aux boutons de cuivre, qui apportait une eau malpropre ou des tasses inadaptées ou trop peu de thé, et Fanny, découvrant son père si difficile, si froidement autoritaire, quand elle ne se rappelait pas l'avoir jamais entendu donner un ordre à quiconque ni seulement élever la voix, avait soudain une fierté de fille véritable. Il ne se pouvait cependant que le prestige de son père rejaillît sur elle, dont on ne connaissait même pas le prénom d'une façon certaine, et que le domestique, par exemple, la servît, elle qu'il venait de voir manger à la cuisine, avec autant d'humble respect. Il n'était pas sûr, pensait Fanny, que le domestique aux boutons de cuivre sût parfaitement qui elle était, bien qu'il l'eût appelée Fanny ainsi que chacun devait le faire à présent, mais peut-être, en ce qui le concernait, avait-ce été simplement une erreur, une confusion, et peut-être la prenait-il pour une invitée sans importance. Ah, si j'avais gardé la photographie ! se disait Fanny en tâchant, la tête droite, de se donner une allure.

Le père de Fanny alluma la télévision. C'était l'heure d'un match de football important. Ils se tenaient tous deux dans le grand salon aux meubles massifs, sous la marine qui ornait tout un pan de mur, où l'on voyait un paquebot sombrer. Le père de Fanny suivait attentivement le match, il s'exclamait parfois et, sans y penser, prenait Fanny à témoin, oubliant qui elle était et son peu de goût pour le football. Et Fanny l'observait de profil, étonnée. Il lui était si complètement étranger ! Et tout, autour d'elle, lui semblait étranger, énigmatique et embarrassant, clamant : Mais d'où viens-tu donc, toi ? dans un éclatement de joie mauvaise. Fanny voulait faire valoir ses droits ! Ne pouvant prouver d'aucune façon qu'un lien d'entente mystérieuse l'attachait à son père, ni qu'ils avaient vécu, au temps de la photographie, ensemble, d'heureux moments, aujourd'hui enfuis de sa mémoire et dont aurait pu attester un tout petit peu la photographie, par la chaleur de ses lumières, la douce décontraction, le sourire aimant de la mère. Qui pouvait affirmer, aujourd'hui, que le père avait autrefois fondé sur Fanny les plus grands espoirs ? Qu'elle était véritablement sa fille, soudain effarée de lui découvrir un si long nez ? Elle ne se rappelait rien de leur passé commun, ne pouvait lui reprocher quoi que ce fût.

Le père buvait son thé en silence. Il augmenta le son de la télévision. La femme en vêtement d'intérieur, portant le petit chien serré contre sa joue, se montra timidement sur le seuil. Veux-tu... commença-t-elle, semblant ne pas voir Fanny. Mais le père, sans même la regarder, la chassa d'un geste. Il s'étirait, de tout son long en bâillant. D'une voix forte, Fanny lui raconta alors ce qu'elle avait entrepris, elle le pria de lui confier tout ce qu'il savait sur Tante Léda, sa belle-sœur. Son père lui avait-il jamais narré la moindre histoire, transmis de son expérience, pour sa sauvegarde, lui avait-il jamais parlé de leurs ancêtres ?

Il me semble, dit Fanny, que tu peux avoir une idée de l'endroit où se trouve Léda. Son père l'avait-il jamais soutenue par le récit d'autres expériences ? Et l'avait-il jamais, comme veut le devoir, instruite de l'histoire familiale ? Fanny se serra contre lui, guettant sa réponse. L'œil de son père était si froid qu'elle eut l'impression d'une profonde indécence, comme si, oubliant la pudeur, elle se fût frottée à un inconnu, de la manière la plus illégitime. Il était pourtant son père, habitant cette vaste maison qu'elle avait reconnue tout de suite. J'ai toujours fait pour toi ce que je devais faire, dit-il enfin, avec ennui. J'ai surveillé ton éducation de près, quant à l'argent tu n'en as jamais manqué. Et, disant cela, il fixait l'écran de télévision et se contorsionnait pour s'écarter de Fanny sans en avoir l'air. Fanny s'écria qu'il avait toujours agi pour son propre intérêt, son plaisir, la bonne opinion de ses collègues, et que les rites les plus nécessaires, s'il n'y trouvait un profit, étaient dédaigneusement négligés, par paresse. Sa conscience du devoir n'allait jamais jusqu'à lui faire accomplir ce qui ne portait pas immédiatement ses fruits, qui pourtant l'eût mise, elle, sur une route anciennement tracée, d'où elle eût contemplé les alentours d'un regard clair, déterminé, de laquelle elle eût le loisir de s'éloigner en toute connaissance de cause, disant : Ce n'est pas cette voie que je veux suivre ni ces traditions que je veux perpétrer, tandis qu'elle se languissait après ce qui lui avait manqué dans un aveuglement fatal. Elle ne savait rien de ses aïeux, sinon qu'elle les regrettait passionnément ! Et la famille stupide mais juste la considérait comme une impure, comme une intruse aux prétentions sans borne. Voilà de quoi son père était coupable, dans son insouciance.

Que de bêtises ! s'exclama le père irrité. Mais voici que l'équipe qu'il soutenait de tout son cœur commettait faute sur faute, puis l'écran se brouilla, on n'entendait plus que des cris indistincts. Le père posa bruyamment sa tasse et se tourna vers Fanny. Quelle singulière figure elle lui trouvait soudain, ne rappelant rien à sa mémoire exacte ! Si c'est ainsi, va-t'en, fit-il durement. Tu vois que tu ne me vaux rien. Et sa colère était telle qu'il attrapa le bras de Fanny pour l'obliger à se lever. De l'autre main il tapotait le poste de télévision. Son regard désorienté et furieux passait de l'écran au visage de Fanny, il la lâcha brusquement, dit : Va-t'en, puis se détourna, l'affaire étant close. Fanny se hâta de sortir. Elle entendit des gloussements, des soupirs venant d'un coin du hall. Je croyais que tu dormais, dit-elle à Eugène qu'elle trouva là, échevelé, souriant encore vers la porte par où s'en était allée, à la vue de Fanny, la femme au petit chien, discrètement. — Prends ma valise, nous partons. Fanny donna une bourrade à Eugène. Elle lui aplatit les cheveux sans douceur, lui nettoya la face avec son mouchoir, muette, les lèvres serrées. Eugène était désolé de devoir quitter déjà une maison où on l'avait si bien accueilli. Il se moquait bien, finalement, de retrouver Léda, quand il était si facile de profiter de l'existence. Il avait une expression satisfaite, les joues rosies un peu, qui dégoûta Fanny. Elle craignait pourtant de le perdre ! Et ton bureau à cylindre ? dit-elle gravement. Elle n'attendit pas la réponse d'Eugène car on l'appelait de l'autre bout du hall. C'était le domestique aux boutons de cuivre. Le doigt devant la bouche, il lui remit une vieille carte postale froissée, faisant toutes sortes de manières, surtout suppliant Fanny de n'en rien dire au maître de maison. Cette carte, selon lui, avait été envoyée par Léda quelques années auparavant d'une petite ville où elle avait séjourné, bien qu'il ne pût le justifier puisque Léda n'avait rien écrit au dos, n'avait pas même signé. Vous ne savez pas précisément qui je suis, chuchota Fanny, si je suis bien celle qui correspond au prénom que vous m'avez donné, ni si vous avez jamais entendu prononcer ce prénom et, cependant, vous êtes certain que ma tante Léda a envoyé cette carte vierge, ce bout de carton tout sali ! Comment est-ce possible ? – Je l'ignore, dit le domestique dans un haussement d'épaules. Il faut croire que c'est là mon rôle. Puis il disparut en direction de la cuisine. Contente, Fanny observa attentivement la carte, on voyait une église sur une place ensoleillée qui lui rappela le village de l'aïeule, aux trottoirs étroits, aux rares boutiques maussades dans les façades crépies de gris que n'éclairait jamais, par manque d'invention, par avarice, le moindre géranium dont le rose ardent fût apparu là comme une louche gaieté, et Fanny de même préférait que ce fût ainsi, sans fleur aucune. Elle rangea la carte avec émotion et rejoignit Eugène qui sortait. Tu ne vas donc pas saluer ton père ? s'étonna Eugène. – Il m'a chassée, dit Fanny. – Quand bien même, il serait plus correct d'aller le saluer. – Sais-tu maintenant qui est mon père ? demanda Fanny. Ce n'est pas cet homme aux boutons de cuivre et aux favoris blancs que tu as vu dans la cuisine. Mais Eugène, déjà, songeait à autre chose, il avait pris un air rêveur et Fanny s'écria : Brute ! Dans la maison de mon père ! Où te croyais-tu ? Elle lui pinça le cou férocement, tandis qu'Eugène passait et repassait la langue sur ses lèvres. Sa veste était fripée, son pantalon luisait ; des mèches de cheveux figées par la graisse qu'il plaquait dessus pour les faire briller se dressaient sur son crâne, formant une sorte de huppe suiffeuse. Alors, aimante soudain, Fanny le déchargea de la valise, lui prit le bras. Elle lui expliqua complaisamment où ils allaient se rendre à présent.

## Chapitre 6. — Le voyage en autocar.

La route était si longue jusqu'à la ville d'où Tante Léda avait envoyé la carte postale et il faisait si chaud, si lourd au pays du père, par ailleurs on risquait pendant longtemps, avançant lentement dans la poussière rouge, l'air épais, de rencontrer si peu d'endroits où boire et se reposer, que Fanny accepta de prendre l'autocar. Du reste Eugène ne l'eût pas suivie. Il avait des libertés maintenant, enorgueilli peut-être du bon accueil qu'il avait trouvé chez le père de Fanny alors qu'on l'avait renvoyée, elle, sans une poignée de main. N'eût-on pas cru, les voyant reçus si différemment, qu'il était le fils, et Fanny une étrangère ? A présent il se permettait d'affirmer qu'il lui importait peu de devenir directeur ou même président de quoi que ce fût, et qu'il n'était pas certain de vouloir de l'aide de Tante Léda s'ils la retrouvaient, car alors il lui faudrait rendre des comptes, se montrer sérieux et travailleur, enfin mériter ce qu'on aurait fait pour lui. Il ne désirait rien d'autre qu'être tranquille, avoir de bonnes fortunes parfois. Et il serait bien resté éternellement chez le père de Fanny, où il aurait mangé et discuté, dans la fraîcheur de la cuisine, avec le domestique en veste rouge, où il se serait amusé gentiment avec la douce femme au petit chien, sans pensée d'aucune sorte. Et moi, dit Fanny, ne m'aimes-tu pas un peu ? — Je t'aimerais, dit Eugène, si tu étais moins intéressée, si tu ne m'avais pas emmené uniquement pour te tenir compagnie et porter ta valise.

Comme la voix d'Eugène était sereine, détachée, comme il contemplait les alentours et elle-même d'un œil paisible, Fanny préféra ne pas répondre. Elle se contenta de serrer son bras sous le sien, songeant que son cousin Eugène avait une pauvre intelligence, de médiocres ambitions. Ne rêvait-il pas de prendre sa place chez le père, de faire son trou dans un coin de cuisine ? Il fût devenu le fils ou le domestique avec une satisfaction égale. Tandis que Fanny jugeait son père avec la plus grande sévérité et se disait maintenant : Il aurait mieux valu qu'il ne me reconnaisse pas et ainsi parvienne à me convaincre que je me suis trompée de toit !

Ils attendirent un long moment au bord de la route l'arrivée de l'autocar. Eugène s'était assis sur la valise, Fanny allait et venait, le regard blessé par les couleurs vives des maisons du village, et mécontente d'elle ne savait quoi. L'idée l'arrêta soudain que la maison de l'aïeule reviendrait plus tard à Eugène, certainement. Elle, aurait peut-être quelques meubles, de vieilles choses qui tomberaient en poussière à peine auraitelle reconstitué leur patiente histoire familiale, remplie de souffrances secrètes, et l'obligeraient à penser qu'elle n'avait pas su les conserver. Les droits d'Eugène primant les siens, car ses débuts dans l'existence n'avaient pas manqué à la conformité ni à la nécessaire décence, et il était aimé naturellement par la famille qui pas davantage ne demandait à le connaître que de pouvoir lui faire confiance, c'est à lui qu'on accorderait l'antique demeure. C'est pourtant juste, se disait Fanny toute désemparée, contemplant la figure innocente de son cousin. La chaleur, l'ennui alourdissaient Eugène. Il avait roulé sa veste collante, son pull-over étroit était taché de sueur et de gras de saucisson. Il respirait bruyamment. Il sembla à Fanny qu'elle l'aimait d'une solide affection, mais plus encore elle aimait leur lien de parenté indubitable, bien que leurs souvenirs d'enfance, la veille, n'eussent point concordé et qu'elle en fût inquiète, se demandant vaguement si Eugène ne lui avait pas raconté quelque rêve ancien.

Un vieil autocar fit halte devant eux. Ils s'installèrent au fond où restaient deux places. Des femmes à la voix forte, au cou puissant, quelques hommes fumant silencieux, des volailles aux pattes liées, serrées dans des paniers, coincées au creux de girons profonds, ci et là un enfant sage, et une vaste odeur inconnue d'eux, les surprirent. Ils n'osaient parler, intimidés. La langue qu'ils entendaient leur était étrangère. Pourtant Fanny, autrefois, lui semblait-il vaguement, inspirée par une ombre de souvenir insaisissable, avait connu cette langue, peut-être, ou dans une vie passée, et elle en avait soudain comme la nostalgie, mais était-ce autrefois ou au cours d'une autre existence, était-ce bien elle ou quelque personnage des livres innombrables qu'elle avait lus, auquel elle s'identifierait sans le savoir, dans le rappel confus d'une situation analogue ? Elle avait l'impression d'être au bord de comprendre ce qui se disait, ignorant si cela même était réel ou inventé, et elle souffrait de ce désordre, songeait au village de l'aïeule, à la pauvre maison toute simple, au bout de la grand-rue. Elle souffla à l'oreille d'Eugène, l'ayant pris par la taille : Comprends-tu un mot de ce qu'ils disent ? — Non, bien sûr, dit Eugène, comment le pourrais-je ? Ce n'est pas ma langue. Et il haussait les épaules, étonné d'une telle question. Tout à coup, un essaim de femmes les entourèrent. Depuis un moment elles se tournaient vers Fanny, l'examinaient avec curiosité, riaient entre elles tout en lui lançant des coups d'œil emplis de perplexité. Elles s'étaient levées et s'approchaient maintenant pour la toucher, et elles se retenaient au bras de Fanny, à son épaule, quand un cahot menaçait de les précipiter à terre. Elles posaient des questions gaiement. Fanny entendit le nom de son père. Le visage des femmes était amical, attentif. De leurs jupes chatoyantes s'élevaient comme pour la griser des parfums indéfinissables. Voulaient-elles lui faire savoir qu'elles connaissaient son père et savaient qui elle était, elle ? Fanny prit peur et se serra contre Eugène. Si ces femmes la connaissaient, s'accrochant à elle avec une troublante liberté, c'est qu'elle avait à voir avec cet endroit, bien qu'elle l'eût oublié et pensât n'être jamais venue chez son père, vers la maison de qui, la plus belle du village, elle s'était pourtant dirigée sans hésiter, guidée par l'intuition.

Les femmes continuaient leurs questions patiemment, s'étonnaient que Fanny ne répondît pas, en leur langue chargée curieusement de mystères familiers comme les débris de songes. A demi renversée sur Eugène, Fanny se raidissait ; et elle voyait là, penchées sur elle, les yeux ouverts largement, les figures d'un monde ennemi, aimables, voulant l'attirer, la faire leur, et d'une grande complaisance maternelle. Eugène était étouffé et se plaignait. Enfin, Fanny s'attacha à regarder droit devant elle avec tant de froideur qu'une à une les femmes s'éloignèrent, déçues. Dans les plis de leurs vêtements Fanny perçut comme des murmures de cruauté, dans leurs bijoux qu'elles avaient nombreux. Son père n'hébergeait-il pas une femme semblable, qu'Eugène avait entraînée dans un coin et qui, peut-être, se serait emparée de Fanny avec avidité, qui l'aurait poussée à trahir la famille, le cher village de l'aïeule ? Fanny s'était trompée en venant visiter son père car, à l'exception du domestique aux boutons brillants, il s'était entouré d'étrangers en vérité hostiles à Fanny, quand bien même on eût voulu, comme ces femmes, la séduire, la capturer peut-être. Telle qu'elle était, on la haïssait de toutes parts ! Je l'ai échappé belle, murmura-t-elle à Eugène. Et elle ajouta, dans un élan d'amour : A toi, je peux faire confiance, nous sommes pareils.

Comme elle regardait à travers la vitre, le paysage changea brusquement. Il pleuvait sur les toits d'ardoise, sur le chemin boueux, dans les petits jardins cerclés, et les stations-service étaient éclairées déjà, et de grandes zones vagues s'étendaient parfois, avec des caravanes aux portes closes, ou bien c'était d'interminables cimetières de voitures, et Eugène nommait quelque carcasse splendide, ou encore, à la porte des villes, de multiples fois annoncés en lettres géantes sur les affiches où des festins, tout un riche bonheur s'étalaient, des supermarchés illuminés ravissaient Fanny, qui souriait doucement de tout reconnaître. L'autocar se vida peu à peu, ils furent bientôt seuls. Fanny colla son front à la vitre, près du front d'Eugène, elle se félicitait maintenant que son père l'eût chassée comme une importune. Mais la froideur de la famille, au village de l'aïeule, la méchanceté des chiens l'avaient désorientée d'abord, puis désespérée ! Tandis qu'à présent elle en comprenait l'évidence, puisqu'il lui manquait d'être complète.

Le soir descendait. Le chauffeur alluma la radio et une chanson aimée d'Eugène couvrit le bruit de la pluie. Fanny tint ces propos à son cousin :

Vois-tu, il y a une chose dont je ne doute pas, c'est que je n'aurai de cesse que je n'aie trouvé Léda, notre tante. Auprès de cette exigence, de ce devoir, le reste ne compte que pour y servir. Et, vois-tu, il me semble parfois que je suis née pour chercher Léda, aussi toutes mes petites infamies sont justifiées par avance à mes yeux. Seulement, quelques questions me viennent : personne ne me l'ayant ordonné, est-ce que je ne me suis pas trompée en décidant de partir à la recherche de Léda ? Car est-ce qu'il n'était pas prévu que mes parents négligent d'inviter Léda, autrefois ? Est-ce qu'il n'était pas plutôt dans l'ordre véritable que Léda soit tenue à l'écart de cette histoire familiale ? Même, ne pourrait-ce pas être pour mon bien, personne ne le soupçonnant et chacun agissant pourtant comme il le doit, que Léda fût absente ? Et ne suis-je pas en train de troubler ce qui m'est cher par-dessus tout, le bel ordre établi, les traditions, en croyant qu'on y a manqué ? Vois-tu, toutes ces questions me trottent par la tête. Car, si je me fourvoie dans cette affaire, je suis perdue. Oui, Eugène, il ne me restera plus qu'à mourir si je me trompe. Quant à Tante Léda elle-même, si elle allait causer mon malheur ? Se révéler n'être qu'une immense, une terrible déception ? Sera-t-elle vraiment ma tante, pourrai-je en être certaine ? Ah, pour le moment, je ne suis rien, que celle qui cherche Tante Léda, nommée Fanny.

« Si tu t'en vas loin de moi ce ne sera pas avec joie... », fredonnait Eugène, en même temps que le chauffeur dont ils voyaient le dos frémir. Le visage d'Eugène se concentrait voluptueusement. Au refrain, crié par la chanteuse d'une voix aiguë, il ne pouvait s'empêcher de sourire, tant son plaisir était grand.

## Chapitre 7. — LE VOYAGE EN AUTOCAR (suite).

A l'entrée d'un village, le chauffeur fit halte et Tante Colette monta. Elle portait un cabas empli de légumes et la robe bleue pailletée que Fanny lui avait vue le jour de l'anniversaire, que la pluie faisait briller encore davantage — une robe, remarqua Fanny, imprimée discrètement de croissants de lune. Tante Colette s'assit devant. Elle ne nous a pas vus, murmura Fanny. — C'est pour moi qu'elle est là, dit Eugène en se rengorgeant. Où que je sois, elle ne me quitte pas des yeux. — Je t'assure qu'elle ne nous a pas vus, insista Fanny.

Les épaules larges de Tante Colette oscillaient sous le fin tissu de la robe, on devinait la couleur de sa chair molle dans laquelle Eugène se berçait encore, parfois, quand le souci de l'avenir le travaillait. Inquiète, Fanny se demandait ce que faisait Tante Colette dans ce coin perdu. Elle transportait des légumes, comme au retour du marché ! De son cabas qu'elle avait posé dans l'allée, trois têtes de maquereaux dépassaient, dégouttaient de sang. Alors, frottant la vitre embuée, Fanny reconnut le village de l'aïeule. On passait justement devant l'église, qui ne ressemblait à nulle autre, ayant été enduite jusqu'au clocher d'une couche de ciment et ainsi assurée de durer quelques siècles encore. Nous voilà revenus chez l'aïeule ! chuchota Fanny, stupéfaite. — Maman n'est donc pas rentrée chez nous, remarqua paisiblement Eugène. — Mais ce n'est pas notre route ! s'écria Fanny. Devant, Tante Colette, comme sourde, ne s'était pas retournée, n'avait pas même bougé la tête. Parfaitement immobile dans sa robe des grands jours qu'elle allongeait ou raccourcissait chaque année au gré de la mode, avec constance, et moins par coquetterie que par respect des règles sociales, elle ne paraissait pas avoir froid bien qu'elle fût ruisselante. A l'arrêt suivant, non loin de chez l'aïeule, elle descendit sous la pluie, disparut rapidement par une petite rue — et elle courait comme une ombre, semblant glisser.

Maman doit espérer mon retour, dit Eugène avec une mélancolie soudaine. Pour cette raison sans doute, elle sera restée chez l'aïeule. Il ajouta en soupirant : Si nous allions leur dire bonjour ? — C'est impossible, dit Fanny, nous ne pouvons pas les revoir avant d'avoir trouvé ce que nous cherchons. Songe que tu reviendras directeur, ou chef de bureau, contremaître au moins, tandis que tu n'as même pas été capable de garder une place d'employé jusqu'à présent.

Eugène se renfrogna. Fanny s'appuya sur lui et tendit ses jambes à travers l'allée. Elle contemplait avidement les façades mornes, chaque grille, le moindre visage, où elle croyait distinguer, fût-il rougeaud, fermé, les traits d'un parent, et auquel elle eût voulu que le sien ressemblât. Elle ne trouvait plus anormal que l'autocar traversât précisément le village de l'aïeule alors qu'elle avait pensé s'éloigner dans la direction opposée. Mais, envisageant la mort prochaine de l'aïeule, elle se demandait avec anxiété s'il lui serait seulement possible de pénétrer dans le village quand l'aïeule ne serait plus, dont l'autorité incontestable l'avait protégée pendant longtemps, dont la présence, lorsqu'elles cheminaient toutes deux dans les rues, l'avait toujours gardée des questionnements méfiants. Quand l'aïeule ne serait plus, comment Fanny prouverait-elle qu'elle avait été sa petite-fille, et son droit à se réclamer du village, son seul pays ? Elle ne figurait sur aucune des photographies que l'aïeule avait exposées dans sa chambre ! On lui rirait au nez lorsqu'elle déclarerait qu'elle était née ici, qu'elle connaissait mieux que quiconque la moindre venelle, chaque anfractuosité de mur, et que le village apparaissait dans ses rêves avec une précision surnaturelle.

Fanny se leva, s'approcha du chauffeur, lui demanda s'il les conduisait bien vers le bourg d'où Tante Léda avait envoyé la carte postale, quelques années auparavant. Il fit oui de la tête, en appuyant sur le frein : D'ailleurs, on y est !

C'était à quelques minutes du village seulement, dont on apercevait le clocher tout proche.

## Chapitre 8. — UN VILLAGE.

Ni Eugène ni Fanny ne connaissaient cette petite ville. L'autocar s'était arrêté sur la place de l'église que Fanny reconnut pour être celle de la carte postale, et elle en fut émue comme d'une preuve flagrante de l'existence de Tante Léda, de la profonde nécessité de son voyage, quelle qu'en fût l'issue. Elle secoua Eugène qui se tenait dans un silence bourru et, malgré ses grognements, lui frotta le visage avec son mouchoir. Quelle crasse ! disait-elle joyeusement. Puis elle ne put s'empêcher de coller un gros baiser sur sa bouche toute rose, luisante, un peu molle. Eugène se laissa faire avec indifférence, les pouces accrochés aux poches de sa veste cintrée. La nuit tombait ; la pluie avait cessé mais Eugène grelottait ; il voulait manger sur-le-champ. Alors Fanny profita de sa distraction pour l'embrasser à nouveau, et Eugène ne sembla même pas le remarquer. Ses lèvres étaient si douces que Fanny aurait pu les baiser ainsi des milliers de fois sans se lasser, et gonflées comme des coussinets ! Dans un vertige, elle se vit soudain attachée mystérieusement à Eugène, ses propres lèvres fixées aux lèvres ennuyées d'Eugène, et oubliant dans son abandon jusqu'à Tante Léda, jusqu'à son prénom et ce pour quoi seul il valait de vivre. Elle eut un dégoût bref, se détacha d'Eugène et du bout de son pied poussa la valise vers lui. Il la souleva docilement et ils s'engagèrent dans la première rue qui s'offrit à eux.

Mais ce que Fanny avait cru être un gros bourg se trouva n'être qu'un village à peine plus étendu que celui de l'aïeule, semblable presque en tous points avec sa rue principale où, la nuit approchant, passaient des camions de plus en plus nombreux, si lourds, si rapides que leur souffle faisait trébucher Eugène et Fanny qui se serraient contre les murs, parfois si longs qu'il leur semblait marcher dans un couloir, abrutis par le fracas. Déjà les boutiques avaient fermé et Eugène se désespérait. Et son envie d'une tranche de pâté de foie dans un bon morceau de pain devenait si violente que les larmes lui montaient aux yeux. Il s'emporta même, reprochant à Fanny de ne jamais songer aux provisions et de garder dans une cachette inconnue de lui l'argent qu'ils possédaient tous deux, puisqu'il lui avait confié les billets de Tante Colette. Fanny s'efforçait de le calmer par des paroles douces, de vagues promesses. Sous prétexte de l'apaiser, elle fit halte pour l'embrasser à pleine bouche, goulûment. Puis elle s'en voulut, car irait-elle jamais très loin dans la recherche de Tante Léda si les lèvres d'Eugène l'arrêtaient à chaque pas, si elle laissait croître son désir de s'enfermer avec Eugène dans quelque réduit inaccessible, exigu, où, sans lui parler, sans voir ses yeux, il lui suffirait d'être cramponnée à Eugène, au corps mol et doux comme bourré de chiffons ? Pourrait-elle seulement approcher le but, espérer naître enfin à la véritable existence qu'elle convoitait, en ayant lu le récit détaillé dans chaque livre ouvert, chaque magazine parcouru, si un individu tel qu'Eugène était capable de l'immobiliser par le seul attrait d'une nonchalance un peu veule, de lèvres tendres et passives ? Tante Léda était peut-être loin, si loin que Fanny n'aurait pas trop de toute son énergie pour la trouver et la reconnaître ! Il lui faudrait également se faire reconnaître de Tante Léda, ce qui pouvait se révéler difficile, sinon impossible ; et, dans ce cas, Fanny n'aurait plus qu'à disparaître.

Suivant la grand-rue, ils parvinrent bientôt au bout du village, où la rangée de réverbères s'interrompait. Ils entendaient déjà le claquement des volets qu'on tirait pour la nuit, parfois, sous une fenêtre, un bruit confus de voix harmonieuses dont ils devinaient, après une seconde d'illusion, qu'elles étaient émises par un poste de télévision, puis quelques chiens hurlèrent au passage d'un poids lourd qui ébranla le sol. Comme un gamin venait à leur rencontre et qu'ils n'avaient encore croisé personne, Fanny d'un bond se planta devant lui, agrippa son épaule maigre, se baissa pour approcher ses yeux tout près des siens. Dans sa joie de tenir un habitant du village, aussi chétif fût-il, aussi inconsistant, elle cria presque, en faisant peser sa main comme pour le conjurer de ne pas la décevoir : Petit, as-tu entendu parler de Léda, ma tante ? Cependant qu'Eugène demandait d'une voix aiguë : Dis-moi, connais-tu une auberge où l'on mange, dans le coin ? Fanny répéta sa question en le secouant un peu pour s'assurer qu'il comprenait bien, ce qu'imita aussitôt Eugène, sur un ton encore plus haut, et il apparut soudain à Fanny, tandis qu'il laissait tomber sur l'autre épaule du garçon une main autoritaire, qu'Eugène pourrait devenir sans qu'il en eût conscience son plus dangereux ennemi, si elle ne prenait garde de le remettre à sa place, de le faire marcher derrière elle et de le regarder le moins possible, en oubliant jusqu'aux traits de sa figure. Car elle avait maintenant l'impression que la chair rose d'Eugène s'acharnait à vouloir la perdre, ainsi que ses plaintes et sa voracité. Il lui était pourtant aussi indispensable que son ombre ! Calmement, le gamin répondit à Fanny qu'elle n'avait qu'à le suivre, qu'il se rendait précisément là où il avait été souvent question d'une certaine Léda, qui pouvait bien être celle qu'elle recherchait. Puis il se tourna vers Eugène et lui certifia qu'il y aurait pour lui là-bas une place à la table commune. Il ouvrit tout grand une sorte de cabas qu'il avait au bras – une douzaine d'œufs luisants, qu'il rapportait pour l'omelette du dîner. Allons-y ! dit Eugène avec entrain. – Oui, allons-y, dit Fanny fermement, ne voulant pas qu'Eugène s'imaginât être l'auteur de la décision, et elle poussa le gamin devant elle, en direction du village, mais il obliqua souplement et s'engagea sur la route obscure, vers la campagne d'où s'élevait comme son cri véritable, comme une clameur poussée par les blés, le rugissement de la circulation incessante. Le gamin avançait légèrement, talonné par Fanny qui, sentant dans ses cheveux le souffle d'Eugène, craignait, si elle ralentissait, qu'il n'en profitât pour la dépasser. Car il posait à l'enfant des questions que celui-ci n'entendait pas, concernant le repas et le lit qu'on voudrait bien, peut-être, lui fournir dans le même temps. Il était épuisé et maudissait Fanny. Et il l'agaçait par des petites tracasseries calculées, comme de marcher sur le talon de sa chaussure, ou bien se jetait sur elle pour la faire trébucher et prétendait en gloussant qu'il avait buté. Fanny le renvoyait avec colère – presque le haïssant à présent qu'elle lui tournait le dos et que rien ne lui rappelait qui était Eugène, son cousin avec qui, autrefois, au temps heureux des vacances chez l'aïeule, elle avait rêvé peut-être de se marier, alors ignorant que c'est chez l'aïeule même qu'on refuserait un jour de la laisser entrer, jusqu'aux chiens sans âme. Pourtant, songeait Fanny, je les ai promenés et soignés tant de fois ! Mais, l'oncle Georges lui ayant claqué la porte au nez, il se pouvait que les chiens n'eussent fait qu'obéir aux ordres tacites de la famille, puis que celle-ci se fût si bien pénétrée de la nécessité d'exclure Fanny qu'elle avait réussi à oublier son existence et son prénom, et le respect qu'elle avait toujours montré, mieux instruite de l'histoire de chacun que l'intéressé lui-même. Et elle portait à la famille une affection aveugle !

Après avoir passé une porcherie, ils traversèrent un champ de petits pois, assourdis longtemps encore par les grognements des bêtes affolées, puis un autre, qui les ferait arriver plus vite, mais où Eugène, embarrassé de la valise, s'empêtra dans les tiges hautes, et on dut s'arrêter, le dégager, tandis qu'il profitait de sa situation lamentable pour blâmer durement Fanny qui ne lui avait pas même permis de dire bonjour à sa mère, dans l'autocar. Il lui rappela qu'elle avait quitté la maison de son propre père sans le saluer, légèreté qui le dégoûtait, lui, profondément, que le père de Fanny fût ce gros homme aux boutons de cuivre ou qui que ce fût d'autre. Furieuse, Fanny lui pinça la taille et Eugène ricana avec défi. Elle l'aurait maltraité davantage sans la pensée qu'elle ne pouvait malgré tout courir le risque de le perdre, son cousin Eugène sur ses pas, à son bras, représentant avec la famille son lien le plus sûr.

## Chapitre 9. — LE PASTIS.

Ils suivirent le gamin dans une cour où s'élevaient ici et là des piles de détritus, ferraille, jouets éclopés, entre lesquelles, bien qu'il fît noir, l'enfant se faufilait agilement, tenant ses œufs bien haut. D'une carcasse de voiture à demi enfoncée dans la boue, un grand chien jaune bondit en gueulant. Il y avait plusieurs lapins dans un méchant clapier posé tout de guingois, cela puait si fort l'urine que Fanny se boucha le nez. Le gamin lança avec fierté : C'est ici chez nous !, puis il sauta les quelques marches montant à la maison, et il semblait si désinvolte soudain qu'Eugène et Fanny se sentirent oubliés. N'avaient-ils pas fait apparaître le petit garçon miraculeusement, ne s'étaient-ils pas accrochés à son épaule comme à leur bien commun, lui criant aux oreilles sans se soucier de l'indisposer ?

Un peu fâchés, ils entrèrent à leur tour dans la maison pauvrement bâtie, aux murs préfabriqués sur un socle de parpaings bruts. Voilà qu'une grosse femme venait à eux en traînant les pieds. Sous la lumière crue de l'ampoule au plafond, elle paraissait si large, si démesurément ample, et si épais les bras qui sortaient, nus, de sa blouse fleurie, que Fanny recula, croyant voir là Tante Colette qui lui eût tendu un piège. Des yeux elle chercha le gamin, mais il s'était noyé parmi les nombreux enfants qui couraient, sautaient ou, simplement, l'air sournois, riaient dans un coin de la salle, en se bousculant et jetant des coups d'œil malins vers Fanny, en se frottant au mur, mains dans le dos, bombant leur torse maigre avec une impertinence moqueuse, ou se roulant sur l'affreux carrelage, membres étirés comme en un mœlleux gazon, et poussant des glapissements de plaisir, des petits gémissements incongrus. Le garçon pouvait être l'un ou l'autre de ces marmots excités, en si grand nombre, si remuants que le regard ne pouvait se poser nulle part sans en rencontrer un et qu'on n'était jamais sûr que l'enfant qu'on observait depuis quelques secondes n'avait pas été remplacé sans qu'on s'en aperçût par un autre lui ressemblant, au sexe tout aussi indéfinissable, qui criait, ricanait ou geignait sur le même ton que le premier. Sur les murs tendus d'un papier imprimé, tous ces enfants sans doute se retrouvaient dans les dizaines de photographies qu'on y avait épinglées en tous sens.

Il n'y avait que douze œufs ! murmura Eugène accablé. Mais Fanny, qui se moquait bien de l'omelette et ne pensait qu'à Tante Léda, approcha de la femme avec confiance, posa l'index sur sa poitrine énorme et vague, demanda, volontaire : Maintenant, madame, dites-moi je vous prie où est partie Léda, ma tante. A moins, ajouta-t-elle dans un espoir soudain, apeuré, qu'elle ne soit encore ici, tout près ? – Pour ça, non, dit la femme. Elle haussa placidement les épaules puis dirigea son corps lent vers la cuisine en criant dans le raffut qu'on lui apportât les œufs. Comme un petit s'agrippait à sa jambe, elle la secoua pour le décrocher, sans le regarder ni quitter son expression affable, et elle lui laissa, gentiment, son vieux chausson, parfaitement sereine, jeune encore – une longue queue de cheveux bruns lui battait la taille, que feignaient de vouloir attraper deux gamins tordus de rire. Les voyant, Eugène s'élança, leur allongea une taloche. La perspective d'un dîner bien maigre, quand il mourait de faim, le faisait trembler de colère et d'agacement.

Plantés à l'entrée de la pièce, ils n'avaient pas remarqué un homme assis là, dans le fond, au bout d'une table chargée d'objets divers, et qui se manifesta par un toussottement puis une invitation à prendre un verre, et qui était maigre, étroit et petit, ce dont Fanny fut comme surprise, avec un rien de dédain, car son père à elle avait toujours eu une vaste poitrine aux muscles durs.

L'homme servit d'autorité quatre pastis. Eugène et Fanny s'assirent et Fanny posa sur la table encombrée la carte postale envoyée par Léda, représentant la place de l'église avec son cimetière sec. Mais, si prestement qu'elle ne put l'empêcher, et avant que l'homme eût tendu le cou pour y jeter un œil, un enfant surgi comme un diable de dessous la table l'attrapa dans un éclat de rire et fila avec, à quatre pattes, suivi d'une joyeuse petite troupe qui bientôt s'agglutina autour de lui et le dissimula aux regards. Fanny ne put retenir un cri de rage. Elle ne bougea pas cependant, car l'homme trouvait cela fort drôle et sa femme revenue de la cuisine rit aussi, entraînant Eugène, qui s'esclaffa en tapant légèrement du poing sur la table. Alors Fanny fut agréablement pénétrée par l'harmonie enjouée de la maisonnée, elle sourit et avala son pastis d'un trait. Son cousin Eugène et l'homme aux yeux injectés racontaient maintenant des histoires scabreuses, ce qui amusait beaucoup la femme bien que son mari parlât de l'époque de sa jeunesse, où il avait connu du succès. Eugène se vanta, tout en tiraillant son pull-over collant. Et Fanny, régulièrement, avait pour lui des gestes caressants ou attentionnés, ou des remarques un peu sèches, pour faire croire qu'Eugène lui appartenait. Mais il ne se souciait ni qu'elle le cajolât ni d'être rabroué et ne pensait pour le moment qu'à épater le couple par le récit de ses exploits, il lissait son torse, ses cheveux gluants, se tortillait dans son exaltation, il lançait des termes obscènes avec une affectation de naturel.

On resservit quatre pastis et la femme ouvrit un paquet de chips. Elle en envoya quelques généreuses poignées aux enfants, qui se ruèrent avec de grands cris, si bien qu'on ne s'entendait plus et qu'il fallut les menacer du martinet (Je vais sortir mon pote ! disait la femme) ou de coups de pied au derrière.

Aguerris, insolents, les plus grands ricanaient. Ils semblaient faits d'un cuir épais insensible aux coups, aux chutes, comme ayant tant enduré que la perspective de violences les émoustillait, et sur leur petite figure pointue, étriquée, glissait parfois une vilaine expression de concupiscence rusée. Ils se traînaient le long des murs sans quitter la table des yeux, d'où pouvait venir le danger. Mais on avait oublié les gamins, on prenait l'apéritif tranquillement, se confiant de plus en plus intimement à mesure que les verres se vidaient. Fanny, sans cesse, revenait à Léda. Enfin, dans un grand soupir, la femme dit qu'ils avaient bien connu Léda quelques années auparavant, qu'elle avait vécu ici un moment, par désarroi, et qu'ils avaient conservé dans la chambre à côté une photographie où on la voyait lisant. Fanny sauta de joie, voulut y courir. La femme ajouta que Léda était alors tellement grosse qu'on avait eu du mal à la faire tenir entière sur la photographie, et Fanny s'écria stupéfaite : On m'a dit qu'elle était aussi mince que Maman ! Mais l'homme la contredit avec vigueur. Il avait aperçu, lui, avoua-t-il d'un air fin, la face rouge, par le plus grand des hasards un sein de Léda. Se penchant vers lui avec avidité Fanny demanda comment était le sein de sa tante Léda. L'homme ne réussit à le décrire, manquant de vocabulaire. Alors, ses mains levées caressaient une forme invisible et il souriait vers Eugène en clignant de l'œil, mais Eugène, qui était le neveu de Léda, détourna le regard. Tandis que Fanny éprouvait un plaisir aigu, ému, de ce que l'homme eût vu le sein de Tante Léda et l'eût peut-être même touché, prouvant par là mieux que personne la réalité charnelle de Tante Léda dont l'aïeule, au moment où Fanny l'avait quittée, avouait douter parfois honteusement de l'existence, bien qu'en rêve elle l'entendît heurter ses volets avec une volonté impérieuse.

Sous le prétexte d'aller regarder la photographie, elle s'arrangea pour se retrouver seule avec l'homme au bout du couloir conduisant à la chambre. Pendant ce temps, Eugène mettait la table et la femme cassait les œufs. Fanny, à voix basse, un sourire encourageant aux lèvres, le pressa de lui raconter tout ce qu'il savait du corps inconnu de Tante Léda, et elle lâchait quelques expressions susceptibles de l'aider ou de lui rafraîchir la mémoire, faisant en sorte que son propre corps tendu vers l'homme fût éclairé brutalement par l'ampoule, qu'un long fil nu retenait au plafond. Son cœur battait fortement, car, elle le sentait, cet homme malingre avait approché Léda plus près qu'il n'avait osé le reconnaître en présence de sa femme. Et n'avait-il pu, même, immobiliser Léda contre ce mur recouvert d'un vieux papier à fleurs, n'avait-il pu enfouir ses doigts, son visage enflammé, dans la chair inconcevable de Tante Léda, dont le mystère tentait maintenant Fanny au point de l'étourdir ?

Mais l'homme, ayant bu, discourait sans cohérence. Il avança la main vers Fanny qui se redressa, s'écarta, mécontente. On ne peut vraiment rien tirer de vous, grommela-t-elle. Il avait cru à sa complaisance et fut désagréablement surpris. Il cria qu'il n'était que cheminot et elle une sacrée garce, à se pencher vers lui pour s'esquiver dès qu'il s'approchait. Il s'embrouillait furieusement. De colère Fanny tapa du pied, puis elle se précipita dans la chambre où elle s'enferma à clé. Elle murmurait des insultes à l'encontre de l'homme et de tous les habitants de la maison qui, ayant côtoyé Tante Léda, étaient incapables d'en rien dire, les mots les plus simples les fuyant. Fanny, elle, ne demandait, pour se représenter Léda, que quelques mots précis ! Elle songeait à l'homme avec une jalousie croissante. Qu'avait-il tenu entre ses grosses mains, et quel regard avait-on posé sur lui, le dos au mur fleuri ou orné, comme dans la salle, de scènes de chasse aux couleurs passées ? Fanny, serrant les poings, se promit qu'elle forcerait Eugène à venir à elle, dût-il en tirer la conclusion que la famille avait bien fait de la chasser, comme un corps nocif.

Constatant qu'on la laissait tranquille, elle examina la chambre simplement meublée d'un lit couvert d'un tissu chenille orange, de deux tabourets de plastique verts, de tables de nuit assorties. Au milieu du lit, une grande poupée de foire à la robe épandue donnait peut-être, dans l'esprit de la femme, un peu de cachet. Fanny ouvrit un tiroir, prit la photographie encadrée qui s'y trouvait, sur laquelle on ne distinguait qu'une confuse masse grise. Au bas, elle lut le nom de Léda. Voilà donc ma tante ! ne put-elle s'empêcher de s'écrier. Elle plissa les yeux pour tenter de se représenter les traits, la silhouette de cette forme vague étalée sur un fond blanchâtre, jusqu'à ce qu'elle comprît qu'une sorte de magazine largement déployé dissimulait le visage et le buste de Tante Léda, dont on ne voyait, à grand-peine, que les doigts, le bas de la jupe, une mèche s'échappant par le haut. Se pouvait-il que Léda eût l'habitude de lire les mêmes revues que Fanny, parlant des princesses et des vedettes de cinéma ? Un peu déçue mais très excitée, Fanny arracha la photographie, la plia et la glissa dans sa poche. Revenue dans la salle, elle s'assit auprès d'Eugène à la table où avaient pris place les plus âgés des enfants, qui se bourraient d'omelette et de pain, tandis que les petits mangeaient assis par terre ou vautrés sur un vieux canapé, face à la télévision. Eugène enfournait d'énormes bouchées, muet, voûté, il ignora Fanny comme si sa conduite envers l'homme au cou de poulet l'eût offensé personnellement, à moins, pensa Fanny, que son cousin Eugène, qui aimait bavarder, rire grassement, lui en voulût de ce que leur hôte se tînt maintenant dans un silence maussade et rancuneux, un détachement feint et lourd d'hargneux mépris. Souriante, la femme servit à Fanny sa portion d'omelette. Et, dans son dos, sa longue queue sautillait, avec tant de gaieté que

Fanny s'écarta d'Eugène pour se rapprocher de la femme dont le visage fatigué, abîmé, avait des éclairs d'infinie douceur, et maintenant la tranquillité attentive qui l'avait traversé aux récits scabreux du mari, mais parfois, fugitivement, une expression de fin certaine, et parfaitement sue – mais parfois, abruptement, comme l'idée passant soudain que l'existence misérable s'achèverait dans la misère des débuts et de toujours, pour le malheur de la femme. Elle trouvait pourtant en elle assez d'indifférence souveraine pour servir l'omelette avec soin, racler la poêle, se réjouir mystérieusement d'on ne savait quoi, pour cajoler les petits ou pour donner à ceux qui méritaient d'être calmés quelques bons coups de chausson. Mais que cela comme le reste fût vain, en regard de la pauvre vie qui avait été, irrémédiablement, et des violences subies dont témoignait encore certain délabrement du visage, voilà qu'elle le confirmait d'un air triste et résigné, et disait au mari, l'œil lointain : Que veux-tu..., voilà qu'elle se laissait tomber sur sa chaise, se grattait le mollet lentement, dans une désespérance subite.

Chapitre 10. – UN RÊVE.

Après l'omelette, les enfants avalèrent de grands bols de café au lait, puis la femme fit signe à Fanny de la suivre dans la chambre, elles s'assirent côte à côte sur le lit, devant la poupée de foire poussiéreuse, la femme enlaça Fanny et colla sa bouche contre son oreille. Elle soupirait, devant avouer quelque chose qu'elle eût préféré garder. C'est que, dit la femme d'une voix sifflante pénible à l'oreille de Fanny, ayant rêvé de Léda pas plus tard que la nuit précédente, elle se sentait obligée de raconter ce rêve à Fanny, de nombreux indices que celle-ci identifierait sans peine s'y étant peut-être glissés, qui l'aideraient à poursuivre Léda. Vite, dit Fanny pleine d'un espoir soudain, je trouverai ce qu'il me faut ! Alors la femme s'inclina vers une des tables de chevet d'où elle tira une feuille de papier arrachée d'un cahier, couverte de taches – craignant de l'oublier, elle avait transcrit rapidement les grandes lignes de son rêve, ce matin même. Mais comment saviez-vous, s'étonna Fanny, que j'existais et que vous me rencontreriez ? – Je pensais bien qu'il était dans mon rôle de le savoir, dit tranquillement la femme, comblant Fanny de joie. Elle ne songea plus à la légère douleur que causait à son tympan la voix flûtée et stridente de la femme, dont les lèvres moites lui chatouillaient l'oreille, agaçaient le duvet blond qu'elle avait là, dont la chair molle l'écrasait un peu. S'interrompant fréquemment pour jeter des coups d'œil perplexes à son papier et tenter de déchiffrer sa propre écriture, la femme raconta. Dans ce rêve, avoua-t-elle, elle avait été Léda, n'ayant ni les traits ni le corps de Léda, mais cependant sachant intimement qu'elle était Léda, vivant au village de M., non loin de là, et, mis à part cette différence, ayant en tout la même existence qu'ici, où elle s'occupait des enfants et des travaux de la maison. Mais, dit-elle, on l'appelait Léda, sans que cela la surprît. Et son esprit était celui de Léda, sans que cela la modifiât. Votre mari, c'était celui-là aussi ? demanda Fanny avec dégoût. La femme ayant acquiescé, Fanny en fut révulsée, et elle la fixa d'un long regard de reproche. De quel droit cette étrangère se permettait-elle d'insulter sa tante, en la flanquant d'un mari tel que le sien, sans embarras et semblant même, son visage souriant à demi maintenant, sa voix se faisant plus sourde, en tirer une satisfaction amusée ?

Fanny soupira, la sueur délicatement parfumée de la femme gouttait de son cou dans le sien et, celle-ci lui rendant un grand service, elle décida de lui pardonner. Mais la suite du rêve, plusieurs lignes encore, était illisible. Penchées toutes deux sur le papier, elles émettaient des suppositions quant à la forme d'une lettre, au genre d'un mot, que la femme rejetait aussitôt d'un geste ostentatoire et fier qui irritait Fanny d'autant plus que son hôtesse affirmait n'avoir pas le moindre souvenir de ce qu'elle avait rêvé puis écrit, et se plaisait à lancer, d'une voix accablée, tapotant la feuille déjà souillée : Pourtant, tout est là ! La vérité est bien là ! Finalement, s'excusant de sa négligence, elle rangea le papier, comme si, de ne pouvoir plus servir, il eût revêtu quelque valeur. Où est le village de M. ? Je n'ai jamais entendu ce nom, dit Fanny en se levant. Il était pourtant tout près d'ici, affirma la femme, et il était curieux que Fanny, qui prétendait être du coin, ne le connût pas. Eh bien non, dit Fanny avec défi, je ne le connais pas ! Puis, croyant voir passer dans les yeux de la femme une lueur de méfiance, tout son orgueil d'un coup l'abandonna, elle revint s'asseoir, se serra contre la femme qui maintenant se tenait un peu raide, la tête droite, et presque supplia qu'on ne mît pas ses propos en doute, sur la foi d'apparences trompeuses, de contradictions sans valeur, quand elle déclarait ne rien savoir du monde que ce qui concernait cette région-ci, et n'avoir dans le fond d'amour plus grand pour nulle autre. Que pouvait-elle ajouter, la famille s'étant acharnée à la méconnaître ? Et comment pouvait-elle prouver sa bonne volonté davantage, la famille refusant de l'entendre, crainte du trouble, fût-elle paisible, humble, respectueuse, inhérent à sa singulière présence, à sa naissance peu claire — fût-elle plus digne de confiance et d'affection que son cousin Eugène, qui blasphémait impunément et avait déjà (Fanny en tremblait de honte, de douleur) traité l'aïeule de vieille bique, autrefois ? Pourtant, insistait la femme, si vous n'avez jamais entendu parler du village de M. qui est connu de chacun ici, c'est bien qu'il y a quelque chose de bizarre. Eugène doit le connaître, ce village, pensa Fanny avec une jalousie féroce. Malgré son indifférence et ses ricanements. Tandis qu'on n'a jamais dit ce nom devant moi ! N'en arriverait-elle pas, songeait-elle anxieuse, à ne plus croire ses propres paroles ? Quand l'aïeule serait morte, la famille laisserait les chiens dévorer Fanny, ennuyée un peu et détournant le regard avec tact ! Pour la guérir de ses intolérables prétentions !

## Chapitre 11. – EUGÈNE S'ENFUIT.

La nuit venue, Fanny et Eugène furent aimablement conduits dans une chambre d'enfant. On délogea deux gamins d'un petit lit grinçant qu'on leur offrit en s'excusant de ne pouvoir proposer mieux, ils se tassèrent là-dedans, à moitié déshabillés car, une dizaine de marmots, parmi les plus grands, couchant dans la pièce, et chacun les observant d'un œil curieux à la lueur de la lune pleine, ils n'avaient pas osé enlever tous leurs vêtements, malgré le désir qu'en avait Fanny. Les enfants chuchotaient, riaient tout bas. L'un deux poussa un ululement, repris en sourdine par dix petites voix excitées. Puis ils jouèrent à faire des pets. Eugène tonna : Bon dieu, si je me lève... ! – C'est inutile, murmura Fanny, il faut les supporter jusqu'à ce qu'ils s'endorment. Elle était prise, à son tour, d'une joyeuse animation, d'une fièvre qui l'échauffait. Comme pour empêcher Eugène de sortir du lit, ou comme souffrant par trop d'être coincée au bord, elle l'enserra de ses bras, de ses jambes, l'aveugla de ses cheveux, l'attrapa aux oreilles, puis, dans un gémissement de toute la literie, glissa sur le ventre de son cousin, où elle demeura plaquée comme un crapaud, alourdissant son corps, et la joue si fort enfoncée entre les lèvres d'Eugène qu'il ne pouvait parler ni respirer. Eugène, je t'aime, dit Fanny gaiement, alors tellement heureuse d'étreindre son cousin qu'elle ne pensait plus à lui ni au malaise qu'il éprouvait sans doute, allait jusqu'à se dire qu'elle eût passé ainsi le reste de sa vie et, doucement, accentuait sa pression sur le corps mou d'Eugène, dans son plaisir tirait sur ses oreilles, mordillait son cou, inconsidérément. Comme elle l'aimait ! songeait-elle éblouie. Il lui semblait embrasser la vaste chair de Tante Colette, et le froid squelette de l'aïeule, même la carcasse des vieux chiens râpeux ! Comme elle les aimait, tous ! Un coup violent dans le dos la fit suffoquer. Eugène, ayant dégagé ses poings, la frappait furieusement. Elle durcit la mâchoire, se frotta à lui jusqu'à ce qu'elle eût mal, Eugène arqua le dos, ils tombèrent dans la ruelle enlacés. Aussitôt, les gamins bondirent de leur lit et se groupèrent autour d'eux bruyamment, sans s'approcher de trop près. Ces dix silhouettes en pyjama, légères, étroites comme des souffles, impalpables et claires, sautillaient avec les gestes lents de figures irréelles, mais elles avaient d'étranges prudences. Eugène cognait toujours, essayant en vain de mordre la joue de Fanny qui emplissait sa bouche. Enfin, bien que la douleur lui fût indifférente, mais parce que sa joie était tombée et que la grisante certitude de tenir Eugène — la famille entière, et les chiens, et tous les morts d'autrefois — s'éteignait aussi, Fanny se releva prestement, agita les mains pour faire fuir les enfants, puis regagna le lit où Eugène silencieux se hissa peu après. Elle voulut l'embrasser mais il la repoussa avec dégoût, et Fanny s'endormit.

Au matin, la fenêtre battait. Eugène avait filé par les champs de petits pois, ayant pris l'argent serré dans la valise. Oubliant d'enfiler ses chaussures tant son désespoir lui tournait la tête,

Fanny enjamba la fenêtre et courut dans les champs en tous sens, criant : Eugène, reviens ! Tu as donc tout oublié ? Eugène ! Trébuchant, le corps secoué, sautant de rang en rang, elle paraissait de loin mimer la joie. Les enfants riaient de la voir gambader si drôlement ! Toute la journée Fanny pleura, ou se mit en colère pour sangloter de nouveau, et son chagrin d'avoir perdu Eugène était exacerbé par le ridicule et l'incohérence d'un voyage sans compagnon, car elle ne se rappelait pas avoir jamais lu que cela s'était fait, dans le passé réel ou imaginaire.

## Chapitre 12. – AU VILLAGE DE M.

Bien que les hôtes de Fanny lui eussent avoué qu'ils étaient contraints de nourrir et d'éduquer leur nombreuse marmaille avec un tout petit peu moins que ce qui eût été nécessaire, sans se gâter, à eux seuls, ils insistèrent pour lui donner l'argent de son voyage au village de M., où la femme avait rêvé que vivait Léda et où Fanny espérait avoir des nouvelles de sa tante, sinon l'y trouver en personne. Elle partit à pied, portant sa valise, après avoir embrassé tout le monde. Elle avait encore des accès de chagrin en pensant aux lèvres soyeuses d'Eugène, à sa propre solitude incongrue, ou quand elle s'arrêtait pour masser sa main endolorie par la poignée et se rappelait avec quelle émouvante docilité Eugène, toujours, s'était chargé de la valise, malgré sa paresse. Que lui avait-elle fait pour qu'il se sauvât ainsi ? se demandait Fanny. Elle s'était couchée sur lui de tout son long et l'avait quelque peu malmené, mais, étant son cousin, n'aurait-il pu sentir à quel point, soudain, elle l'aimait, et la famille entière, et souhaitait mêler à la sienne sa chair imparfaite, au sang d'Eugène son sang trouble ? Comme elle eût voulu, se blottissant contre lui, devenir Eugène lui-même, avoir pour parents l'oncle Georges et Tante Colette, dont on ne disait rien sinon qu'ils étaient « braves » ! Devenir, peut-être, l'un des chiens fidèles...

Fanny s'assit sur une borne, pleurant. Dans un petit miroir qu'elle avait, elle se contemplait avec dégoût, quoiqu'elle fût jolie, ainsi qu'on le lui avait dit souvent (mais personne de la famille, pour qui le visage de Fanny n'était qu'étrange). Le froid la remit en marche, et elle s'inquiéta pour Eugène. S'était-il couvert suffisamment ? Et, maintenant, elle le prenait en pitié, de n'avoir su croire assez en la nécessité de rechercher Léda pour s'y tenir à tout prix, de n'avoir su orienter son esprit vers ce but unique, qui écartait au moins les tentations de la mélancolie. Eugène avait rêvé d'un bureau large comme un lit, d'employés respectueux qu'il eût traités avec bonté, de collines roses, flottantes sur les nuages ! Pauvre, pauvre Eugène, songeait Fanny avec fureur.

Elle avançait d'un pas vif au bord de la route nationale, serrant son col d'une main. Le vent sifflait sur les mornes étendues des champs de blé et des champs de betteraves et des champs de maïs monotones, sur la morne platitude des champs de petits pois infinis et des champs immenses et monotones de tournesols solitaires, à la révérence désolée. Fanny craignait la pluie dont nul arbre, pas le moindre bosquet ne l'eût protégée. Mais elle apercevait déjà le cimetière du village de M., séparé de la commune d'où Fanny venait par un bout de nationale et certainement guère plus éloigné du village de l'aïeule, que Fanny avait quitté, quelques jours auparavant, en pensant le laisser loin derrière elle. Elle se hâta, heureuse, dans l'espérance de Léda. Elle se remémorait le rêve de la femme avec une précision si colorée et tant de détails que cette femme elle-même avait été incapable de lui donner, qu'il lui semblait vaguement, à présent, que ce rêve était le sien, tombé inexplicablement entre les mains d'une inconnue. Dans ce rêve, Fanny était donc Léda ! Je vais interroger chaque habitant, se dit Fanny, et il se trouvera peut-être que l'un d'eux est Tante Léda, ou l'a connue de près. Je sais si peu de choses de Léda et on m'a parlé d'elle de manières si variées, que Léda pourrait, après tout, se révéler être un homme aussi bien, ou n'importe quoi d'autre. Que sais-je de Tante Léda ? Où ai-je vu son visage ? Rien n'est sûr ! Seulement ceci : on a commis une faute à son égard quand je suis née, qui a accumulé les malheurs sur ma pauvre tête.

Le ciel s'alourdit ; maintenant, il tombait de grosses gouttes, la route déserte luisait, Fanny courut maladroitement. Devant le cimetière ceint de hauts murs cimentés, les habitations récentes d'un lotissement avaient, toutes, des volets gris et un toit de tuiles brunâtres, et dans leur cour étroite une niche d'où, malgré la pluie, des roquets se précipitèrent lorsque Fanny passa et gueulèrent longuement.

La rue était vide et les murs crépis de gris, comme au village de l'aïeule, les fenêtres sans rebords et garnies de rideaux opaques fermés avec soin, le trottoir si resserré que Fanny devait tenir sa valise devant elle, à deux mains. Et, comme au village de l'aïeule, la route coupant la place de l'église avait dissuadé d'y installer quelques bancs, d'y planter un arbre au pied duquel on se fût retrouvés. Ah, songeait Fanny contente, comme je connais bien tout ceci, comme tout ici m'est familier ! Elle entra dans le café, face à l'église – Au Coq Hardi, où, était-il précisé, l'on pouvait manger aussi. Il n'y avait personne dans la salle. Fanny s'ébroua, fit grincer sa chaise, elle eut une fugace poussée de désespoir en pensant à Eugène, puis le méprisa avec force.

Une fille arriva d'un pas traînant. Je m'appelle Fanny, dit

Fanny aimablement, et je voudrais bien, s'il vous plaît, deux œufs sur le plat, une saucisse et de la bière. Une expression de contrariété s'installa dans le regard renfrogné de la fille qui, voyant Fanny, n'avait pas pris la peine de s'approcher jusqu'à sa table, et qui maintenant soupirait à grand bruit, frottait le comptoir du coin de son tablier. Elle secouait ses cheveux ternes avec un air de lassitude si intense, et toute sa personne un peu lourde, un peu molle (la chair de ses bras tremblant légèrement, de ses hanches), semblait soudain accablée d'un poids tel que Fanny, rougissant, s'inquiéta d'en être la cause. Mais la fille eut un geste vague, elle haussa les épaules, puis s'en alla vers la cuisine. Par derrière, l'ourlet de sa vilaine jupe pendait. Je l'ennuie, se dit Fanny humblement, mais pourquoi donc ? Oh, il faut que je me fasse des amis ici, que chacun m'ouvre sa porte. Je saurai bien leur montrer que je suis du pays. Un jour on me dira, avec un sourire : Voici votre Tante Léda ! Et, à cette idée, Fanny ne put s'empêcher de fermer les yeux, de bonheur, mais se demanda, dans un frisson de perplexité : Alors, qui serai-je, Tante Léda à mes côtés ? Que fera la famille ? Si elle allait refuser de reconnaître Léda elle-même ? Si les chiens (Fanny frémit et chassa bien vite cette vision) allaient se jeter sur la grille en grondant à l'arrivée de Léda ?

Fanny glissa sa valise sous la table, puis s'efforça de prendre une mine dégagée afin qu'on ne remarquât pas ses craintes, qui ne se fussent guère accordées avec l'assurance qu'elle était, ici, presque chez elle, tant ce village ressemblait à celui de l'aïeule.

D'où vient pourtant que je doute ? se demanda Fanny ? Est-ce parce qu'on s'acharne à vouloir me convaincre que je ne puis qu'être étrangère à ces lieux, avec une opiniâtreté mystérieuse, qui m'effare, ou est-ce que je ne suis pas tout à fait sûre de ce que j'avance, amenant ainsi naturellement à ce qu'on me soupçonne ? Ah, je n'en sais rien. Quant à moi, mes intérêts sont si grands qu'il se peut bien que je m'aveugle parfois. Car, si tous ces villages me signifient que je ne puis absolument leur appartenir, quelques preuves que je produise, quelque science que je montre de tout ce qui se fait, pour la seule raison que cela ne se peut, eh bien je ne serai jamais de nulle part. Par ailleurs, si je ne trouve pas Tante Léda, il est inutile que je revienne au village de l'aïeule : avec toute la puissance de sa mauvaise foi, la famille en tirera prétexte pour me démontrer qu'elle a eu raison.

Fanny jetait ses regards autour d'elle, dans la salle tout obscurcie par la pluie. C'était le début de l'après-midi et il faisait sombre comme au crépuscule, sans que cela fût en rien mélancolique mais, ainsi qu'au village de l'aïeule où une grisaille pesante semblait pencher les figures vers le sol, brutal et sans fantaisie. Au plafond bas, sale, pendaient des rouleaux de papier tue-mouches, des tubes au néon s'encrassaient, une vieille guirlande oubliée s'agita mollement, dans un courant d'air ; les murs étaient vert pâle, semés de taches jaunâtres à hauteur des tables, qu'on avait recouvertes de toiles cirées à petits carreaux bleus et blancs passés. Par les fenêtres étroites on n'apercevait que le flanc de l'église sans grâce, de l'autre côté de la route. Une tenace odeur de graillon, de tabac brun, de chien malpropre, empoisonnait l'air et, maintenant, donnait, presque, des vertiges à Fanny, qui dans le bar-tabac-restaurant du village de l'aïeule, Chez Georgette, n'était jamais restée aussi longtemps que dans celui-ci, le Coq Hardi, où elle attendait depuis une demi-heure déjà.

Quand la serveuse revint, Fanny s'était assoupie. La fille la réveilla d'un coup de pied dans sa chaise et posa brusquement une chope de bière, et deux œufs frits et une saucisse de Francfort dans une assiette ébréchée. Fanny remercia excessivement, elle tendait les mains pour aider, se reculait, rentrait le cou dans la crainte de gêner.

## Chapitre 13. — LUCETTE.

Puis cette forte fille fière et trapue, aux larges épaules, à la démarche solide, mais assez fine et régulière de figure, avec un nez droit, des lèvres minces, de longs yeux bien écartés, se mit à aller et venir à grands pas furieux dans la petite salle, sans faire attention qu'en se cognant aux tables elle imprimait à celle de Fanny des vibrations pénibles, et Fanny devait alors s'interrompre de manger, guetter le passage de la serveuse dans une zone dégagée, se dépêcher d'avaler une bouchée, tout ceci très discrètement. L'air courroucé de la fille l'effrayait, et certaine façon qu'elle avait de retrousser les lèvres ou d'envoyer ses cheveux en arrière comme si elle eût souhaité que sa tête partît avec. La fille cependant ne la regardait pas ; elle semblait, même, dédaigner de tourner son regard vers Fanny, qu'elle frôlait parfois avec indifférence, dont elle heurtait la table, la chaise, un bout de la valise, dans sa rage d'avancer. Quand Fanny eut terminé, à grand-peine tant la saucisse avait mauvais goût, elle se renversa sur sa chaise et demanda timidement : Comment vous appelez-vous, si je peux me permettre ? — Lucette ! s'écria la fille. Elle s'arrêta net, approcha de Fanny, s'assit d'une cuisse sur la table, croisa les bras. Elle planta ses yeux dans les yeux de Fanny tout emplis de respect et d'espoir. Vous comprenez, dit Lucette d'une voix rapide et sans quitter son expression furibonde, vous comprenez, je ne peux pas être à la fois au four et au moulin, je ne peux pas servir en salle et travailler à la cuisine en même temps. Non, ça ne pourra pas durer comme ça. Moi, je suis serveuse, et c'est assez, et je vous assure que ce n'est pas rien, surtout le soir. Je déteste faire la cuisine, tripoter les aliments, et je n'ai pas été engagée pour ça. Ce que j'aime, c'est être dans la salle, prendre les commandes et servir, et quand je ne trotte pas je suis assise sur cette grande chaise, là-bas au fond, j'étale ma jupe et je surveille la salle, et je plaisante avec les clients, juste ce qu'il faut. Oh, rien ne m'échappe. Je pose les mains sur mon ventre, comme ça, je ferme à demi les paupières à cause de la fumée et j'observe tout sans en avoir l'air. Dès qu'un client réclame quelque chose, parfois avant même qu'il ouvre la bouche, je bondis auprès de lui et le plus souvent je sais précisément ce qu'il veut, car je l'ai si bien examiné que je pressens ses désirs.

— Vraiment ! lança Fanny sur un ton d'admiration.

— Oui, oui, c'est exactement comme ça, dit Lucette soudain rappelée à la présence de Fanny. La cuisine, ce n'est pas mon affaire et si ça continue je vais prendre la poudre d'escampette, oh c'est ce qui va arriver si la patronne s'obstine à ne pas vouloir embaucher quelqu'un.

— Si vous partez, dit Fanny, on aura sans doute du mal à retrouver une serveuse de votre valeur.

— C'est ce que je lui dis et elle le sait bien. Seulement, elle ne peut pas se décider, c'est plus fort qu'elle. Elle a tellement de peine à lâcher son argent !

— Ne peut-elle pas nous entendre ? murmura Fanny.

— Elle dort, dit Lucette avec dédain, et quand bien même, ce n'est pas ce qui m'empêcherait de parler. Ah, j'ai cru devenir folle quand vous m'avez demandé des œufs et une saucisse ! Croyez-vous qu'il soit bon pour le prestige d'un établissement que la serveuse sente la vieille graisse ? Voyez, un peu de jaune d'œuf a jailli sur mon chemisier. Croyez-vous que ça fasse bien quand j'apporte l'apéritif ?

— Certainement non, approuva Fanny qui pensa néanmoins que la salle du Coq Hardi était suffisamment empuantie et souillée pour qu'on ne distinguât pas l'odeur des cheveux de

Lucette ni qu'on s'offusquât de quelques taches sur ses vêtements douteux.

— Maintenant je suis désespérée ! s'exclamait Lucette en frappant la table. Je peux bien vous le dire, j'ai pleuré en faisant cuire vos œufs, tant ma situation me semblait minable, si peu en rapport avec ce pour quoi je suis faite. J'ai honte ! Oui, dès qu'on m'envoie dans cette cuisine infecte, je crois mourir de honte.

— C'est horrible ! s'écria Fanny sincèrement touchée. Elle voulut prendre la main de Lucette mais celle-ci avait tout en parlant de grands gestes indignés, et elle ne comprit d'ailleurs pas l'intention de Fanny, qu'elle survolait du regard, toute à son malheur et, sous le nylon clair de son corsage, ses robustes épaules roulant en vagues, sa poitrine floue enflant, s'abaissant, avec violence. La pluie sur les carreaux s'emportait. Dans la salle si sombre déjà que les traits de Lucette s'estompaient, quelques grosses mouches vinrent s'engluer au ruban couleur de miel, grésillaient longtemps ; d'autres tournoyaient autour de l'assiette, se trempaient dans une petite flaque de bière. Alors Fanny mit en Lucette sa confiance sans limites, ne doutant plus que Lucette, forte comme elle l'était, travaillant au village, connût Tante Léda quelle qu'elle fût. Le cœur tressautant, elle songea : Et si, même, par miracle, Lucette... Elle pensait aussi qu'Eugène ayant tout emporté elle n'avait pratiquement plus d'argent, tout juste assez pour son repas, et nulle part où dormir. Et il lui fallait être dans la place !

— Je peux vous aider, dit-elle s'approchant de Lucette autant qu'elle l'osait.

— M'aider, quoi m'aider... Lucette, distraite, se balançait, ayant oublié Fanny tout à fait, au rythme des gouttes sonores contre les vitres, contre la porte basse, agitant son mollet gainé d'une chaussette noire d'où jaillissait en haut comme étranglé son pâle genou rond et gras, et à ce point perdue dans ses réflexions rancuneuses que, son œil par hasard tombant sur Fanny, elle fut toute surprise de la voir, ne put réprimer une grimace d'impatience. Sous le regard un peu stupide de Lucette, Fanny se sentit écrasée, réduite, et rien ne lui sembla aussi important que de plaire à cette fille puissante et difficile. Elle fixa, pour se donner du courage, un dessin de la jupe à ramages de Lucette.

– Contre le logement et les repas, dit-elle très vite, je pourrais vous remplacer à la cuisine. Si la patronne est d'accord, je ne demande rien de plus, ça ne devrait pas coûter grand-chose.

– Tiens ! Et vous sauriez faire ça ? s'étonna Lucette.

– Je peux tout faire, dit Fanny l'air modeste.

– Même certains plats d'ici ? Lucette haussait les sourcils, sceptique et presque méprisante, bras croisés et lançant loin sa jambe lestée d'une grosse chaussure à lacets.

– C'est que, dit Fanny sans lever les yeux, j'ai très souvent observé ma grand-mère.

Alors, comme passant aux choses sérieuses, Lucette interrogea sèchement :

– La tête de veau ?

– Accompagnée de la fraise, je laisse cuire trois bonnes heures, doucement, avec du thym, beaucoup de thym.

– Le civet ?

– Au sang, pommes de terre, un peu de vin rouge.

– Ici, nous faisons le pâté de lièvre, et puis les confitures.

– Oh, s'écria Fanny enthousiaste, j'ai aidé pour la confiture de rhubarbe pas plus tard que l'été dernier. Pour le pâté, je peux dépiauter la bête, et je sais qu'on met moitié de porc, et du persil.

— Oui, dit Lucette, mais la crème renversée, saurez-vous vous en sortir, de la crème renversée ?

— J'en ai fait bien souvent.

— Il vous faudra remplir les bouchées à la reine.

— Avec du ris de veau, des champignons, dans une béchamelle parfumée.

Fanny fut presque déçue que Lucette cessât ses questions, tant elle prenait de plaisir attendri à se rappeler ce qu'elle avait vu exécuter par l'aïeule de nombreuses fois et que sa propre mère avait oublié, n'éprouvant pour ces vieilles pratiques transmises dévotement qu'un dédain agacé, car n'avait-on pas tenté, par l'enseignement de ces recettes, par la volonté de les lui voir fidèlement répéter, de la tirer par les pieds, elle, la mère de Fanny tôt échappée du village, afin de la ramener à la terre d'où elle s'arrachait ? Ainsi, crainte vague, ennui et répugnance, toujours la mère de Fanny trouvait maintenant quelque prétexte pour éviter la fête d'anniversaire de l'aïeule, ce qui chargeait d'une honte encore la conscience coupable de Fanny et pour quoi elle avait pris l'habitude, devant Tante Colette surtout, de se confondre en témoignages de respect.

Cependant, Lucette semblait convaincue. Elle parlerait à la patronne dès le réveil de celle-ci et pensait pouvoir assurer déjà que Fanny serait prise aux modalités qu'elle avait proposées, qui étaient très raisonnables. Lucette, remarqua Fanny avec un peu d'aigreur (l'affaire s'étant conclue facilement, elle se reprochait d'avoir été trop modérée), paraissait bien satisfaite à l'idée de ne plus souffrir dans la chaleur malodorante de la cuisine, et presque fière, comme si elle eût abattu les réticences de Fanny ou que Fanny, dans son empressement docile, fût son œuvre. Elle avait à présent un air d'aimable supériorité qui l'éloignait encore davantage de Fanny. Et elle réfléchissait, assise sur la table, les mains de chaque côté de ses cuisses tendant le tissu, avec componction. Sa tête était renversée légèrement, ses pauvres cheveux tombaient raides et rares sur son dos, comme pour un effet de cascade. Sur son genou dénudé, blond et blême, Fanny posa doucement le menton, sans que Lucette s'en aperçût. Ainsi autrefois les chiens de l'aïeule allongeaient leur museau sur la cuisse de Fanny, l'été, au jardin, dans un abandon tranquille, dévoué. Déjà, elle me méprise quelque peu, pensa Fanny, car je vais reprendre une tâche qui la dégoûte. Soit. Cela ne fait rien. Je saurai bien l'amener à connaître Léda...

Il faut que je vous explique ce que vous aurez à faire, dit Lucette sans baisser les yeux. Je peux me le permettre, l'affaire est dans le sac, la patronne a ses défauts mais elle ne m'a jamais rien refusé dès lors que ça ne lui coûte pas un sou et que, moi, ça m'arrange. C'est simple. Vous vous levez à sept heures. Vous accompagnez la patronne au marché, dans les boutiques, à la ferme pour les œufs. En route vous établissez le menu avec elle. Vous rentrez sans tarder. Vous balayez la salle, vous astiquez le comptoir, vous essuyez les tables. Vous vérifiez qu'aucune bouteille n'est vide ou près de l'être. Vous enfilez le tablier de cuisine pendu à la porte. Vous préparez les plats du déjeuner. Midi arrive et vous notez sur un carnet tout ce que je vous crie depuis la salle. Vous déposez les assiettes pleines sur les marches de l'escalier. De façon que je ne mette plus les pieds dans cette cuisine ! Pour gagner du temps, vous faites la vaisselle au fur et à mesure. Vous nettoyez, vous rangez, vous ôtez le tablier, il est environ quatre heures. Vous êtes libre pendant une heure et demie. Vous allez vous reposer, c'est le plus sage. Ne vous déshabillez pas ! N'enlevez pas vos chaussures ! Vous risqueriez de vous endormir. Vous redescendez préparer le dîner. Tout se passe comme tantôt, sauf qu'il y a plus de monde. A onze heures vous avez fini. Alors, Fanny, avant de monter, si ça vous tente, vous venez prendre un petit verre en salle, avec les clients. Un ! Aux frais de la patronne ! Lucette éclata d'un rire joyeux. Elle sauta à terre, prit Fanny par le coude, de l'autre main fit bouffer ses cheveux avec affectation, détachée maintenant des problèmes vulgaires qui allaient occuper Fanny, et disant : Je vous montre la cuisine, d'une voix altérée si égoïstement par le plaisir et le dégoût que Fanny s'empourpra de honte et se sentit faite, soudain, d'une chair bien inférieure à celle de Lucette. Celle-ci l'entraîna vers une petite porte située près du comptoir, noire de crasse tout autour de la poignée. Quelques marches s'enfonçaient vers une sorte de cave minuscule où Fanny s'aventura seule, Lucette la guidant du haut de l'escalier, masquant le jour bas. Jamais, criait-elle avec une voluptueuse légèreté, jamais plus on ne la verrait dans la cuisine ! Puis un bruit se fit derrière elle, Lucette tourna la tête, prononça quelques paroles de bienvenue. Elle ferma soigneusement la porte avant de s'éloigner et Fanny dut tâtonner le long de murs graisseux pour trouver l'interrupteur. Si, par miracle, songeait-elle accablée, Lucette me menait un jour à Tante Léda... Et si, par miracle, Lucette elle-même, peut-être... Elle s'assit sur une marche et pleura un peu, pensant alors à Eugène, par dépit. Cette Lucette, comme elle la trouvait menaçante et inaccessible ! Elle lui semblait avoir, dans son allégresse inquiétante, intéressée, des pouvoirs de divinité qui à Fanny, misérable, eussent échappé. Mais Fanny ne doutait pas qu'il fallait craindre et respecter Lucette tant qu'elle n'aurait pas d'autre contact au village, car Lucette, pour l'instant, lui paraissait en être la reine et la gardienne. Et, aussi facilement que Lucette l'avait introduite dans les lieux, n'était-il pas en son pouvoir de l'en chasser pour peu que Fanny se mît à lui déplaire ?

La lumière hostile du néon tombait filtrée par une couche de saleté. Un soupirail à hauteur du trottoir était la seule ouverture de la pièce, protégé de barreaux, et alors une paire de jambes passa, et des pieds chaussés de caoutchouc soudain s'élancèrent dans une flaque, de l'eau boueuse éclaboussa la vitre. Il y avait, dans le coin, un vieux fourneau noirâtre aux plaques encroûtées, puis un évier empli de vaisselle grasse que Fanny entreprit de laver tout aussitôt. Le carrelage était si visqueux qu'elle devait se déplacer très prudemment. Comme une obscure intimité de Lucette ainsi révélée, la malpropreté étouffante de la cuisine la révoltait mais, pour une part, lui plut dans le même temps, quoiqu'elle se sentît, jetée là-dedans sans avertissement, plus méprisée qu'elle ne l'avait été par la famille pour l'incongruité de sa présence. Et, songeant à la famille, Fanny parfois était désespérée. Si, au fond, il était moins difficile, se demandait-elle, de retrouver Tante Léda où qu'elle soit au monde que d'être jamais accueillie dignement par la famille, et que l'oncle Georges s'écrie : Voilà ma nièce !, et que Tante Colette m'appelle par mon véritable prénom ? Moins difficile que de recevoir jamais des chiens une marque de gratitude ?

## Chapitre 14. – La patronne accepte Fanny.

Au moment où Fanny s'apprêtait à lessiver le sol, une longue femme maigre ouvrit la porte. Fanny, contente, pensa qu'il était bon que la patronne la trouvât attelée au travail, elle rougit légèrement et, à quatre pattes dans l'eau savonneuse, fit mine d'être trop absorbée pour avoir rien remarqué. La femme la considéra. Tante Colette elle-même, se dit Fanny dont le regard allait et venait prestement, ne m'a jamais dévisagée d'aussi haut ni avec autant de vague incrédulité. C'est qu'au village les inconnus sont rares. Pourvu que Léda croie en mon existence quand je me présenterai devant elle, puisque je n'ai plus rien pour la prouver (Georges, ce maudit imbécile, a déchiré l'unique photographie que j'avais). Cependant mon père, lui, ne m'a pas prise pour autre chose que sa fille, qu'il m'ait reconnue ou non, qu'il se soit rappelé ou non que je m'appelle Fanny depuis cinq jours seulement et qu'il m'avait donné autrefois un tout autre prénom que personne, dans la famille, n'a jamais su prononcer correctement, mis à part l'aïeule...

La femme lui intima de monter. Fanny frotta encore un peu, essuya ses mains déjà gonflées. Collé à la fenêtre, un vilain chien la regardait les babines retroussées, furieux de ne pouvoir bondir à travers le carreau. Fanny se détourna avec frayeur et colère.

En haut, Lucette était assise sur sa chaise de prédilection d'où elle dominait la salle et elle avait étalé sa jupe à ramages verts et jaunes, montrant un peu de ses cuisses. Elle accorda un sourire distrait à Fanny, puis un autre, large, sonore, à une tablée de routiers qui était là, qui l'appelait Lulu et la plaisantait. La pièce était rendue tout à fait obscure par les camions garés le long du café. La patronne fit jaillir une lumière blanche. Fanny s'approcha avec humilité et dit à cette grande femme grêle au regard morne et soupçonneux : Ma famille habite non loin. Je vous promets que vous serez contente de moi.

L'autre, haussant les épaules, posa sa main sur la tête de Fanny, la fit pivoter prudemment, émit quelques « hum » tout en examinant son dos, sa taille, ses reins qu'elle toucha d'un doigt, puis elle lança un coup d'œil à Lucette, obtuse et majestueuse, indifférente à ce qui se passait de ce côté de la salle, jeta d'une voix sans timbre, avec une petite tape sur la nuque de Fanny qui remercia, sincèrement reconnaissante et se sachant possédée : C'est entendu. Là-bas, Lucette eut un rire satisfait. Aucun des trois hommes ne s'était tourné vers Fanny, cependant ils rirent avec Lucette et l'un d'eux s'écria : Elle dit que sa famille habite dans le coin ! On peut dire ce qu'on veut, n'est-ce pas ? Qui ira vérifier ?

## Chapitre 15. — SUR LA BONNE VOIE.

Ensuite, Fanny profita du départ inopiné des routiers, puis de la patronne, pour se faufiler auprès de Lucette. Elle sortit la photographie où l'on voyait, de Tante Léda lisant, un plumet de cheveux, le bas d'une jupe, et elle la tendit à Lucette en implorant :

— Connaissez-vous, Lucette, quelqu'un qui ressemble à cette femme, ma tante ?

— Oui, c'est bien possible, répondit Lucette après un rapide regard à l'image. Elle leva ses yeux malins et dédaigneux, décroisa les jambes et, ce faisant, coinça sans s'en rendre compte, sous sa lourde cuisse, la main de Fanny agrippée au siège. La chaise de Lucette était si haute que ses jambes battaient l'air à plus d'un mètre du sol. Oui, ça se peut, répéta-t-elle négligemment. Au bout du pays il y a une femme qu'on appelle Léda et qui pourrait bien être celle que vous me montrez. D'émotion, Fanny manqua éclater en sanglots. Elle s'accrocha fortement au siège, balbutia quelques remerciements excessifs tandis que Lucette, magnanime, souriait un peu puis empochait la photographie d'un geste machinal, la froissant. Fanny n'osa la réclamer, attristée pourtant de la perdre déjà. Elle ne se plaignit pas davantage lorsqu'elle constata que sa valise avait disparu, elle se détourna même pour que Lucette ne vît pas le rouge lui monter aux joues et elle eut honte des pensées méfiantes qui lui venaient, car n'était-elle pas, ici, plus d'une fois redevable, ne l'avait-on pas, après les précautions d'usage, traitée moins en étrangère que la famille elle-même n'avait été capable de le faire, le jour de l'anniversaire de l'aïeule ?

## DEUXIÈME PARTIE

### Chapitre 1. — DANS LA CUISINE.

Côtelettes grillées, bœuf à la mode, lapin en fricassée, grasse poule au pot, rôti de dindonneau, truite meunière à chair rose, cervelle bouillie, salades composées, œufs mimosa, et puis les crèmes caramel, mousses au chocolat, tartes aux pommes et aux prunes, et, le dimanche, une périlleuse crème anglaise, d'inconcevables pêches melba, étaient proposés au Coq Hardi chaque semaine, sans un jour de répit, et Fanny courait le matin par le village aux durs trottoirs de terre battue, gelée maintenant, puis harcelée toujours par le temps, craignant d'être débordée et de mécontenter, bondissait dans sa cuisine à l'heure où, de mauvaise humeur, Lucette enfin se levait, réclamait bruyamment son petit déjeuner, avait, souvent, des accès dangereux de mélancolie, des mouvements de colère brutale qu'elle n'expliquait pas. Sous le néon crasseux qui, à l'aube, faisait du soupirail un trou obscur, Fanny découpait, tranchait, épluchait, elle lavait et frottait avec une ardeur anxieuse. Et quand, vers midi, Lucette commençait à crier le nom des plats demandés, du haut de l'escalier et sans jamais montrer d'elle que ses pieds impatients, sévères à Fanny dans leurs grosses chaussures montantes, l'huile au fond des poêles était prête à accueillir grillades et steaks, le plat du jour chauffait doucement, Fanny s'approchait de la première marche et se tendait pour mieux entendre Lucette, qui n'eût répété en aucun cas. Parfois elle s'appuyait tout de son long à l'escalier et, avançant le plus loin possible sa figure inquiète, effleurait de son front le bout des souliers de Lucette, entrevoyait sous la jupe à ramages poussiéreuse un bref coin de chair hardie, ferme et inégale. Mais il arrivait que Fanny ne pût se trouver toujours au pied de l'escalier lorsque Lucette transmettait les commandes, ou que celle-ci parlât trop vite, ou le visage tourné vers la salle, et que Fanny ne comprît donc pas ce qui lui était réclamé. Si elle eût pris sur elle pour oser prier Lucette de réitérer la demande, elle ne fût jamais parvenue à le faire, de toute façon, avant que Lucette, qui ne s'attardait pas, qui s'arrêtait à peine, n'eût filé de nouveau vers ses clients ; par ailleurs il lui eût fallu sortir tant soit peu de la cuisine, grimper les quelques degrés jusqu'au niveau de Lucette, car sa voix n'était guère puissante. Aurait-elle pu alors, s'interrogeait-elle, justifier assez clairement une audace de ce genre ? Et la surprise de Lucette la découvrant soudain devant elle, à mettre en évidence une petite défaillance de l'organisation, ne serait-elle pas de taille à lui faire perdre tout contrôle, toute indulgence à son égard ? Fanny décida qu'elle ne pouvait encore se permettre la moindre initiative, se sentant ici, quoique utile et bénévole, tolérée par grandeur d'âme. Sans doute, imaginait-elle, bien des filles du village convoitaient sa place, à elle qui avait moins de droits, venant on ne savait d'où. Et elle pressentait illimité le pouvoir de Lucette, qui dominait la patronne même.

Aussi, lorsque certains mots lui avaient échappé, après un instant de terreur et de désarroi qui l'imprégnait de nostalgie douloureuse (et le village de l'aïeule lui semblait perdu à jamais), Fanny se précipitait sur le premier plat venu, remplissait une assiette qu'elle déposait en haut de l'escalier, avec le seul espoir d'être tombée juste. Dans la fournaise enfumée de la cuisine, Fanny guettait l'arrivée de Lucette, les mains croisées sur son tablier graisseux, serrées contre son ventre avec résignation. Car, si l'assiette n'était pas remplie correctement, simplement, du bout du pied, Lucette l'envoyait au bas de l'escalier. Puis elle attendait sans rien dire la nouvelle proposition de Fanny, qui se dépêchait tant qu'elle oubliait de respirer. Elle suffoquait dans les odeurs lourdes, mais allait et venait par la petite cuisine avec l'unique pensée de satisfaire Lucette, et Lucette se tenait, là-haut, dans un silence offensé, méprisant. La deuxième assiette pouvait être rejetée de la même manière impérieuse, ou plus brusquement encore. Fanny s'écartait afin de n'être pas éclaboussée. Mais, une telle honte, elle se disait que Tante Colette elle-même ne la lui aurait pas infligée, fût-ce pour la soumettre à l'épreuve, et elle se demandait ce qui avait inspiré à Lucette l'idée de surpasser la famille en ce domaine. Fanny voyait là un rapport étroit entre Lucette et sa recherche de Tante Léda. Peut-être, songeait-elle alors, ce village était-il, véritablement, celui de sa tante Léda. Peut-être, songeait-elle, Lucette elle-même... Ces pensées remuaient Fanny. Elle se promettait d'être encore plus dévouée à Lucette dans l'avenir, qui pouvait la mener droit au but, par les influences qu'elle exerçait, sa connaissance du village, le simple mystère de sa personne si semblable en certains points à, par exemple, Tante Colette qui, dans sa robe bleue ornée de petites lunes, ne quittait guère les préoccupations de Fanny.

Une fois que Lucette avait tourné les talons, emportant dignement le plat qu'elle avait demandé, Fanny ramassait hâtivement les morceaux d'assiette éparpillés, épongeait la sauce, replaçait les bouts de viande dans la marmite. Mais déjà Lucette était là de nouveau, voulant ceci, exigeant cela, et il fallait s'élancer vers le placard à vaisselle et courir aux fourneaux sous la dure voix de Lucette invisible, dont les pieds impétueusement s'agitaient. Fanny prenait à peine le temps de manger. Elle eut le dégoût de la nourriture et grignotait seulement pour ne pas perdre ses forces un quignon de pain qu'elle gardait dans la poche de son tablier, qui lui faisait deux jours. Elle donnait avec plaisir sa part à Lucette jamais rassasiée.

Quand Fanny levait les yeux vers le soupirail, elle voyait, couché contre la vitre et montrant les dents dès qu'elle le regardait, le gros chien jaune qui l'avait effrayée le premier jour. Le peu de lumière d'hiver dispensé par l'ouverture, le chien la lui dérobait. Il fut là chaque jour, dès l'aube. Mais jamais Fanny ne le rencontra lors de ses sorties dans le village et elle ne doutait pas qu'il l'eût attaquée férocement, à voir de quel œil mauvais il la scrutait tout au long de la journée, grattant la vitre d'une patte hargneuse et, sourdement, grondant, sans trêve. Toi, je vais te passer à la cocotte, tu vas voir ! s'écriait Fanny irritée, lorsque, le matin, elle apercevait de l'escalier la masse sombre du chien jaune derrière la fenêtre. Puis elle n'y songeait plus, car le travail l'accaparait. Mais le regard du chien pesait sur sa nuque et Fanny tremblait de penser au jour où il la punirait enfin, lui ou un autre. Et que peut-on expliquer aux chiens ? marmonnait-elle. J'ai joué avec eux, j'ai nettoyé leur niche sans honte, mais, que la famille me montre le dos, ils me dévorent...

Avec le temps Fanny prit de l'aplomb. Elle rampa jusqu'en haut des marches quand Lucette n'y fut pas, glissa de prudents coups d'œil vers la salle où elle n'avait pas accès pendant le jour. Tapie derrière la porte entrebâillée, il lui apparut que la situation de serveuse au Coq Hardi serait bien plus à même de lui faire récolter quelque information concernant Tante Léda, par le côtoiement d'un si grand nombre de gens, que l'obscur travail de cuisine auquel elle finissait, malgré tout, par s'attacher doucement, mais qui la maintenait loin de la vie du village. Tant de routiers s'arrêtaient chaque jour, tant de voyageurs de commerce sillonnant la région, que les yeux de Fanny papillotaient et que son cerveau s'embrumait peu à peu, à force de suivre les allées et venues dans la petite salle enfumée de si nombreuses personnes différentes, entrant, sortant sans cesse, s'interpellant, si pressées, mangeant si vite qu'elles étaient déjà debout à peine assises et s'essuyaient la bouche pour partir tout en engloutissant les dernières bouchées, certaines si actives encore au déjeuner que des dossiers jonchaient les tables, des papiers se dressaient contre les bouteilles, recevaient des jets de sauce ou de vin sans que cela semblât gêner les gros hommes discrets, véloces et taciturnes qui les consultaient silencieusement et avalaient sans un regard pour leur assiette tout ce que leur présentait Lucette. Jamais Fanny ne reconnaissait quiconque, bien que la foule fût régulièrement composée des mêmes clients et que souvent Lucette accueillît chacun par son prénom.

Très gaie à présent qu'elle n'était que serveuse, Lucette, coiffée avec plus de soin (ses cheveux serrés dans un vieux ruban écossais), était affable et prompte, sérieuse et dure, et elle se déplaçait de son pas lourd, rapide, ses yeux bien écartés brillant d'aise et de vigilance. Derrière le comptoir la patronne sommeillait, confiante en Lucette. Fanny éprouva de l'envie. Si je ne deviens pas serveuse, se disait-elle, à quoi bon même rester ici... Et la salle du Coq Hardi où Lucette se mouvait d'un air fier, avec ses murs tachés, son plafond bas, sa pauvre lumière qu'amoindrissaient encore les camions attendant au ras des fenêtres, et l'épaisse fumée des cigarettes bon marché, fut pour Fanny un lieu de convoitise, elle se prenait à haïr sa petite cuisine où nul ne descendait, aussi elle eut des mouvements d'audace irréfléchis et montait s'embusquer en haut de l'escalier dès que Lucette n'y était plus. Il lui sembla, un jour, reconnaître, dans un groupe de représentants et tenant fortement serrée une grande femme à l'accent de la capitale, tous deux mangeant dans cette position incommode, l'oncle Georges lui-même. Son oncle étant démarcheur en produits de toilette, ce pouvait être lui. Cependant Fanny le voyait de dos, malaisément. Elle ferma quelques secondes ses yeux qui la piquaient et l'oncle Georges et ses compagnons disparurent pendant ce temps, au vif regret de Fanny qui se préparait déjà à courir l'embrasser, d'avance savourant son petit effet. Je vais lui en apprendre des choses sur son cher mari, à Tante Colette, pensa-t-elle avec excitation. Si elle l'ignore, je suis assurée de sa reconnaissance.

Mais Lucette soudain l'aperçut. Posant son plateau, elle se rua sur Fanny, la saisit aux épaules, la poussa au bas des marches, sans se soucier des assiettes, remplies d'un navarin fumant, que Fanny y avait placées, qui dégringolèrent avec fracas. La sauce brûlante aspergea Fanny. Jamais, criait Lucette indignée, tu ne dois quitter ton poste, jamais tu ne dois monter pendant le service ! Tu veux donc tout gâcher, c'est ça que tu veux, mettre le désordre, qu'on ne s'en sorte plus ? Elle avait les poings sur ses hanches et tapait du pied, dans sa colère. Un attroupement se fit. Quelques clients, la serviette au cou, tendaient le nez, jetaient sur Fanny écroulée un regard circonspect. Lucette les prit à témoin. De vagues murmures d'approbation l'entourèrent, Lucette s'adoucit. Profitant de cette accalmie Fanny demanda, bien qu'elle eût tout le corps si douloureux qu'elle pût à peine ouvrir la bouche :

— Dis-moi, Lucette, connais-tu Georges R. qui était là tout à l'heure ?

— Georges ? Oui, c'est un habitué, bien sûr, il vend des savonnettes, dit Lucette haussant les épaules.

— C'est mon oncle ! s'écria Fanny avec espoir.

— Ton oncle ? Ah ! Lucette eut un grand rire méprisant, sans que Fanny sût deviner si son dédain s'adressait à la personne de l'oncle Georges ou si, simplement, elle ne pouvait croire que Fanny dît la vérité. Elle chassa les clients d'un geste, puis elle s'accroupit pour chuchoter :

— Comment, toi, peux-tu avoir pour oncle cet homme-là ? Je n'en crois rien !

— C'est pourtant vrai, dit Fanny sur un ton de défi.

— En tout cas il m'a souvent parlé de sa famille mais de toi, jamais.

— C'est que j'ai maintenant un nouveau prénom, répondit Fanny ennuyée, et, voyant la méfiance assombrir le large visage de Lucette, elle se tut, et baissa les yeux. Lucette fit « hum », indécise. Elle ajouta comme machinalement, avant de se relever : Ce Georges est bien de chez nous.

Il faut que je devienne serveuse, pensa Fanny, immobile sur le carrelage froid, la figure souillée, ou je n'arriverai à rien, car qui viendra me voir au fond de ce trou, qui peut seulement se rappeler mon existence, qui d'autre que ce sale chien malveillant ? Mais ne suis-je pas moi aussi, comme Georges, bien de chez nous ? Cela, le dira-t-on jamais de moi ? C'est pourtant plus vrai de moi que de beaucoup, que de mon cousin Eugène, qui n'a guère de respect... Fanny, au souvenir d'Eugène, s'échauffa. Elle lui avait donné à son gré, aux instants les moins opportuns, des baisers si rudes qu'Eugène en vacillait parfois, et tant de tapes, tant de bourrades qu'il acceptait complaisamment ! Fanny eût volontiers épousé Eugène, depuis toujours. Cependant Tante Colette, sans doute, s'y fût opposée violemment, mais que Fanny ramenât Tante Léda et l'hostilité à son encontre ne pourrait manquer de fondre, car une cruelle erreur serait ainsi réparée et lavée enfin la négligence des parents de Fanny qui se moquaient bien, eux, de la famille et de sa clémence, de l'aïeule elle-même, et n'avaient pour le village qu'un mépris léger, un dégoût agacé.

## Chapitre 2. – LE SOIR AU VILLAGE.

Après son travail, au lieu de monter prendre avant de se coucher un petit verre d'eau-de-vie avec Lucette, Fanny se décida à aller voir la femme nommée Léda dont celle-là lui avait parlé, bien qu'il fût plus de minuit. Mais la besogne de Fanny faisait qu'il serait toujours trop tôt ou trop tard. Il se trouvait par ailleurs que la patronne était absente ce soir-là, qui n'eût pu empêcher Fanny de sortir mais lui eût demandé, avec suspicion, où elle se rendait, certainement, la mauvaise conduite de ses employées pouvant toujours porter tort à l'établissement. Pour toute action Fanny supportait qu'on la désapprouvât plus qu'une autre, plus que Lucette ! Elle était reconnaissante à cette femme, qui ne la payait pas, de l'avoir prise chez elle sans exiger qu'elle fût du village ni la mésestimer pour cette raison, et n'était pas offensée, débarquant sans preuve de quoi que ce fût, sans la moindre photo de famille, qu'on la traitât mal, une fois qu'on l'avait admise. Aussi Fanny aimait Lucette et ne détestait pas la patronne, bien que ni l'une ni l'autre ne la crût lorsqu'elle parlait de ses liens avec Georges ou de la famille toute proche. Toutes deux souriaient en coin, Lucette insolemment sifflotait, ou s'irritait, qualifiant Fanny de menteuse, voulant lui faire honte de sa prétention, de son inquiétude. Car il importait peu à Lucette que Fanny n'eût pas de parents dans la région, ce qui lui paraissait établi au vu des nombreuses particularités inhérentes à la silhouette, au langage, à la forme de l'esprit de Fanny, en tous points si différente de Lucette qu'elle n'avait même pas, de la géographie des parages, la connaissance intime et précise qu'en avait sans bouger jamais Lucette née au village.

Fanny revêtit hâtivement un vieil imperméable, puis elle sortit sous les moqueries de Lucette qui feignait de croire qu'elle allait retrouver quelque voyageur de commerce. Il pleuvait fort, de hauts réverbères éclairaient d'une lumière blanche le centre du village, l'église cimentée, la grand-route large et goudronnée de frais, l'abri-bus désaffecté autrefois offert par une banque dont on lisait encore sur le toit le nom familier à Fanny pour ce que l'aïeule y avait toujours placé ses économies. Au-delà les maisons noires et muettes avaient leurs volets clos. Avant qu'elle se mît en marche, une affiche publicitaire, sur la façade du Coq Hardi, retint Fanny un instant. Son cousin Eugène, Eugène lui-même avec ses cheveux luisants, son pull-over étroit, lui souriait là-dessus d'un air effronté et plein d'élégance. Son cousin Eugène ! Aux lèvres charnues, qu'on avait rougies un peu ! Fanny, stupéfaite, se rappela qu'Eugène avait rêvé d'être acteur, voilà qu'il montrait au village tout entier ses dents brillantes, voilà que, de son index tendu, stupidement ravi il désignait les quatre lettres d'un magasin de bricolage et demeurait sous la pluie froide imperturbable et joyeux, voilà qu'Eugène réussissait enfin et sans l'aide de Fanny ni d'une quelconque Tante Léda. Fanny savait la renommée de ce magasin où s'approvisionnaient, son père excepté, tous les hommes de la famille. Assurément, pensait Fanny dépitée, Eugène avait une belle chance que d'avoir trouvé à s'exhiber ainsi, et qu'il vantât par sa seule image, son aimable visage silencieux, les mérites d'un magasin où c'était chaque mois, pour tous les oncles de Fanny, une véritable fête de se rendre, la piquait légèrement.

Elle se détourna de l'affiche, manqua buter alors contre le grand chien jaune du soupirail, qui se dressait là sur ses pattes pelées, grondant. Il avait surgi sans qu'elle l'entendît, elle poussa un petit cri de frayeur et s'en alla rapidement, en tirant bas sur son front le capuchon de l'imperméable. Le crépitement de la pluie l'empêchait de percevoir tout autre bruit. Fanny jeta derrière elle un œil apeuré : le chien la suivait sans souci du mauvais temps, balançant ses flancs maigres. Il était si laid, soudain, que Fanny en acquit de l'assurance. Elle s'arrêta, le laissa approcher. Elle lui donna un violent coup de pied sous la mâchoire, songeant : Mais un autre finira bien par le venger !, le renversa d'une poussée, sourde à ses glapissements. Le chien lui paraissait maintenant bien vieux et bien usé. Avait-il réellement voulu la menacer ou s'était-elle méprise ? Il aurait fait, peut-être, un compagnon sûr et plus fiable qu'Eugène, qui avait nourri toutes sortes d'arrière-pensées. Elle acheva le chien d'un coup de talon en plein ventre, épuisée de tout ce qu'elle avait dû lui assener déjà, puis du bout de son pied fit glisser le cadavre tout pesant de pluie du trottoir dans le caniveau, où l'eau dévalant l'emporta mollement. Elle s'enfuit avec embarras ; elle était soulagée pourtant de se dire qu'elle ne craindrait plus de lever les yeux vers le soupirail, cette vilaine bête avait rendu plus pénible encore son dur travail à la cuisine ! Du reste, n'avait-elle pas vu un jour l'oncle Georges, dans la cour, un été, tirer froidement sur son plus fidèle chien de chasse qui venait de lui manger trois poules, abandonner le corps sur un tas de fumier ? Il n'en avait pas déjeuné avec moins d'appétit et les chiens de l'aïeule, songeait Fanny en se pressant, lui léchaient toujours les mains lorsqu'il arrivait et bondissaient de joie à le reconnaître. Si son oncle Georges, qui savait comment se comporter avec les chiens, n'hésitait pas à les punir de mort, lui ni aucun membre de la famille n'aurait pu blâmer Fanny d'avoir tué ce sale animal.

La pluie redoublait quand elle s'arrêta devant la maison de

Léda, à l'écart du village. De temps en temps passait un camion mugissant, une voiture solitaire qui ralentissait derrière Fanny, l'invitant avec insistance, dans laquelle, n'eût été son désir plus grand de rencontrer enfin quelqu'un portant le nom de Léda, et sa tante peut-être même (Tante Léda ne pouvait-elle se trouver partout ?), elle aurait sauté sans vergogne ni se soucier de l'aspect du conducteur (c'eût pu être Georges aussi bien !) tant elle avait froid maintenant.

La maison de Léda faisait partie d'un lotissement et avait des murs crépis de beige, quelques nains travailleurs dans les plates-bandes de son jardin. Une vive lumière traversait la porte-fenêtre, tombait sur la route, et Fanny s'avançant aperçut un salon chargé, une femme en peignoir regardant la télévision, une perruche. Elle s'abrita sous le porche et sonna longuement. Un chien hurla, au loin. Combien de temps, pensa Fanny, combien de temps vais-je mettre à reconnaître ma tante Léda, si c'est elle, et comment saurai-je avec certitude que ce n'est pas elle, et comment saurai-je si je ne me trompe pas en déclarant que c'est elle, mais sans doute un sentiment profond m'aidera. Ah, si seulement Lucette n'avait pas gardé la photographie ! Si j'avais osé la lui réclamer !

On finit par ouvrir. Fanny, tremblante, émue et transie, faillit s'effondrer sur la poitrine de la femme qui serrait d'une main son peignoir, mais elle se retint et salua posément. Et, pour rassurer, elle enfonça les poings au fond de ses poches ; puis, regretta de n'avoir pas baissé son capuchon, qui lui couvrait le front jusqu'aux paupières.

— Se pourrait-il, demanda-t-elle avec peine toute contractée de froid, mais s'efforçant de sourire, que vous soyez Léda elle-même, ma tante ? Je m'appelle Fanny.

— Je ne connais pas de Fanny, marmonna la femme d'une voix ennuyée.

Elle avait une quarantaine d'années, des cheveux frisottés et nè ressemblait ni à la mère de Fanny ni à Tante Colette, ce dont, malgré tout, Fanny ne s'inquiéta guère.

— Mais j'ai des nièces, oui, ajouta la femme dans un effort.

— Oh, s'écria Fanny, cela suffit pour que vous puissiez être ma tante, car je ne vous ai pas dit mon véritable prénom qui est, peut-être, celui d'une de vos nièces qui est peut-être moi-même. Voyez-vous, je peux trouver ma tante Léda ici comme ailleurs, c'est donc fort possible.

Fanny, tout excitée, ôta son capuchon d'un geste un peu brusque, tendit les mains comme pour attraper celles de la femme, ses joues rosissaient d'émotion. Ses cheveux ébouriffés se dressèrent en petites mèches pointues ; et elle trépignait légèrement, sans s'en rendre compte, dans son espérance, souhaitant entrer maintenant.

— Mais alors, comment vous appelez-vous réellement ? interrogeait la femme intriguée.

— Ah, je ne dois pas le dire ! Je ne dois être que Fanny, comprenez-vous ? Dites-vous simplement que ce prénom vous est imposé comme dans un livre ou un feuilleton de télévision et ne vous posez pas plus de questions à ce sujet que vous ne le faisiez tout à l'heure devant votre poste.

Elle se pencha et murmura d'un air un peu contrit :

— Mon véritable prénom est d'ailleurs si curieux que vous éprouveriez les plus grandes difficultés à l'entendre, puis à le prononcer.

— Dans ce cas, soupira la femme, je ne peux savoir si je suis ou non votre tante. Et elle s'apprêtait à refermer la porte mais Fanny s'écria :

— Si l'aïeule est votre mère...

— Ma mère vient de mourir.

– Mon dieu, et si l'aïeule était morte en mon absence ! gémit Fanny atterrée, se rappelant soudain, honteuse, coupable, ayant oublié de s'en inquiéter, comme l'aïeule, le jour de son anniversaire, avait semblé près de la fin. L'idée que l'aïeule pût être enterrée déjà, sans qu'elle l'eût su, sans que, par négligence, distraction, elle eût seulement pensé à le redouter, lui coupa les jambes. Elle voulut prier la femme de la laisser entrer mais celle-ci, lassée, avait claqué la porte. Fanny s'y appuya en s'effondrant à demi. L'aïeule avait eu sa place prête au cimetière du village, un sec rectangle de terre dans un coin, sous le mur de parpaing, que n'ombrait nul feuillage, nul cyprès, mais une grosse croix de granit qu'on voyait de tous les coins du pays, nul buisson, nulle haie, quelques fleurs économes. Jamais Fanny n'avait cru l'aïeule éternelle, ayant remarqué la dernière fois l'effroi de son regard, mais elle avait songé obscurément que l'aïeule attendrait pour mourir qu'elle eût ramené Tante Léda, et que Fanny fût là, sa petite-fille après tout, pour la voir yeux clos, mains croisées, pour dignement baiser son front devant Tante Colette attentive et triste, tout comme il se doit. Tandis que, si l'aïeule reposait à présent, Tante Colette sans doute avait eu beau jeu de faire observer l'absence de Fanny, et avec quelle raison ! Fanny tordait ses mains glacées, accroupie le long de la porte, et sa honte était si écrasante qu'elle geignait un peu, sans s'en rendre compte. Ainsi elle avait peut-être manqué doublement à l'aïeule, le jour de son anniversaire puis au moment de sa mort : et elle s'était étonnée, vexée, que l'aïeule n'eût pas exposé de portrait d'elle dans sa chambre ! Du reste, si l'aïeule n'était pas morte, Fanny était condamnable tout autant d'avoir oublié de s'en soucier. Elle aimait pourtant l'aïeule plus que personne ! Sans elle, qui au village ne verrait pas en Fanny une étrangère, si elle ne pouvait plus dire, montrant la maison : Ma grand-mère vit ici, depuis toujours ?

Elle se releva avec peine. Elle apercevait à travers la baie vitrée la femme installée de nouveau devant la télévision, et qu'elle lui eût refusé d'entrer lui parut prouver qu'elle ne pouvait être sa tante Léda, ainsi qu'un air inconnu qu'elle avait décidément par trop, certain genre de figure qui ne ressemblait pas au type de la région. Fanny repartit sous la pluie, retraversa le village désert. Soudain, un homme la croisa, portant le cadavre du chien jaune. Fanny, surprise, s'écarta d'un bond, avec gêne. Il voulut lui parler mais elle baissa la tête et se sauva à grands pas.

*Les soirs suivants*

Dès que la patronne était montée se coucher, Fanny enfilait son imperméable et chaussait les grandes bottes en caoutchouc noir de Lucette, plaisantait un peu avec celle-ci et, pour la mettre de bonne humeur, la remercier de son silence et du prêt des caoutchoucs, feignait de trouver très drôle que Lucette parlât, dans des contorsions de rire, d'un voyageur de commerce aux moustaches tombantes, un habitué du café que Fanny fût allée rejoindre chaque soir sans oser le dire, sous l'abri-bus où il y avait un banc. Ce représentant dont Lucette voulait croire qu'il était l'amant de Fanny, c'était, comme elle finit par le comprendre, son oncle Georges. Tu n'as pas besoin de prétendre qu'il est ton oncle, va, disait Lucette amusée et dédaigneuse, je peux entendre ces choses, tu sais ! Fanny se reprocha d'avoir laissé échapper peut-être, une parole malencontreuse, involontairement ambiguë, qui avait lancé vers cette hypothèse choquante, mais la flattant vaguement, l'esprit malin de son amie Lucette. Aussi s'excusait-elle en pensée auprès de Tante Colette (mais le visage impitoyable de sa tante ne quittait plus guère ses rêves désormais).

Elle sortait discrètement, jetait un œil à la grande face blanche d'Eugène encore intacte, puis se lançait dans la rue. Il pleuvait tout le jour à cette saison. Si j'interroge chaque habitant du village, qui doit en compter deux cents environ, je tomberai bien enfin sur Tante Léda, quelle qu'elle soit et s'il est vrai qu'elle vit ici, ou sur quelqu'un qui saura m'aider, réfléchissait Fanny confiante. Elle avançait rapidement, faisant beaucoup de bruit avec les caoutchoucs. La lumière affaiblie des réverbères tachait les murs grisâtres, et les portes brunes, étroites, s'enfonçaient dans l'ombre, basses. Dès qu'elle apercevait, dans les fentes d'un volet, une lueur orangée ou bleutée, Fanny s'arrêtait et cognait vigoureusement au battant. Et, souvent, de l'intérieur un chien aboya, menaçant.

*Fanny dérange une émission de télévision*

C'était un visage impatient qui se montrait derrière le carreau, une main méfiante poussait très légèrement le volet. Tendant sa tête encapuchonnée, Fanny distinguait un large écran coloré vers lequel, tandis qu'elle s'expliquait, la personne se retournait fréquemment, n'écoutant plus et ramenant à elle le vantail en sorte que Fanny devait sauter en arrière pour n'être pas heurtée. Puis on revenait à Fanny irrité de cette interruption, elle répétait bravement (Si vous n'êtes pas ma tante Léda, la connaissez-vous, ou quelqu'un qui sache ici me parler d'elle ? On m'appelle Fanny...), sans succès. On marmonnait d'incrédules dénégations, la fenêtre, le volet claquaient, Fanny se retirait précipitamment.

*Fanny est invitée à entrer.*

Ayant vu de la lumière, Fanny ouvrit la grille d'une ferme. Un jeune garçon traversait la cour abrité d'un parapluie. Il filait sans la voir et tressaillit quand Fanny le tira par la manche. Connaissez-vous... ébaucha-t-elle. Le garçon continuait de marcher, Fanny le suivit en sautillant, prenant garde aux baleines du parapluie et empêchée de parler par la course du garçon qui, le front en avant, fonçait vers la maison aux fenêtres éclairées. Brusquement il attrapa le coude de Fanny et la poussa vers une sorte de cabanon, sur le côté. Attendez là-dedans, dit-il, je vais chercher quelqu'un. Fanny fut contente de cette promesse et de ce que, pour la première fois, on lui permît d'entrer, fût-ce dans une remise obscure et malodorante. Au fond de l'abri, trois gros chiens dormaient enchaînés. Fanny s'accroupit auprès de la porte et les surveilla du coin de l'œil. Mais son regard fixe, sembla-t-il, les réveilla. Ils grognèrent tout d'abord, avançant vers Fanny autant que l'autorisait la courte chaîne, jusqu'à la frôler cependant. Fanny ne bougeait pas, trop consciente de ce qu'avait eu d'inespéré l'invitation à patienter dans le cabanon pour oser contrarier le sort, ou quelque habitant de la ferme, en se réfugiant ailleurs ou en demeurant à attendre sous la pluie. Elle se colla contre la paroi, mains dans le dos, le visage soigneusement relevé. L'un des chiens gueula et tenta de mordre sa botte ; Fanny resta immobile, trop satisfaite d'être là. Et elle recroquevilla ses orteils afin de n'être pas blessée si, à force de tirer et de s'étrangler, les chiens réussissaient à attraper le bout d'un caoutchouc de Lucette. Ils hurlaient maintenant, comme si la présence inattendue et singulière de Fanny eût excité une vieille haine. De la même façon les chiens familiers de l'aïeule avaient aboyé contre Fanny le jour de l'anniversaire, bien qu'ils l'eussent aimée autrefois et qu'elle n'eût pas été différente, ce jour-là.

De longues heures s'écoulèrent, les chiens s'épuisaient, l'aube grise parut. Personne ne s'était montré et Fanny vit approcher le moment où il lui faudrait regagner la cuisine du Coq Hardi. Sans espoir maintenant, elle se coula hors de l'appentis, dans la froide bruine blême du petit matin. Le jeune garçon, un seau à la main, traversait la cour goudronnée. Fanny courut à lui et saisit un pan de son blouson.

— Tiens, fit le garçon, je vous ai oubliée, hier soir.

— Et Léda ? murmura Fanny humblement.

— Léda, c'est notre chienne, dit le garçon d'une voix docte.

— Mais encore ? supplia Fanny.

— Ma foi, je n'en connais pas d'autre. Le garçon la regarda avec attention, souriant légèrement et passant la langue sur ses lèvres pour bien montrer que Fanny, sous son capuchon, ne lui était pas indifférente, il se dandinait, faisait grincer le seau, tentait des clins d'œil.

*Fanny rencontre une autre tante.*

Le volet auquel Fanny, depuis plusieurs minutes, tambourinait à s'en meurtrir le poing, s'entrouvrit, et le petit visage pincé de Tante Clémence apparut, soupçonneux, encadré des fanfreluches roses d'un bonnet de nuit à l'ancienne. Fanny eut une exclamation de surprise ; Tante Clémence, elle, reconnut calmement sa nièce, qu'elle évita de prénommer. Elle posait sur Fanny un œil plein de réserve, poli cependant, mais jamais Tante Clémence n'avait été très affectueuse, préférant Eugène qui refusait de l'embrasser pourtant à cause d'une ombre de moustache qu'elle avait.

— Il est bien tard pour une visite, fit Tante Clémence avec réprobation.

— Tu as donc déménagé ? s'écria Fanny.

— Voyons, cela fait vingt ans que j'habite ici. Elle rit un peu, tant lui paraissait curieuse l'hypothèse qu'elle eût pu changer de village.

— Je l'avais oublié, dit Fanny embarrassée, c'est que tout se ressemble. Mais rassure-moi vite : l'aïeule vit-elle encore ?

— Bien sûr ! Tante Clémence était choquée, ses lèvres ténues se serrèrent.

— Puis-je entrer ? demanda Fanny.

— Il est minuit passé, ton oncle dort.

Fanny s'excusa abondamment, puis, prétextant de la pluie qui pénétrait dans son salon, Tante Clémence, fine et pâle comme une apparence, ferma le battant, ayant omis d'inviter Fanny pour le lendemain.

*Fanny tombe sur Lucette.*

Seulement vêtue d'un maillot à bretelles et les cheveux emmêlés, mais les joues repues, le teint coloré, Lucette s'accouda à la fenêtre malgré le froid et s'étonna que Fanny vînt heurter le volet de son propre fiancé, qu'elle ne connaissait pas, et à une heure telle. Qu'est-ce que tu as fait de ton représentant ? fit-elle avec un sourire large. Fanny bredouilla, elle ignorait que vivait ici un fiancé de Lucette. Derrière, dans la pièce éclairée fortement, le jeune homme, torse nu, allongé sur un divan, suivait les images silencieuses d'un écran de télévision. Ce garçon, il est du village ? ne put s'empêcher de demander Fanny. Il l'était, c'était un jeune homme agréable et tranquille, Lucette l'aimait assez. Fanny s'en alla envieuse, songeant à son cousin Eugène. Il se passait si bien d'elle qu'il avait peut-être trouvé déjà, au village où il vivait chez ses parents, une Lucette quelconque, que Tante Colette accueillerait dans la plus grande satisfaction !

*La nuit de Noël.*

Bien que ce fût une soirée toute particulière et que Lucette insistât pour lui prêter un vêtement correct, Fanny tint à conserver son vieil imperméable et les caoutchoucs noirs, car il neigeait et les trottoirs étaient boueux. On avait laissé, tout au long de la rue, jusqu'au bout du village, les volets grands ouverts et allumées toutes les fausses bougies des lustres épais. Des figures nombreuses bougeaient derrière les rideaux et Fanny voyait tressauter de joyeuses silhouettes parées, cabrioler d'une pièce à l'autre des enfants en habits brillants. Dans la rue vide, des cris fusaient. Grisée légèrement par la joie ambiante, Fanny levait haut ses caoutchoucs. Elle aperçut alors, s'approchant d'une fenêtre puis s'en détournant mains aux hanches, dans une large robe bleue semée de petites lunes d'argent, un mouvement gracieux, et la chevelure tressée d'une manière inhabituelle, Tante Colette en personne, ou une forte femme qui lui ressemblait beaucoup. Fanny colla son front à la vitre et appela, mais la femme déjà quittait la pièce, un salon où se pressaient des gens affairés et gais. C'était la robe des jours de fête de Tante Colette et la même démarche pesante et prompte ! Fanny ne vit pas Tante Clémence ni qui que ce fût qu'elle connût ; elle se rappela cependant comme elle avait été surprise, la dernière fois chez l'aïeule, par de nouveaux visages d'enfants, la famille étant si vaste qu'il se trouvait toujours dans les branches éloignées quelque vague cousin que nulle occasion n'avait fait rencontrer.

Tante Clémence aussi bien pouvait s'occuper en ce moment dans une autre partie de la maison, à la cuisine où elle avait toujours pris à cœur d'aider les jours de grande animation. Mais, comme elle ne se montrait pas et que Tante Colette de son côté n'avait toujours pas reparu, Fanny, que le froid saisissait de la tête aux pieds, frappa au carreau, timidement d'abord puis avec violence, sans que toutefois cela fît surgir l'une ou l'autre de ses tantes, à sa vive déception. Des figures intriguées se tendirent vers la fenêtre ; un homme sévère marcha sur Fanny tout en vérifiant le nœud de sa cravate, qui eût pu passer pour l'oncle Georges n'eût été son ventre proéminent. Le salon, comme celui de l'aïeule et de presque tous les parents de Fanny, était tapissé d'étouffants ramages sombres s'étalant, bêtement compliqués, jusque sur le plafond, qui écrasait, et des tableaux célèbres ornaient les murs, canevas brodés dans l'application, auprès d'assiettes décoratives où de gros coquillages saillaient, des étoiles de mer vernies. Pour moi, pensait Fanny, tout cela est plus beau que tout. Chez l'aïeule également le lustre est composé d'un joug véritable et de huit petites ampoules en forme de flammes !

L'homme essuyait la buée au carreau. Il cria, sans ouvrir, l'air mécontent, quelques mots brefs parmi lesquels Fanny comprit « fête de famille », puis il tira les tentures et, quoiqu'elle ne risquât pas cette fois d'être assommée, Fanny se retira prestement. Alors les cloches de l'église sonnèrent pour la messe. D'un coup la rue illuminée se remplit, une foule brusquement sortie des maisons se répandit sur la chaussée fangeuse, Fanny aperçut Lucette au bras de son jeune homme, des paillettes roses dans les cheveux. Elle s'aplatit contre une porte de crainte d'être bousculée et la patronne, qui passa inopinément devant elle, en grande toilette, lui jeta un regard réprobateur. Le village entier défila en direction de l'église ; les enfants traînaient leurs jou-

joux ; dans la neige grisâtre quelques chiens lâchés gambadaient ; on ne prêta pas attention à Fanny. Avec quel plaisir elle avait autrefois suivi l'aïeule à la messe de minuit ! Toute la famille s'y rendait ensemble, l'oncle Georges brocardait en chemin le vieux curé, puis Fanny, qui ne pouvait communier, attendait sur son banc, jalouse un peu, mais reconnaissante de ce que les murs de la petite église l'accueillissent avec une si discrète bénignité, que son cousin Eugène la rejoignît mains jointes, yeux baissés, les joues renflées et la face empreinte d'un air de feinte componction.

Fanny quitta le renfoncement et, seule maintenant, se hâta vers l'église. Les portes étaient closes, le parvis désert. Elle tira le battant et manqua faire tomber un jeune homme qui s'y appuyait de l'intérieur. N'entrez pas, il n'y a plus de place, on étouffe, souffla-t-il d'une voix autoritaire. Et il referma lui-même la porte, laissant Fanny dehors.

*Le lendemain.*

Quand, ayant parcouru le village tout pesant de somnolence, de tranquille bien-être familial, sous le ciel chargé de neige et plus sombre encore que les grises façades monotones, Fanny, au petit matin, frappa chez les gens dont elle avait cru voir Tante Colette, hier, traverser fugitivement le salon, elle patienta fort longtemps avant qu'une fillette en pyjama, l'air décidé, lui ouvrît enfin. Aux questions que Fanny posa d'un air sévère pour l'impressionner, l'enfant répondit avec empressement ; et il s'avéra que la femme à la robe bleu roi était une certaine Tante Paulette, très aimée de la fillette, sa nièce ; qu'elle était repartie dès l'aube vers le village proche où elle vivait en compagnie de son fils et de son mari dont la gamine ignorait les prénoms respectifs, pour ne les avoir jamais rencontrés en raison d'un vieux différend qui les opposait à son père. Se pourrait-il, s'écria Fanny en empoignant la tête délicate de l'enfant, que tu te trompes très légèrement et que ta tante s'appelle Colette au lieu de Paulette ? Ah, tu ne comprends pas, ajouta-t-elle avec agacement, voyant la fillette s'ébahir. Mais, n'est-ce pas, cela se pourrait bien, on confond beaucoup de choses à ton âge. Dis-moi, va, que tu as une Tante Colette, réfléchis donc ! Le visage de la petite se durcit, elle cria soudain, en levant le menton vers Fanny : Paulette, Paulette, Paulette ! Puis, elle claqua la porte à toute volée. Fanny s'en alla. C'est, de toute façon, Tante Léda que je cherche, pensa-t-elle. Et n'aurait-elle pas été plus effrayée que réjouie de croiser maintenant Tante Colette, n'ayant à se glorifier que d'une misérable situation de cuisinière au Coq Hardi, ne sachant plus rien de la famille, pas même au sujet de l'aïeule qu'elle avait laissée au plus mal pour venir séjourner dans ce village, où on la traitait plus négligemment encore que nulle part jusqu'à présent, où elle ne voyait personne qui lui ressemblât ? Tante Colette, devant tant d'inconséquence, lui eût certainement manifesté un mépris définitif et se fût félicitée de l'éloignement d'Eugène, tout cousin germain de Fanny qu'il fût incontestablement.

## Chapitre 3. — DANS LA CHAMBRE.

Donnant sur le vacarme de la route, c'était une pièce étroite et longue, tout juste assez large pour caser le grand lit qu'on ne pouvait atteindre que par son extrémité. Fanny et Lucette y couchaient toutes deux ; un second lit n'aurait pas tenu ; ce ne fut pas pour Fanny, au début, sans un peu de gêne. Une chaise de plastique moulé rose vif, une commode en bois blanc, un tapis grec aux longs poils beiges maintenant écrasés et souillés, étaient tout le mobilier de la chambre, où on ne faisait pourtant un pas sans heurter quelque chose. Le vieux papier peint imprimé de losanges bruns, de cercles orange, cloquait au plafond. La fenêtre était haute, on ne l'ouvrait jamais, à cause du bruit. Le premier jour, Lucette s'était emparée de la valise de Fanny et, n'éprouvant nulle envie de partager la commode exiguë, l'avait glissée sous le lit, d'où Fanny la tirait, non sans peine, chaque fois qu'elle voulait y prendre un vêtement. La moindre pression sur le matelas empêchait de sortir la valise; aussi Fanny ne pouvait-elle y toucher lorsque Lucette dormait et, comme elle n'osait la prier de se déranger, ne le pouvait pas davantage quand Lucette était simplement assise sur le lit, inconsciente des embarras de Fanny. Il était fort rare que Fanny, travaillant beaucoup plus, se trouvât dans la chambre en l'absence de Lucette; d'autre part, Lucette ne demeurait guère dans la chambre ailleurs que sur le lit; de sorte que sa valise était, presque tout le temps, inaccessible à Fanny, qui faisait peu de frais de toilette, revêtait chaque jour le même vieux pantalon de toile gris et un pull-over imprégné d'odeurs grasses, ce que Lucette, du haut de leur lit, lui reprochait vertement. Sa respectueuse affection pour Lucette défendait à Fanny de soupçonner qu'elle prît un plaisir méchant à son tracas, d'envisager seulement que Lucette pût n'être pas aussi scrupuleuse et attentionnée que Fanny s'efforçait de le croire, pour n'avoir jamais remarqué qu'elle condamnait l'utilisation de la valise.

Il semblait d'ailleurs que Lucette continuât de considérer la chambre comme sienne, et elle laissait à Fanny le peu de place dont elle oubliait de se soucier ou qui ne convenait pas à son besoin de confort. Quand, à l'heure creuse de l'après-midi, elles se retrouvaient toutes deux pour un bref repos, il était entendu que Lucette occupait seule le grand lit, aimant à se déployer, remuer à sa guise, et que Fanny se contentait du tapis, entre la chaise et la commode, le long du mur où les poils étaient le plus épais. Elle prétendit s'habituer si bien à ce petit coin qu'en la voyant s'y installer Lucette poussait des soupirs, comme si elle eût envié ce privilège de Fanny. Fanny en était troublée, qui ne souhaitait pas d'être enviée par Lucette. Mais si, la nuit, Lucette lui permettait de dormir à ses côtés, l'épreuve était telle que Fanny eût encore préféré son bout de tapis, n'eût été la crainte d'offenser Lucette et que celle-ci, pour le coup, lui interdît le lit comme le tapis et l'obligeât pour la punir à se pelotonner sur la chaise. Car Lucette oubliait dans son sommeil jusqu'à l'existence de Fanny ; elle serrait, poussait, heurtait, renversait Fanny vers le mur, l'écrasait là de toute sa masse, l'étouffait de son coude, lui pressait la joue contre la paroi à lui briser le crâne ; et elle allongeait des coups de pied, projetait soudain sur le ventre de Fanny ses hanches brutales, et elle lançait en rêvant des cris qui tenaient longtemps après Fanny éveillée. Fanny étouffait dans le lit de Lucette. La chair de son amie Lucette emplissait l'espace, elle semblait avoir des membres partout, au point que Fanny ne savait plus, dans le lit, où avait passé son propre corps, disparu dans, sous celui de Lucette, qui n'avait pas de limites, dont l'odeur était puissante. Plusieurs fois Fanny crut mourir asphyxiée contre le mur. Elle était pourtant reconnaissante vaguement à Lucette de n'être point dégoûtée et que Lucette se moquât que ce corps-là fût ou non du village : jamais Lucette n'avait d'hésitation au moment de rouler sur Fanny, ce pour quoi seulement Fanny l'aimait malgré les peines qu'elle subissait.

Lucette manquait d'ordre. Avec l'arrivée de Fanny elle fut plus nonchalante encore. Chaque soir ses vêtements restaient là où sa fantaisie les avait dispersés. Fanny avait parfois du mal, malgré les ridicules proportions de la chambre, à retrouver le nœud à cheveux de Lucette, sa culotte ou son soutien-gorge, que Lucette envoyait aux endroits les plus improbables, incapable ensuite de guider Fanny dans ses recherches. Couchée, elle agitait les mains, disait d'une voix lasse, à tout hasard : Regarde donc ici... ou peut-être là... et s'amusait de voir Fanny ramper sous le lit ou secouer le tapis en tous sens. Fanny se plaisait à lui rendre ce genre de menus services qui mettaient Lucette de bonne humeur et, sans doute, quoique Fanny n'en fût jamais assez sûre, ne pouvait lui faire regretter une seconde de l'avoir introduite au village. Elle lavait le linge de Lucette également, frottait sous la douche son dos et ses jambes, maquillait ses yeux tout en la complimentant.

## Chapitre 4. — LE MÉPRIS DE LUCETTE.

Il demeura toujours impossible à Lucette de comprendre la valeur de l'entreprise de Fanny, qui dut se résigner à n'être pour son amie que la malheureuse cuisinière du Coq Hardi et à recevoir d'elle les marques de condescendance qu'entraînait fatalement une situation tant haïe par Lucette autrefois. Que pouvait dire Fanny ?

## TROISIÈME PARTIE

### Chapitre 1. – LUCETTE DISPARAÎT.

Un soir, Fanny trouva sa place dans le lit de Lucette occupée par le fiancé de celle-ci. Il dressait sa tête ravie au-dessus des draps tandis que Lucette, douillettement enfouie et ne laissant passer que le visage, clignait de l'œil vers Fanny, qui ne dit mot. Qu'aurait pensé Tante Colette de sa nièce, songeait Fanny, si elle avait pu voir avec quelle confiance Lucette maintenant, par toutes sortes de mimiques, l'invitait à les rejoindre et, d'un geste impérieux, rejetait la couverture afin que Fanny se glissât auprès d'elle ? Le garçon lui-même, un natif du village, se tournait en souriant vers Fanny, lui proposait l'hospitalité d'un regard encourageant. Mais sa terreur de Lucette, et l'accueil plein de gentillesse du jeune homme, ne purent combattre en Fanny l'image de Tante Colette sévère, disant : et, à présent, que fais-je, moi ?, en appelant à l'aïeule horrifiée, à la famille tout entière. Cessant de porter ses yeux vers le lit, elle se coucha sur le tapis, furieuse contre Tante Colette qui, bien certainement, ne venait pas troubler de son souvenir austère l'intimité d'Eugène et de la quelconque jeune fille avec laquelle peut-être il s'était lié dans son village. Nul doute que Tante Colette n'importunât que Fanny ! Tante Colette, pourtant, ne l'avait pas reconnue, s'était trompée sur son prénom, avait mis une fureur à l'exclure !

Le lit remua violemment, Lucette et le garçon furent debout tout d'un coup, Lucette nue, claire, criant des injures, ouvrait la fenêtre sur le froid, se mettait à lancer, mal contenue par le jeune homme, les affaires de ce dernier, se penchant très bas au-dehors, dans sa colère. Le pantalon vola, une chaussure, le fiancé tentait de saisir la taille de Lucette. Fanny vit là l'occasion de complaire à son amie. Elle se leva à son tour et, de toute sa force, se projeta sur le garçon, lui décochant dans le dos un coup qui le fit gémir. Il s'abattit sur Lucette, Fanny l'écrasait ; une confusion s'ensuivit. Fanny taraudait les reins du fiancé, poussait pour le meurtrir, Lucette alors bascula par-dessus le rebord, hurlant.

## Chapitre 2. – Fanny devient serveuse.

Après la mort de son amie Lucette, qu'on inhuma à l'heure du déjeuner dans le cimetière aride, désolé, gagné, à la sortie du village, par les constructions nouvelles, et un petit supermarché qui venait d'ouvrir, à l'enseigne clignotante, Fanny la remplaça, contre un salaire cette fois, et obtint également que vînt travailler à la cuisine une fille récemment débarquée au village, tout juste arrivée d'une lointaine région et qui épousait un homme du coin, parent de la patronne. Fanny se montra avec elle guère moins autoritaire que l'avait été Lucette, ayant peu d'intérêt pour cette étrangère. Il lui déplut tout particulièrement d'apprendre de la jeune femme qu'elle connaissait le père de Fanny pour être née et avoir vécu dans la même province que lui. Croyant la flatter, elle poussa l'indélicatesse jusqu'à confier à Fanny qu'elle avait deviné au premier regard son lien avec cet homme éminent qu'était, pour la jeune femme modeste, le riche père de Fanny. Jamais elle n'eût imaginé que Fanny fût d'un village proche, tout semblable à celui-ci, ni qu'elle eût là-bas une aïeule chère, avec des chiens ! Son étonnement outrageait et effrayait Fanny, et elle était rude, hautaine, sans parvenir à faire taire la jeune femme qui, ne comprenant pas, l'accablait de références émues. Raconterait-elle par tout le village de quels singuliers arbustes secs ou gras était planté le jardin du père de Fanny, ou la curieuse couleur rougeâtre de la terre là-bas, sur laquelle on s'ébahirait avec circonspection ? La jeune femme était bien capable, se figurant servir les intérêts de sa nouvelle amie, et pour le plaisir de parler d'une région qui lui manquait déjà, de décrire minutieusement le vêtement, inconnu ici, porté par le père de Fanny, ce qui susciterait des réactions de curiosité distante, d'attention polie, ruinerait assurément les efforts de Fanny pour qu'on vît en elle une payse. C'est que la jeune femme, elle, n'éprouvait nulle honte ! Mais, toute fière, tenait à ce qu'on sût de quel mystérieux endroit elle venait et que Fanny en était également, de par son père illustre. Aussi, pour tenter de la réfréner, Fanny lui interdisait de monter en salle ; et quand, le soir après son travail, la jeune femme traversait le café pour rentrer chez elle, Fanny la suivait de près jusqu'à la porte, de son air inflexible la dissuadait de prononcer un mot, lançait ensuite à son propos quelques paroles méprisantes, sur un ton léger, auxquelles on ne prenait pas garde tant on se souciait peu de la cuisinière du Coq Hardi.

Fanny se plaisait à son métier de serveuse. Elle avait revêtu le chemisier beige de Lucette et, après une retouche, la jupe vert et jaune aux plis nombreux que Lucette avait aimé étaler autour d'elle sur sa chaise élevée. Fanny ne ménagea pas sa peine, elle retenait le prénom des habitués, elle était docile et pondérée.

Deux fois par mois l'oncle Georges s'arrêtait déjeuner, garant devant la fenêtre sa petite voiture de commis-voyageur. Il s'installait à la même table, commandait une blanquette, un peu différent dans son complet gris fer de ce dont Fanny, l'ayant toujours vu les jours de fête, avait gardé le souvenir, il sortait de sa valisette des échantillons de savon qu'il distribuait autour de lui, bonhomme. Jamais l'oncle Georges ne manifesta qu'il eût reconnu Fanny, sa nièce. Sans doute, pensait Fanny, m'en veut-il encore d'avoir entraîné Eugène, c'est sa façon de me punir. Mais comme son regard est indifférent et passif quand le hasard le fait se poser sur moi ! Où trouve-t-il donc la force de contempler aussi froidement sa propre nièce ? Elle tournait autour de Georges, le frôlait de sa manche, s'amusait à subtiliser des savonnettes qu'elle lui rendait dans de grands éclats de rire, un jour elle l'appela mon oncle, sans qu'il frémît le moins du monde. Elle s'écria, comme il venait de la nommer Lucette : Je suis Fanny, Lucette n'est plus là ! – Ah, bon, acquiesça Georges, courtoisement. Se pouvait-il, se demandait Fanny, que ce fût bien là son oncle Georges ? Elle l'observait de tous les coins de la salle et, malgré l'irréprochable sérieux dont elle tâchait de faire preuve en toute circonstance, le service des autres clients quand Georges déjeunait tombait sous la dépendance étroite des désirs de son oncle, des rythmes de son repas. Fanny ne le quittait guère des yeux et ne s'éloignait de sa table qu'après de longues hésitations. Même s'il feignait, pour exprimer son mécontentement, d'ignorer Fanny, il pouvait céder chez lui à la satisfaction d'affirmer que sa nièce le traitait avec un respect exemplaire, rappeler ainsi à Tante Colette que telle avait toujours été l'attitude de Fanny qui, depuis longtemps consciente de l'imperfection de sa naissance, s'était toujours employée à se faire pardonner et à racheter par son humilité déférente la négligence de ses parents.

Peu à peu Fanny s'enhardit à ne plus donner à Georges que du : mon oncle, et elle le tutoyait avec ostentation, ce qu'il ne sembla pas remarquer, seulement attentif, quand il ne mangeait pas, à ranger sur la table ses savonnettes multicolores, à les dresser en piles selon un ordre précis, penchant le front si bas sur son ouvrage qu'on ne voyait plus que le haut de son crâne, dégarni. L'oncle Georges avait encore perdu depuis la dernière fois une bonne poignée de cheveux ! A la patronne, à la cuisinière, Fanny ne put s'empêcher de vanter les mérites de son oncle Georges et elle surprit beaucoup la jeune femme, qui trouvait au père de Fanny plus de prestance qu'à ce discret représentant de commerce. Aucune, finalement, ne voulut croire que ce client fût l'oncle de Fanny, l'une parce qu'elle ne le vit jamais lui témoigner d'intérêt particulier, l'autre parce qu'elle ne concevait pas que Fanny fût apparentée à un personnage aussi insignifiant, aux traits aussi communs à tant d'hommes de la région.

Un orage éclata, les néons qu'on allumait dès midi en cette saison s'éteignirent, l'oncle Georges finissait une crème au caramel. Il profita de l'obscurité pour allonger la main vers Fanny debout auprès de lui, et Fanny, songeant qu'il allait parler enfin, frissonna de joie. Elle s'inclina vers son oncle, qui murmura : dans ma voiture, maintenant. Ils sortirent, Georges tenant serré le coude de Fanny ravie. Ils contournèrent le restaurant dans la petite cour duquel il avait garé sa voiture ce jour-là, et, sur l'instigation de Georges, ils montèrent tous deux à l'arrière, où traînaient quelques savonnettes écrasées. Alors l'oncle Georges ne dit plus rien mais étreignit Fanny, en soufflant. Il la pressait si fortement qu'elle en fut incommodée. Son nez enfoui dans le cou de l'oncle Georges à l'odeur inconnue, avait des élancements douloureux. Elle le laissa faire cependant, avec stupéfaction. Car ne fallait-il pas que l'oncle

Georges, en aucune manière, ne pût se plaindre d'elle à Tante Colette ? Ne fallait-il pas qu'il acceptât de la reconnaître un jour, ce à quoi il serait engagé plus volontiers si Fanny manifestait en tout une constante bonne volonté ? Georges, silencieux, lui broyait les os, il finit par baver un peu sur l'épaule de Fanny, puis elle se dégagea doucement tandis qu'il reprenait sa respiration, une main sur le cœur. Si tu parles à ma tante, dit Fanny, précise bien que pour te suivre jusqu'ici j'ai abandonné mon service. – Bien sûr, bien sûr, répondit Georges, le regard perdu.

L'oncle Georges dut changer d'itinéraire car Fanny, à son grand regret, ne le revit plus. Elle se consolait avec la certitude de l'excellent rapport qu'il avait fait certainement, à son propos, auprès de Tante Colette. Mais, pas plus qu'elle ne réussissait à glaner la moindre information au sujet de Tante Léda, nul parmi les habitués du Coq Hardi, que Georges avait pourtant bien souvent régalés de savonnettes, ne sut lui dire ce qu'il était devenu ni quoi que ce fût le concernant. Aussi sa nouvelle situation de serveuse n'apporta pas à Fanny tout le bénéfice qu'elle en eût attendu.

## Chapitre 3. – FANNY FRÉQUENTE.

Le jeune homme qui avait fait pénétrer Fanny dans la cabane aux chiens, un soir de pluie, puis qui l'avait regardée avec insistance, bien que l'ayant oubliée toute la nuit, se souvint d'elle et, comme cette période de l'année le laissait désœuvré, alla la voir au Coq Hardi, où il finit par passer des après-midi entières. Il prenait place au fond de la salle, commandait une bière et suivait des yeux Fanny dont le plaisir à le retrouver là, quoiqu'elle n'aimât qu'à moitié ses traits maussades, grandissait. Elle s'assura auprès de lui qu'il vivait bien au village, depuis toujours. Il avait la figure un peu rouge et semblait plus âgé qu'il n'était avec les sortes de longs favoris clairsemés qui lui mangeaient les joues, qu'il tiraillait sans cesse. Il savait rarement que dire. Qu'il fût du village, cependant, était pour Fanny une qualité valant toutes les autres. De quelle utilité lui eût été un étranger, quel qu'il fût ? Qui l'eût éloignée à jamais des villages, que la famille eût accueilli, sans doute, poliment, mais ne pouvant oublier, par contrecoup, la malfaçon de Fanny ? Fanny souriait au garçon toutes les fois qu'elle l'osait. Elle croyait voir sa qualité illuminer son œil morne. Elle était flattée de lui plaire, malgré tout, et lui en avait de la gratitude. Comme il se contenta pendant longtemps de venir s'asseoir au café et de la contempler paisiblement, elle décida de presser le cours des choses. Gauchement, mais avec fermeté, Fanny posa sa main sur la cuisse du jeune homme, en se cachant de l'assistance et en lui adressant, à lui, des mimiques expressives, bien que son visage lui parût, de près, moins attirant encore, que sa qualité ne se lût plus aussi distinctivement au fond de sa pupille pâle où seul un désir lent maintenant s'éveillait.

– Conduis-moi donc chez tes parents, chuchota Fanny.

– Ils ne nous attendent pas, fit-il surpris.

– Il est exclu que je sorte avec toi ou que je te parle simplement si tu ne me présentes pas à tes parents, si tu ne m'emmènes pas immédiatement chez vous, dit Fanny d'une voix résolue.

Elle était prête, déjà, à retirer sa main, tandis que le garçon abasourdi réfléchissait.

– Vois-tu, ajouta Fanny, le visage de tes parents, leurs manières, l'allure générale de votre intérieur, comptent pour moi autant que le charme propre à ta personne qui me deviendrait indifférente si certaines conditions extérieures n'étaient pas remplies. Il est nécessaire, vois-tu, que je plaise à tes parents autant qu'à toi-même.

— Quelle importance ? s'exclama le jeune homme, l'air vaguement offensé.

— Les gens comme vous sont les meilleurs juges de ce à quoi je peux prétendre dans ma famille, dans ce pays qui est le mien sans qu'on me l'accorde. Si je plais à tes parents, je plairai pour les mêmes raisons à Tante Colette. Si tu as de l'affection pour moi, je séduirai mon cousin Eugène aussi bien ! Peut-être, s'écria Fanny sur un ton aigu, l'erreur de ma naissance n'est-elle pas définitive. Et si je ne retrouvais jamais Tante Léda ? Y a-t-il d'autres moyens ? Il me faut éprouver tout cela.

Elle gratifia le garçon d'une caresse brutale, craignant d'en avoir trop dit et qu'il s'effrayât.

— Notre chienne s'appelle Léda, murmura-t-il machinalement.

— Elle ne peut tout de même pas être ma tante, dit Fanny avec un rire.

— J'aimerais, reprit le jeune homme, sérieux, que nos chiens te prennent en amitié, car ce sont de bonnes bêtes, tu verras.

— Ah, les chiens sont trop ingrats, soupira Fanny.

Puis, comme du monde entrait, elle s'élança à travers la salle en arborant le sourire qu'elle avait appris de Lucette et fait sien ainsi que la jupe et le chemisier, il n'était pas rare qu'un client distrait dît encore Lulu, trompé probablement, pensait Fanny lucide, par les ramages verts et jaunes : elle n'était, elle, rien d'autre que Fanny.

Plus tard, elle fit en sorte de quitter le café en même temps que le garçon. Elle lui prit le bras, se serra contre lui et le suivit jusqu'à la ferme. Si tous les habitants du village avaient pu la voir ainsi ! Fanny était si fière qu'elle traînait la jambe délibérément et tournait la tête de tous côtés.

Les parents étaient assis à la table de la cuisine. Ils avaient les mains posées devant eux, nul ouvrage, et semblaient attendre, tranquillement, l'arrivée de leur fils et de Fanny, qui s'installa en silence. Le jeune homme sortit des verres et une bouteille de vin cuit. Les parents étaient, dans les moindres détails, pareils à ce que Fanny avait imaginé au souvenir des membres de sa propre famille, dont ils eussent pu faire partie sans que rien en fût changé. Elle voyait dans leur figure régulière, un peu morose et défiante, les traits familiers d'oncles et de tantes, et elle dut, même, se forcer à reprendre ses esprits pour se rappeler qui ils étaient véritablement et contenir son affection. La mère portait un tablier fleuri aux motifs connus de Fanny, le père une salopette de toile bleue exhibant sur une bretelle le nom du magasin qu'Eugène montrait encore de son doigt engageant sur la façade du Coq Hardi. Et, sur le buffet aux formes rondes, un calendrier était dressé, décoré de chatons, et un cadre doré avec la photographie du jeune homme en militaire radieux, et un petit baromètre offert par une entreprise de pompes funèbres, et des napperons au crochet. Dans la cuisine de l'aïeule Fanny ne se fût pas sentie davantage chez elle ni plus à son aise. Renversée sur sa chaise, elle souriait abondamment aux parents. Il fallait, songeait-elle, qu'elle épouse au plus tôt ce garçon ! Les deux vieux, qui n'avaient toujours rien dit et avaient simplement refusé d'un geste le vin que leur présentait le fils, marmonnèrent en sa direction, chacun à son tour, des propos qui parurent l'embarrasser, que Fanny ne put comprendre malgré ses efforts. Elle tendait l'oreille mais leur fort accent, plus prononcé que celui de l'aïeule, l'empêchait de distinguer les mots les uns des autres. Elle eut l'impression, en outre, qu'ils tâchaient de n'être entendus que du jeune homme, et ses sourires appuyés restaient sans réponse, ses regards affables se heurtaient à une semblable expression de réserve et de prévention.

— Ils demandent, lança le jeune homme un peu brusquement, pourquoi tu as tué l'un de nos chiens, une nuit. Mon père t'a vue.

— Ah, s'écria Fanny, si j'avais su que c'était le vôtre, je l'aurais plutôt laissé me dévorer !

Consternée, elle voulut s'excuser. Mais la mère avait croisé les bras sur son tablier et le père se grattait le coude, l'œil fixé sur la table.

— Ils demandent également, continua le garçon les yeux dans le vide, pourquoi tu es vêtue exactement comme l'ancienne serveuse, car ils trouvent étrange que tu veuilles ainsi te faire passer pour elle. Quand ma mère t'aperçoit derrière les vitres du café, il lui semble toujours, pendant une seconde, reconnaître Lucette, cela la trouble et la met en colère contre toi.

— Il s'agissait de ne pas changer les habitudes, murmura Fanny.

La mère émit un sifflement réprobateur tout en secouant la tête lentement, les lèvres pincées, son jugement établi. Le père tendit la main pour bouger de quelques millimètres la bouteille sur la table, et le fils se leva et proposa de raccompagner Fanny.

Dans le café, fermé maintenant, elle l'étreignit ; tout, peut-être, n'était pas perdu encore ; et le chien jaune, fourbu comme il l'avait été, ne serait-il pas crevé naturellement à cette heure, et oublié déjà ? Bien qu'elle le sentît réticent, Fanny attira le garçon, non jusqu'à sa petite chambre où elle craignait que du bruit réveillât la patronne, mais dans la cuisine encore chaude de tout ce qui y avait cuit au cours de la journée. Elle le fit s'allonger sur le carrelage et se colla à lui, une odeur de friture emplissait la pièce, la peau du jeune homme en était tout imprégnée. Quelque chose, alors, grattait à la fenêtre. Fanny crut apercevoir la silhouette d'un grand chien immobile, qui la fixait, la langue pendante. Elle ferma les yeux, les rouvrit et, comme elle l'avait espéré, ne vit plus de chien mais la seule lueur froide des réverbères, quelques gouttes de pluie sur le carreau. Elle secoua le jeune homme que la chaleur suffocante avait endormi dans ses bras. Il se réveilla honteux et Fanny ne put le convaincre de rester davantage. Il partit sans même l'embrasser, dégoûté par les traces de saleté sur son vêtement, le dos couvert de pelures d'oignon et de taches grasses.

Il ne se montra plus au café. Fanny allait rôder autour de la ferme, non que le garçon lui manquât mais accablée à l'idée de tout ce qui lui avait échappé, n'osant pénétrer cependant à cause des parents. Elle l'aperçut, courut à lui et se pendit à son cou.

— Pas de ça, dit l'autre en se dégageant, tu comprends bien, voyons, que c'est impossible, après ce que tu as fait.

— Mon oncle Georges agit de même ! s'écria Fanny.

Le jeune homme répliqua qu'il se moquait un peu de l'oncle Georges, puis il poursuivit son chemin calmement.

## Chapitre 4. — GEORGES.

Juste alors que Fanny se rappelait qu'elle avait eu un fiancé avec lequel elle n'avait pas précisément rompu avant son départ, mais qu'elle avait tout simplement oublié, il entra, dans les mêmes vêtements que la dernière fois, identique à ce qu'il était dans l'esprit de Fanny où il venait de resurgir brusquement sans raison apparente. Son prénom était Georges et il avait le même âge que Fanny. Elle rougit violemment tandis qu'il s'avançait vers elle en souriant d'un air heureux et fier. Il avait la poitrine large, une belle figure assurée et ressemblait à Fanny au point qu'on les avait pris souvent pour frère et sœur, ce qu'elle eût, aujourd'hui, difficilement supporté et dont le souvenir humiliant lui fit murmurer d'une voix aigre, le visage détourné, comme il restait planté là, à l'empêcher de passer :

– Eh bien, que veux-tu ?

– Enfin, c'est moi, tu ne me reconnais pas ?

Et il l'appela de son ancien prénom en suçant longuement, avec tendresse, chaque consonne. Je ne veux plus entendre cela ! s'exclama Fanny effrayée. Elle regarda prudemment autour d'elle ; dans le brouhaha et l'agitation du déjeuner, les paroles de Georges n'avaient pas dû atteindre d'autres oreilles que les siennes. Maintenant je suis Fanny, tâche de ne pas te tromper, dit-elle amèrement. Georges acquiesca avec complaisance, puis, Fanny ayant invoqué son travail, il allait se diriger, discret, vers une table libre, mais elle le retint d'une main et déclara qu'il ne pouvait en aucun cas s'asseoir dans la salle, que sa présence l'embarrasserait par trop. Déjà, la patronne tournait vers eux son œil indifférent. Quelques clients les observaient, tranquilles, attendant leur plat. Quelle serait leur attitude à tous s'ils apprenaient que ce garçon avait été le fiancé de Fanny et, sans doute, se considérait encore comme tel ? Voudraient-ils croire une seconde de plus tout ce que Fanny affirmait à propos du village de l'aïeule et de sa propre famille ? Il y avait, entre lui et l'oncle Georges, des différences injustifiables. D'où venait exactement Georges, Fanny d'ailleurs ne l'avait jamais su, et elle eût eu maintenant trop peur de l'entendre nommer quelque lieu absurde et lointain pour oser le lui demander. Georges, son fiancé, ne venait de nulle part ! Ignorant que faire de lui pour le moment, elle le conduisit à sa chambre. Elle l'enferma pour être bien certaine qu'il ne se montrerait pas en bas, malgré ses protestations d'obéissance.

Georges lui expliqua qu'il était venu la chercher. Il était passé chez le père de Fanny, dont le domestique l'avait envoyé au village de la carte postale ; il était arrivé, de là, directement ici, ayant rencontré les mêmes gens qu'Eugène et Fanny et un peu étonné seulement qu'un aussi long périple le ramenât à quelques kilomètres du village de l'aïeule, d'où il savait que Fanny était partie. Et Georges arpentait la chambre dans la plus grande inquiétude. Il rappela à Fanny leur projet de mariage, avant qu'elle se fût enfuie, ses diverses promesses et démonstrations d'amour que Fanny ne pouvait se remémorer, dont il lui parut inconcevable qu'elle les eût prononcées. Voyons, voyons, tu exagères, répétait Fanny avec un petit sourire indulgent. Tout ce dont elle se souvenait au sujet de Georges tenait dans une réflexion de Tante Colette, un jour que Fanny lui faisait voir une photographie de son fiancé : Si tu ne m'avais pas dit de qui il s'agit, s'écriait Tante Colette, j'aurais cru que c'était toi !

Le visage de Georges n'inspirait à Fanny, maintenant, que du dégoût. Cependant Georges ne voulut pas s'en aller. Fou de déception, il se jeta sur Fanny en la traitant de traîtresse, et il l'appelait par son véritable prénom tout en la secouant et la bousculant. Comme les manières de Georges, comme sa façon de parler lui étaient étrangères ! constatait Fanny avec ravissement. Georges, néanmoins, refusait de s'en aller déjà, gardant de l'espoir. Il dormait sur le tapis, au pied du lit de Fanny, et se laissait enfermer dans la chambre quand Fanny la quittait au matin, qui préférait qu'il ne fût pas vu non plus dans les rues du village où on eût pu deviner sa relation avec elle ou se figurer qu'il était de sa famille, si on ne le prenait pas tout bonnement pour Fanny. Elle lui montait, si elle avait le temps, les restes du déjeuner ; elle le houspillait, l'agaçait de son pied lorsqu'elle le trouvait couché, et Georges, sans que Fanny le vît partir, finit par disparaître, à son vif soulagement. Comme nulle trace ne demeura de son passage, Fanny ne tarda pas à l'oublier aussi complètement que si elle n'avait jamais eu affaire avec lui.

## Chapitre 5. – AU VILLAGE DE TANTE COLETTE.

Depuis que Fanny était arrivée au Coq Hardi, la pluie ne s'était interrompue, quelques jours, que pour céder la place à de pauvres flocons de neige à la vie brève, et voilà qu'il pleuvait et pleuvait de nouveau, voilà que la lumière semblait baisser encore, si ténue déjà, les journées s'accourcir.

Un camion vint se ranger devant le café, un routier entrait, inconnu de Fanny, qu'elle salua. Tout en s'approchant de sa table, elle jeta un coup d'œil à travers la fenêtre. Sur le camion était inscrit en grosses lettres brunes : Transports LEDA. Fanny tira une chaise et s'assit en face de l'homme, le gratifiant de son sourire le plus engageant, à quoi il répondit avec un plaisir surpris, flatté. N'y avait-il pas, songea Fanny emplie de désir, quelque chose, dans son visage coloré, de l'expression intéressée, avide et paternelle qu'avait eue l'oncle Georges au moment de s'emparer de Fanny, sur la banquette de sa petite voiture où, pour la première fois, il lui avait permis d'entrevoir qu'elle serait peut-être, un jour, sa nièce malgré tout – enfin, qu'elle était pardonnable ? Car il l'avait enlacée, se disait Fanny maintenant, non sans une certaine tendresse domestique.

L'ayant pressé de questions, Fanny apprit de l'homme que la maison mère des transports LEDA était sise dans le village qu'habitaient depuis toujours Tante Colette et l'oncle Georges !

Il y retournait d'ailleurs et ne voyait pas de difficulté, comme elle l'en priait d'une voix émue, à emmener Fanny, sur l'heure.

— Qu'est-ce que c'est que ces transports LEDA ? demandait Fanny en accrochant la manche de l'homme. Pourquoi ce nom-là ?

— C'est le nom de mon chef.

— Votre chef pourrait-il être ma tante Léda ? s'écriait Fanny.

— Je ne le pense pas, dit l'homme sans comprendre.

Il ajouta, pour la satisfaction d'affirmer une chose dont il fût sûr, qu'un personnage secondaire de la série télévisée qu'il suivait en ce moment, Blouses Blanches, s'appelait Léda, une belle femme mûre à la chevelure rousse. Puis il se leva et Fanny se dépêcha d'aller chercher sa valise. Elle sortit tranquillement, la patronne n'étant pas dans les parages, monta au côté du routier pour qui elle éprouvait déjà une profonde reconnaissance et cet attachement particulier que lui procuraient les larges faces pourprées de la région (si différentes de la figure fine et haute de Georges !).

Roulant vers le village de Tante Colette, elle était heureuse de quitter celui-là. On ne lui avait rien enseigné sur Tante Léda qui n'eût contribué à l'embrouiller un peu, en lui parlant, par exemple, d'une chienne portant ce nom, et Tante Clémence comme l'oncle Georges dont la présence ici l'avait déconcertée, s'étaient finalement montrés décevants et peu respectueux, ce qui attristait Fanny davantage que s'ils eussent manifesté une franche hostilité. Elle entendait bien, une fois arrivée là-bas, et si l'oncle Georges avait négligé de le faire, instruire Tante Colette de la façon dont elle s'était dévouée à son mari, en quittant pour lui son service en plein déjeuner. Par ailleurs, la prochaine fois qu'elle visiterait l'aïeule, elle ne manquerait pas de l'informer sévèrement des mauvaises manières de Tante Clémence. Fanny se réjouissait de tout ce qu'elle aurait à dire à chacun. Qu'elle s'intéressât de près aux conduites familiales, qu'elle en tînt avisées l'aïeule et Tante Colette, ne pouvait tourner qu'à son avantage. Eugène, lui, se contentait d'utiliser la famille, sans lui rendre seulement les égards auxquels elle avait droit.

Fanny était confortablement installée, sa valise sur les genoux, le col de son imperméable bien relevé sur la nuque. L'homme bavardait tout en scrutant la route à travers la pluie ardente, et Fanny qui n'écoutait pas répondait par quelques exclamations et petits cris. Il s'arrêta, à un moment, sur un chemin de terre, pour se tourner vers Fanny avec un large sourire bienveillant, le regard affectueux. Et il devenait, ainsi, si semblable à l'oncle Georges que Fanny en fut troublée. Il l'attrapa malhabilement, Fanny se demandait en hâte ce qu'elle allait pouvoir recueillir de cette relation inattendue, des accointances peut-être avec le chef nommé Léda. Il l'écrasait contre la vitre tout comme l'avait fait l'oncle Georges, ou Lucette contre le mur de la chambre, et la secouait en tous sens avec de grands gestes maladroits que Fanny se gardait de freiner. Chacun, ici, peut m'être utile, pensait-elle, et bien qu'étant chez moi il ne convient pas que je dise comment se comporter, mais que je fasse la soumise et la modeste, contente déjà de ne pas déplaire. Le ciel était si gris, la pluie si dense qu'on n'y voyait guère. Les traits de l'homme s'estompaient et, quand il se redressa et lâcha enfin Fanny, elle ne distinguait plus qui il était véritablement, de nombreux visages se mêlant dans sa mémoire, s'ingéniant à l'abuser. Pour ne pas risquer que sortît de sa bouche le nom de l'oncle Georges ou de son propre père, ou celui de son cousin Eugène, Fanny se tut. L'homme, content, dissertait. Il roulait vite et prenait des airs insouciants. On passa, alors, dans le village de l'aïeule, devant la maison qui avait ses volets fermés et sembla à Fanny inquiète, déserte, comme abandonnée. Elle se promit de demander au plus tôt des nouvelles de l'aïeule. Mais une mission plus urgente l'attendait pour l'instant, comme elle dut en convenir avec embarras, car elle se dirigeait vers le village de Tante Colette, où siégeaient les transports Léda, coïncidence si encourageante que c'est tout juste si Fanny, déjà, ne se voyait pas au bout de ses peines.

On parvenait au village quelques minutes après avoir traversé celui de l'aïeule. Au milieu des champs ras, des silos le bornaient. L'église privée de girouette surplombait la route nationale, qui avait mangé les trottoirs. Le village de Tante Colette ressemblait tant aux agglomérations voisines que Fanny crut n'avoir, en réalité, jamais bougé, jusqu'à ce qu'elle reconnût les murs gris-bleu de la maison de ses oncle et tante où, enfant, elle était venue souvent. Le camionneur l'arrêta non loin et Fanny regretta qu'il fût reparti avant de la voir frapper, et prouver par là qu'elle avait bien de la famille partout où elle le disait ! Elle courut jusqu'au porche se protéger de la pluie. La rue était silencieuse et vide ; les voitures qui filaient dans un long giclement ne brisaient pas l'infinie torpeur régnante, éternelle, confite, comme venant des vastes champs quadrillés qu'on savait autour, arpentés par les seules moissonneuses-batteuses-lieuses solitaires, désormais. Elle pressa la sonnette ; la porte de Tante Colette s'ouvrit et une jeune fille inconnue de Fanny répondit à son bonjour.

— Je suis la nièce de Tante Colette ! s'écria Fanny aussitôt.

— Elle n'est pas là, dit la jeune fille au joli visage ordinaire, ni Georges ni Eugène.

— Mais où sont-ils donc ?

Et Fanny semblait si désappointée que la jeune fille s'inquiéta. Serait-ce la fiancée d'Eugène ? se demandait Fanny tout en détaillant ses manières et les expressions de sa gentille figure. Se peut-il qu'elle soit déjà installée ici ? Car la jeune fille était chaussée de pantoufles et ses cheveux entortillés sur de gros bigoudis multicolores. Aimable, elle expliqua que Tante Colette était partie, la veille, pour la capitale, et logeait chez sa sœur, la mère de Fanny. Personne ne m'a avertie de tout cela ! s'exclama Fanny avec dépit. Quant à l'oncle Georges, il parcourait le pays ainsi que son métier l'exigeait, on ne l'espérait pas avant plusieurs jours. Eugène, lui, vagabondait, à la recherche d'un emploi quelconque : son contrat avec le magasin de bricolage, raconta la jeune fille qui, de déception, ne put s'empêcher de pincer les lèvres et de froncer les sourcils, n'avait pas eu de suite. S'il m'avait écoutée, dit Fanny, s'il était seulement resté avec moi ! Mais la jeune fille, indifférente, haussa les épaules, manifestant si cruellement à quel point la touchait peu la perspective d'une rivalité avec Fanny sanglée dans son vieil imperméable (et n'avait-elle pas dû entendre à son propos de quoi la rassurer plus d'une fois ?), que Fanny s'en trouva accablée. Et elle regarda l'autre, qui avait plu à Tante Colette certainement, avec un respect admiratif, une affection soudaine, pleine d'humilité. Elle fut invitée à entrer. La jeune fille lui offrit un thé, traînant ses pantoufles avec aisance. Fanny prit place dans la cuisine, devant la table recouverte d'une toile cirée, et elle reconnut sous l'usure de bon aloi le motif de feuilles, glands et champignons qu'elle s'était amusée à décomposer avec Eugène lorsque autrefois on la menait jouer chez son cousin, de temps en temps, le dimanche.

La jeune fille s'activait silencieusement. Elle se servait de chaque objet comme eût pu le faire Tante Colette, avec une désinvolture familière. Fanny n'osait bouger, quoique son envie fût grande d'aller vérifier si, dans le salon de Tante Colette, la collection de petites poupées folkloriques, chacune prisonnière de sa boîte de plastique ronde, n'avait pas été ôtée de la vitrine ; si, au-dessus du buffet renfermant la précieuse vaisselle des jours de fête, cadeaux du mariage ancien, étaient appendus toujours les trois fusils de l'oncle Georges, sur le papier au décor champêtre ; et, surtout, si on avait laissé sur la télévision certaine photographie de Fanny enfant, embrassant dans un rire un chien de l'aïeule. Cependant la jeune fille ne proposa pas à Fanny de quitter la cuisine. Elle eût été choquée sans doute, et peut-être l'eût rapporté à Tante Colette en ricanant, que Fanny se levât et se mît à fureter sans son autorisation. Elle servit le thé dans une tasse ornée de houx, la poussa vers Fanny puis, avec force soupirs, entreprit d'enlever ses bigoudis. Elle les posait l'un après l'autre sur la toile cirée, et les mèches frisottées lui faisaient tout d'un coup un visage mûr et las. N'était-ce pas Tante Colette elle-même, dans la pénombre naissante ? Comme il était juste, songeait Fanny envieuse, découragée, que cette jeune fille-là fût fiancée à Eugène et aimée de Tante Colette à la place de Fanny, pourtant de la famille ! Car n'était-ce pas Tante Colette elle-même ?

Après avoir prévenu la jeune fille, qui feignit courtoisement de s'y intéresser, qu'elle irait à son tour chez sa mère, en ville, et rejoindrait là-bas Tante Colette, Fanny la quitta et partit à la recherche des transports Léda, dont le camionneur lui avait indiqué qu'elle trouverait les bureaux à la sortie du village. Fanny dut parcourir un bon kilomètre sous la pluie avant de les atteindre. C'était, en bordure d'un champ de maïs et de la route à double voie, une sorte de hangar délabré, flanqué d'un cabanon servant de secrétariat. Quelques camions attendaient devant mais Fanny ne vit personne. Dans la baraque, une femme, seule, tapait à la machine, s'éclairant d'une ampoule au plafond. Toute à son travail, elle accorda à peine un regard à Fanny.

— Je voudrais bien rencontrer votre chef, commença Fanny intimidée par le silence, on m'a dit qu'il s'appelait Léda.

— Non, non, pas du tout.

Agacée de devoir se détourner de sa tâche, la femme parla d'une voix rapide et péremptoire :

— On l'appelle ainsi mais Léda est le nom de l'entreprise et pas celui de notre chef. Ce sont des initiales. Leda signifie : Loyauté, Endurance, Discipline, Ardeur. On vous aura mal renseignée.

— Léda, ce n'est donc rien ni personne ? demanda Fanny surprise.

— Rien ni personne, répondit la femme avec satisfaction.

— Ah, pourtant, Léda existe, même si vous ne pouvez rien me dire à son sujet ! protesta Fanny.

— Quelle Léda ? Je n'ai jamais entendu parler d'aucune Léda depuis trente ans que je vis ici.

Et la femme replongeant dans son travail, brisa court, parut oublier tout à fait la présence de Fanny, qui sortit, revint lentement vers le village, dans l'obscurité montant déjà. Transie, épuisée, elle dépassa la maison de Tante Colette où brillait une lumière bleutée. Et les trottoirs étaient déserts encore, et fermés l'unique café et la petite épicerie à la vitrine salie de graffiti indéchiffrables.

## Chapitre 6. — Fanny s'en va.

Elle gagna la gare, acheta une barre de chocolat, un billet, et attendit sur le quai désolé le prochain train pour la capitale, où elle avait passé avec sa mère toute son adolescence. Fanny avait d'autant plus de mal à imaginer là-bas Tante Colette qu'elle ne se rappelait pas que nulle personne de la famille leur eût jamais rendu visite. Et Tante Colette détestait voyager, abandonner sa maison, faire des dépenses superflues. Fanny n'osait espérer qu'elle se fût déplacée pour la voir, elle : il eût fallu supposer que l'oncle Georges n'avait pas mentionné ses retrouvailles avec elle au Coq Hardi, et que Tante Colette languît après sa nièce au point de se résoudre à prendre le train pour la retrouver, ce qui n'était pas vraisemblable. Par ailleurs, si Tante Colette ne désapprouvait pas de vive voix la conduite générale de sa sœur, qu'elle se transportât pour le plaisir de sa compagnie ne se pouvait envisager davantage. Fanny s'impatientait de connaître le motif du voyage de Tante Colette. Et, ramenant tout à Tante Léda, elle se représentait entre celle-ci et l'expédition de Colette des rapports fatals.

Elle monta seule dans le train. Quelques personnes sommeillaient sur les banquettes de plastique orange. Crainte qu'on ne la lui volât, Fanny resta assise sur sa valise et s'assoupit. Mais, quand elle se réveilla peu avant l'aube, elle était allongée à même le sol, au milieu de trognons de pomme, papiers d'emballage, chewing-gums écrasés, et sa valise avait disparu, ainsi que son imperméable qu'elle n'avait pourtant pas ôté. Elle avait rêvé qu'Eugène l'en dépouillait tendrement ! Elle sillonna les trois voitures, vides maintenant, tous les voyageurs étant descendus avant la capitale, et elle marchait dans tant d'ordures de toutes sortes que ses souliers s'en trouvaient maculés. A travers les vitres souillées se levait un jour léger, sur l'interminable banlieue. L'air tremblait, frissonnait dans le crachin. Des tours nouvelles paraissaient osciller, des grues se mouvaient déjà, puis au ras de la voie une fenêtre s'éclairait et Fanny entrevit des silhouettes, un homme dans sa cuisine, cependant que le train cornait, de son souffle faisait voleter des rideaux tout au long des façades noircies. Consternée, Fanny grelottait. Et si Eugène était venu lui enlever son imperméable, comme elle l'avait vu en rêve, et confisquer sa valise du même coup, puis s'était éclipsé discrètement, est-ce qu'elle aurait la moindre raison de le supposer et de se lancer à sa poursuite ? Des fumées lourdes obscurcirent l'aurore, montant d'une décharge publique où l'on brûlait. Maintenant, le train passait au-dessus d'une autoroute et Fanny se pencha dans l'espoir qu'elle distinguerait peut-être celle de l'oncle Georges, dans le torrent de voitures grisâtres. Elles semblaient, de haut, avancer lentes et silencieuses, en un songe ! Il y eut encore des pavillons monotones, des jardinets proprets aux haies bien closes, d'insolites et soudaines villes neuves s'élançant loin dans le ciel de toutes leurs constructions disparates, et une large statue de béton, là, masqua pour un temps la lumière, figurant un être emprisonné et souffrant — et des entrepôts énigmatiques, tôle ondulée uniformément, sur des terrains vagues, au bord du fleuve, d'herbe pelée. Devant les supermarchés qui ouvraient peu à peu stationnaient l'un dans l'autre de longs caddies en files, des autos arrivaient déjà et les coffres béaient, qu'on remplissait méthodiquement. Puis un tunnel assourdissant, et le train entra en gare, sous la bruine, la verrière sonore. Fanny sauta sur le quai peuplé de travailleurs venant de banlieue. Elle fit quelques pas vers la sortie, entraînée par le flux, et, tout à coup, se cogna contre sa mère. C'était bien la mère de Fanny, dans un nouveau manteau, une fourrure brune ! Elles mirent quelques secondes à se reconnaître l'une l'autre, trop surprises pour songer à s'embrasser aussitôt. Fanny trouva que sa mère ressemblait à une ourse élégante dans ce manteau qu'elle n'avait jamais vu, qui l'étonnait grandement.

— Hélas, ma petite fille, s'écria la mère en brandissant une valise écossaise, il faut que je me sauve, je prends l'avion dans une heure !

— Mais jamais tu n'as pris l'avion, dit Fanny interloquée.

— Oui, oui, mais c'est ainsi, aujourd'hui je prends l'avion.

Elle tira une clé de sa poche et la fourra dans la main de Fanny. Va à la maison, tu trouveras Tante Colette. Quant à moi, j'ignore encore la date de mon retour. Au revoir, ma petite fille. Si je pensais te rencontrer là !

## Chapitre 7. – A LA MAISON.

S'échappant de la gare et se disant qu'elle eût aimé accompagner, comme autrefois, sa mère où qu'elle allât, mais qu'il était normal que celle-ci ne le lui eût pas proposé, sachant peut-être d'ailleurs par Tante Colette que Fanny s'était mise en quête de Léda et ne pouvant que respecter un tel projet, Fanny se dirigea sans hésiter vers le nord où sa mère habitait, en bordure du boulevard périphérique, dans une cité étendue aux murs bariolés et vieillis, le premier étage d'un immeuble élevé, non loin d'une usine d'automobiles : un quartier pourvu de toutes les commodités, comme elle se plaisait à le souligner. Et l'aïeule souvent l'avait répété avec satisfaction, quoiqu'elle ne fût jamais venue. Mais le choix judicieux qu'avait fait la mère de Fanny d'un endroit aussi pratique, d'où il ne lui était nullement indispensable de sortir pour aller aux commissions, au cinéma ou se rendre au lieu de son travail, un coquet salon de coiffure, ne comptait pas peu dans la bougonne magnanimité de la famille à son égard, pour qui autant d'ingéniosité, autant d'entendement, une si flatteuse débrouillardise (ne disait-on pas, fièrement, avec cependant l'air de n'y attacher pas d'importance, que la mère de Fanny décidément savait y faire, savait s'y prendre ?) rachetaient beaucoup d'erreurs passées. Comme Fanny, arrivant au village, s'était enorgueillie de vivre dans cette cité idéale, autrefois ! Car, alors, la gloire de sa mère l'enveloppait toute, qui avait creusé son chemin dans la ville mystérieuse – non sans y perdre certain moment un peu de sa tête, un peu de son parfait bon sens.

Fanny se hâtait par les rues larges du quartier, éblouie à l'idée de revoir si vite Tante Colette. Elle courait presque et ne ressentait en cet instant aucune fatigue ni inquiétude. Elle trouva, toutefois, l'appartement vide. Dans sa propre chambre, où sa mère avait probablement installé Tante Colette, seul un cabas, qu'elle reconnut pour l'avoir déjà vu au bras de sa tante, demeurait. Fanny l'ouvrit aussitôt et fut déçue de n'y découvrir qu'une photographie cornée. On y voyait, vaguement, à demi allongée sur un divan, Tante Colette au visage singulièrement rajeuni, dans une épaisse fourrure semblable à celle de la mère de Fanny, dont elle tenait serrés les deux pans entre le pouce et l'index. Bien que cette image lui déplût, Fanny rangea la photographie dans la poche arrière de son pantalon. Ne lui fallait-il pas considérer maintenant que l'approche de Tante Léda passerait par Tante Colette nécessairement, qu'elle ne pourrait espérer dénicher Léda tant qu'elle ne saurait où divaguait Colette, dont l'absence imprévue, du reste, lui pesait ? Et, quand même elle réussirait à mettre la main sur quelle Tante Léda que ce fût (Fanny ricanait, amère, en songeant qu'elle eût pu présenter quelque chienne à la famille et dire : Voici Léda, sans que, si la bête s'avérait docile et bonne chasseresse, on s'en formalisât autrement), que lui ferait une victoire que Tante Colette ne serait pas là pour estimer ? Fanny ne savait plus de quel côté chercher Léda ; les nuits précédentes ne s'était révélé nul indice dont elle se souvînt, issu d'un songe. Tante Colette peut-être l'aiderait, aujourd'hui sans doute mieux disposée envers Fanny qu'elle l'avait été lors du déjeuner d'anniversaire de l'aïeule. Mais Fanny se demandait avec anxiété si Tante

Colette reviendrait, car elle n'avait pas laissé de vêtements, rien qui signalât son passage que le vieux cabas et la photographie. La mère de Fanny, comme à son habitude, l'avait trompée, ou bien s'était fourvoyée par négligence et précipitation. Quant à elle, Fanny n'eût pas souffert de ne la voir jamais revenir : sans le vouloir, sa mère lui avait causé jusqu'à ce jour moins de bienfaits que de désagréments, tant son indifférence était infinie. Encore que la honte de Fanny n'eût plus connu de limites si sa mère avait décidé de ne pas rentrer de son voyage, de cesser toute relation avec la famille. Il était heureux que celle-ci, malgré tout, conservât sur elle plus d'empire que la mère de Fanny se le représentait !

Fanny se mit en devoir d'attendre Tante Colette ; elle lui laissa sa chambre et transporta son lit dans le salon.

## Chapitre 8. – LA CITÉ.

*L'appartement.* – Entrait également pour une bonne part dans le contentement qu'éprouvait à vivre en ce lieu la mère de Fanny qu'elle dût payer pour ce privilège bien davantage que ce que déboursaient chaque mois ses parents vivant dans les villages, où elle n'eût trouvé à louer, même de spacieux, rien qui lui coûtât autant que son petit appartement bruyant et sombre. L'aïeule encore se vantait parfois de ce que sa fille fût obligée de donner pour pareil toit la moitié de son salaire. Elle-même n'eût pu se résoudre à un semblable sacrifice, pas plus que le reste de la famille qui, s'ébahissant, se félicitant de sa propre chance, voyait là pourtant une circonstance digne d'admiration, sinon de convoitise, puisqu'elle lui paraissait prouver qu'il n'était pas accordé à tout le monde d'habiter cet endroit, qu'il fallait le mériter ou jouir de facultés si singulières qu'elles permissent, obscurément, de le préférer à tout autre. Et, sans doute, si la famille était venue, elle eût attribué à son ignorance et à sa rudesse de n'apercevoir le moindre avantage à vivre dans l'un des bâtiments d'une grande cité décatie, dans le grondement constant, les fumées de la route. Le salon donnait sur le boulevard périphérique ; pour cette raison, la mère de Fanny le tenait, malgré le vacarme, pour la pièce la plus agréable de l'appartement, car elle aimait regarder du canapé filer les voitures vers la ville, assister à quelque accident spectaculaire parfois : dans ce salon moderne, aux sièges profonds, mous et clairs, aux étagères semées de naïfs bibelots exotiques, on ne s'ennuyait jamais, bien qu'on ne pût ouvrir les fenêtres.

*Le supermarché.* — Au pied de l'immeuble, ce qui avait influencé le choix par la mère de Fanny de ce logement précisément et suscitait, pour le coup, l'envie de toutes les femmes de la famille, devant le long, l'inépuisable supermarché se constituaient dès l'aube des groupes patients attendant devant les portes fermées, se figeant au ras de la vitrine dans le froid des matins d'hiver, comme si, sachant fort bien, chaque jour, qu'on arriverait trop tôt, et l'immensité du magasin (qui eût pu prétendre en avoir déjà fait le tour ?), on eût voulu cependant s'assurer d'une place, ou éprouver le plaisir tout particulier, exaltant et vif, de glisser avant tout autre sur le frais carrelage propre et comme neuf, de pousser sans frein, un peu trop fort, par la grisante étendue des allées, entre les rayons mystérieusement enrichis depuis la veille, le grand caddy vide encore, aux roulettes faussées — comme si, plus probablement, on espérait, contre toute expérience, atteindre les caisses parmi les premiers et que ne se formassent pas avant qu'on y fût parvenu les interminables files qui, toujours, quelle que fût l'heure, le nombre de personnes qu'on avait cru voir entrer, se déroulaient d'un bout à l'autre du magasin ou tortillonnaient en volutes compliquées, sans qu'on pût s'expliquer d'où provenaient autant de gens, autant de figures diverses, ni par quelle étrangeté ils se trouvaient soudain, le soleil à peine levé, réunis là, et toujours accédaient avant soi aux caisses pourtant si nombreuses que le regard ne pouvait les embrasser toutes, qu'une vie entière passée dans la cité n'aurait pas suffi pour qu'on pût affirmer avoir, au moins une fois, payé à chacune. Fanny avait aimé plus que tout accompagner sa mère au supermarché. Elles s'y rendaient dès l'ouverture, restaient jusqu'au soir, déjeunant à la cafétéria de l'étage : c'était, véritablement, une fête (d'ailleurs, Fanny eût-elle été capable de dire, de la fête du supermarché ou de la fête d'anniversaire chez l'aïeule, quelle était la plus exquise ?).

*Le salon de coiffure.* — Fanny s'était procuré des joies presque aussi fortes en allant retrouver, autrefois, sa mère au salon de coiffure, à la fin de la journée. Le salon se dressait sur le même vaste terrain de terre battue que le supermarché, au-dessous d'une voie de métro aérien, et il arrivait, quand la mère de Fanny était d'humeur à s'amuser, qu'elles allassent au supermarché en sortant du salon de coiffure, pour le seul agrément de contempler quelque nouveau produit, quelque nouvel objet, puis de dîner là, bien que ce ne fût guère fameux (mais la mère de Fanny elle-même appréciait énormément la joyeuse ambiance musicale de la cafétéria).

Le salon de coiffure ne désemplissait pas. Il y avait, en vérité, à tout moment tant de monde de tous âges et de toutes sortes que la nécessité s'était fait sentir de construire depuis l'entrée un couloir assez étroit pour que deux personnes ne pussent s'y tenir côte à côte, afin de maîtriser, d'endiguer une foule qui, si elle se pressait dans le vestibule, ne manquait pas de se laisser entraîner vers des débordements fâcheux. Un clapet terminait le couloir, que la mère de Fanny était chargée d'actionner, aussi judicieusement que possible : c'était là son travail. Quand elle avait observé qu'une coiffeuse était sur le point d'en finir avec son client, elle abaissait un levier et libérait autant de personnes qu'il se trouvait de coiffeuses vacantes, lesquelles n'avaient à se soucier que de leur tâche, n'étaient pas censées jeter seulement de regard latéral. Il était demandé à la mère de Fanny une attention constante et un œil aigu, plus de cinquante coiffeuses travaillant dans le salon. Et elle demeurait huit heures durant debout auprès du clapet, une main sur le manche du levier, dans un élégant uniforme vert pâle, sans qu'on perçût, c'était sa fierté et celle de l'aïeule informée des moindres détails, nulle trace de lassitude sur son visage souriant, agréable, qu'elle penchait imperceptiblement, en manière de salut, vers chaque personne jaillissant du couloir et titubant un peu, propulsée, une fois ouvert le clapet, par le poids de la foule se tassant dans le conduit, qui toujours murmurait de mécontentement quand résonnait le claquement sévère du clapet se refermant.

*Le cinéma.* — De même qu'au supermarché et au salon de coiffure, Fanny et sa mère n'avaient eu qu'à traverser la route pour se rendre au cinéma, certains samedis soirs. Elles négligeaient de consulter le programme, sachant quelle sorte de films, sinon lequel, passaient à l'Eldorado, et aimant toutes deux, par chance, les récits virulents de karatékas ou de policiers courageux au dur visage acéré. Elles arrivaient très en avance pour réserver les meilleures places du centre ; et le bonheur de Fanny avait atteint son plein lorsque, après quelques tergiversations formelles, sa mère hélait l'ouvreuse et offrait à Fanny, superbement, recommandant de le faire durer, un esquimo à la noisette. Les sièges recouverts d'un vieux tissu orange s'auréolaient de petites taches jaunâtres, d'inscriptions consciencieusement tracées à l'encre indélébile. Les voix aiguës et puissantes des jeunes gens qui s'échauffaient dans le fond ou riaient mystérieusement et sans fin couvraient parfois les dialogues, aussi Fanny et sa mère ne trouvaient jamais désagréable de revoir, d'un samedi à l'autre, le même film, dont elles s'efforçaient de pénétrer toute la signification. Elles s'amusaient beaucoup de constater qu'elles avaient pu regarder un film trois fois de suite sans se rendre compte qu'il n'avait pas été changé !

*Le jardin public.* – En revanche, l'aïeule ignorait que le projet depuis longtemps annoncé d'aménagement d'un bel espace vert, entre le supermarché et la ligne aérienne, n'avait pu être mené à bien, pour des raisons complexes. La mère de Fanny ne s'en plaignait guère, qui n'eût pas eu le temps d'aller flâner au jardin public, même le dimanche où elle repassait le linge de la semaine et suivait à la télévision une émission particulièrement égayante.

## Chapitre 9. – TANTE COLETTE NE REVIENT PAS.

Fanny attendit Tante Colette aussi longtemps que durèrent les provisions assemblées dans le frigidaire et les placards de la cuisine. Par prudence, elle ne quittait pas l'appartement : si

Tante Colette était revenue en son absence, pour récupérer, par exemple, la photographie où on la voyait dans un surprenant manteau de fourrure, et qu'elle fût repartie avant son retour, Fanny ne se le fût pas pardonnée. Elle eût rendu d'ailleurs sa photographie à Tante Colette sans regret, sans lui demander même un mot d'explication, tant l'embarrassait semblable image de sa tante assise sur un divan inconnu. Mais, pour le moment, Fanny conservait la photographie ; et elle s'en sentait trop responsable pour la garder ailleurs que sur elle-même, dans une poche de son pantalon.

Tante Colette ni la mère de Fanny ne se manifestèrent. Il fallait que sa mère eût abandonné son travail au salon de coiffure. Il était heureux encore que Fanny fût tombée sur elle en sortant de la gare et eût pu avoir ainsi de ses nouvelles – sa mère, qui se fût permis de prendre l'avion, de déguerpir, dans le plus complet oubli de sa fille car, sur la table de la cuisine, et bien qu'ignorant que Fanny avait eu le dessein de ne pas rentrer avant longtemps, elle avait omis de laisser le moindre message, ce dont Fanny s'était offensée, ce qu'elle avait porté au compte d'une insouciance accrue. Qu'avait dû penser Tante Colette en regardant vivre sa sœur ? En avait-elle conçu plus de mansuétude pour Fanny ? Mais Fanny savait qu'on pouvait pardonner à sa mère et, à elle, ne rien concéder malgré ses douloureux efforts vers une conduite parfaite à l'endroit de la famille, et un amour respectueux. Fanny était, pour tout, deux fois plus coupable que sa propre mère, quoique ayant rarement mal agi, c'était la dure loi familiale.

## Chapitre 10. — UN EMPLOI.

Fanny, qui n'avait plus d'argent, trouva à travailler au fast-food de la cité. Au bas d'une tour récente, sur une grande place dallée où soufflait le vent, le restaurant s'annonçait par de hautes lettres clignotantes et roses, visibles jusque du centre de la ville, et par un ballon gigantesque flottant, léger, fantasque, marqué des mêmes lettres boursouflées, au faîte de la tour gracile, qui semblait n'avoir été construite que pour lui permettre ce vol élevé. Le ballon, depuis toujours, avait servi de repère à Fanny et, cherchant à s'embaucher, elle s'était dirigée vers lui tout naturellement, confiante à le voir si gai, si rose, évoluer avec grâce, et tout gonflé de promesses. C'est cependant sans plaisir que Fanny s'éloignait de l'appartement où il lui paraissait certain que Tante Colette, précisément, allait choisir ce moment pour revenir, avant de partir à nouveau. A moins que le froid persistant ne la décidât à demeurer un peu ? Mais Tante Colette, voyant que Fanny habitait là, ne préférerait-elle pas l'éviter, pouvait-elle avoir le moindre désir de rencontrer Fanny, si elle n'avait quelque reproche à lui adresser ? Or Fanny ne voyait pas de quoi Tante Colette eût pu lui faire grief après les attentions qu'elle avait prodiguées à l'oncle Georges et le retour d'Eugène au bercail (sans compter qu'Eugène, peut-être, ainsi que Fanny persistait à le penser, lui avait volé dans le train sa valise et son imperméable, bien qu'elle ne l'eût pas vu en réalité ni ne parvînt à concevoir à ce geste hardi une raison plausible). Il ne lui restait plus qu'à tenter de rentrer tôt chaque soir, quitte à courir tout au long du chemin, par les rues identiques les unes aux autres, où il lui arrivait encore de se perdre, entre les bâtiments crasseux. Mais son service, qu'elle prenait vers onze heures du matin, durait jusque fort avant dans la nuit, non que ce fût là une clause du contrat mais parce que, du monde entrant toujours, il eût été mal venu de s'arrêter brutalement en s'appuyant sur ce que disaient les seuls textes, d'ailleurs anciens, et d'entraver la bonne marche du travail. Fanny comprenait, comme on l'avait souligné devant elle, que le commerce exigeât des sacrifices. On l'avait placée à la confection des hamburgers, où s'activaient déjà une trentaine de jeunes gens. Elle fut vêtue d'une blouse rayée blanc et rose et coiffée d'une calotte à oreilles tressautantes portant son prénom, Fanny, et le nom du restaurant. Debout derrière un long comptoir, juste au-delà des caisses presque aussi nombreuses qu'au supermarché, et de telle sorte qu'elle avait de la salle, lorsqu'il lui arrivait de lever les yeux, une vue englobante, de telle sorte également que les clients avaient tout loisir de la regarder travailler et se privaient rarement de cette distraction, certains allant jusqu'à se jucher sur les sièges tout en mâchonnant avec lenteur, malgré la double interdiction de poser ses pieds sur le solide mobilier de plastique rose et d'allonger indûment le temps de son repas, Fanny garnissait de tomates et de cornichons les petits pains que sa voisine avait fourrés d'une tranche de viande hachée, dans un tel brouhaha, augmenté par les airs hurlants, obsédants (Fanny, le soir, ne pouvaient se les ôter de la tête, ses rêves en étaient agrémentés), que diffusait une station de radio créée par le restaurant, qu'il était impossible d'entamer la moindre conversation, ce dont le travail, du reste, se trouvait bien. Une jeune femme vêtue de rose plus foncé surveillait assidûment et sévèrement l'exécution des hamburgers ; et, sur une lourde ardoise qu'elle avait au col, elle inscrivait à la craie blanche le prénom des employés sur le zèle, l'efficacité, la propreté et les bonnes manières, le sourire desquels elle avait porté le jugement le plus favorable, sous menace de l'effacer, au premier fléchissement, d'un coup de la grosse éponge qu'elle brandissait de l'autre main, l'appelant « ma petite âme ». Les employés ainsi distingués avaient la chance de découvrir un matin leur visage exposé au-dessus de chaque caisse, dans un cadre doré orné de faux lauriers, et la satisfaction d'endosser pour une dizaine de jours une tenue spéciale : une blouse couleur argent serrée par une ceinture dont la boucle était deux ailes d'ange. Ils pouvaient surtout, dès lors, espérer devenir plus rapidement caissiers, situation convoitée par tous, où il y avait, estimait-on, une dignité supérieure. Aussi la jeune femme était-elle unanimement courtisée et flattée. Lors de la grande fête que le restaurant organisait chaque été, avec force distribution de badges et tee-shirts, il n'y avait pas un subordonné, pas une employée qui ne se battît pour lui prendre le bras, lui offrir un cornet de glace, la faire rire par des anecdotes ou des commérages.

## Chapitre 11. – Tante Colette ?

Redressant la tête, comme elle le faisait pour se reposer une ou deux fois par heure, Fanny aperçut soudain qui pénétrait dans la salle, se dirigeait vers les caisses, Tante Colette en manteau de fourrure, sous lequel scintillait par intermittences, quand s'entrouvraient les deux pans, l'improbable bleu de la robe des jours de fête de Tante Colette. Fanny ne put retenir un cri. Elle lâcha petit pain, tomate et oignon malgré les protestations étonnées de ses collègues, et entreprit de contourner le long comptoir, qui semblait n'avoir pas de bout. Elle ne quittait pas des yeux Tante Colette. Ne voilà-t-il pas que sa tante commandait un hamburger, une main serrant le haut de son manteau en un geste que Fanny ne lui avait jamais vu, une expression d'impatience cependant bien connue de Fanny sur son visage charnu, mécontent ? Mais Fanny n'avançait pas, quoique courant. Toujours quelque obstacle survenait afin de la ralentir : un groupe d'employés lui barrait le chemin en manière de plaisanterie, sa calotte tombait, se glissait sous son pied, quant au comptoir il n'en finissait pas de s'étendre, et Tante Colette devenait de plus en plus petite et s'éloignait à chaque pas ! Bientôt Fanny ne la vit plus. Lorsqu'elle fut enfin de l'autre côté, Tante Colette avait disparu, ayant sans doute emporté son repas car Fanny ne la trouva assise devant aucune table. Désespérée, elle revint lentement à son poste. Son escapade lui valut d'être effacée de l'ardoise et une dure remontrance. Mais comment expliquer qu'à chaque fois, maintenant, que Fanny releva la tête, elle vit entrer, pour sortir presque aussitôt, Tante Colette dans le même vêtement, passant si rapidement que Fanny n'avait plus seulement le temps de s'élancer et, toujours, semblant chagrine, contrariée, comme fâchée de devoir se faire voir en un tel endroit mais ne pouvant l'empêcher ? Et, en dépit de ses continuelles apparitions dans la salle du fast-food, Tante Colette jamais ne se montra dans l'appartement de la mère de Fanny, non plus que cette dernière du reste. Il fallait bien pourtant que Tante Colette habitât les environs pour être en mesure de se manifester aussi souvent en ce même lieu, mue par des intentions que Fanny, y réfléchissant sans cesse, ne réussissait à deviner. Car, si Tante Colette avait appris l'activité de Fanny, était-il envisageable qu'elle s'amusât à la tourmenter ainsi ? Qu'elle ne lui envoyât pas de signes, feignît de l'ignorer, se sauvât avant que Fanny pût l'atteindre ? Dix fois, vingt fois par jour Tante Colette entrait, ressortait, hâtive, large et lourde dans le long manteau qu'elle s'acharnait à ne pas laisser s'ouvrir. Fanny craignait qu'on en arrivât à trouver suspecte la conduite de sa tante, qu'on avait dû remarquer déjà, et que la honte d'une interpellation retombât sur elle. Mais comme il était difficile de garder baissé son regard !

## Chapitre 12. — Fanny et ses collègues.

Fanny n'avait pas inspiré, lorsqu'elle avait débarqué, de curiosité particulière, la plupart des employés, qui vivaient dans la cité, lui ressemblant par de nombreux traits, au point qu'une illusion lui faisait voir souvent, en un collègue quelconque, Georges ou elle-même, et qu'elle devait cligner des paupières ou se livrer à une brève réflexion pour que s'évanouît ce reflet trompeur. On fut surpris, cependant, qu'elle s'appelât Fanny ; on rit beaucoup quand elle essaya de décrire le village de l'aïeule et jamais on ne voulut croire que ce village fût le sien ni qu'elle eût pour grand-mère un personnage aussi typique. On la sommait, en riant, d'avouer son véritable prénom. Je suis Fanny et rien que Fanny ! s'écriait-elle, rougissant d'impuissance. Que de nombreuses jeunes filles autour d'elle portassent le prénom qu'elle cachait, qu'avaient choisi pour elle ses parents étourdis et que Tante Colette avait oublié, aurait suffi pour qu'elle le dissimulât, le visage de ces jeunes filles se différenciant si peu du sien, selon le sentiment de Fanny, qu'elle n'eût pas manqué, si on l'avait appelée par ce prénom-là, de se confondre avec elles sans même s'en apercevoir et de ne plus se rappeler qu'elle était Fanny, nièce de Tante Colette, cousine d'Eugène, par sa vraie nature. C'est qu'on tenait à ce qu'elle l'oubliât, en s'opiniâtrant à ne pas le croire ! Et les jeunes filles à la figure maligne composaient des hamburgers variés en raillant Fanny sur l'invention d'une si extravagante ascendance. Elles s'adressaient à elle en disant : sœur, refusant de douter que Fanny fût des leurs. Jamais Eugène n'avait dit : ma cousine ! On s'imagina qu'une vanité stupide, un peu honorable dégoût de soi faisaient faire à Fanny tant de légendes et d'embarras. La pitié agacée qu'elle suscita chez les plus indulgents de ses collègues s'accentua quand Fanny tira de sa poche la photographie pliée, cornée, de Tante Colette en manteau de fourrure, et la présenta comme pauvre preuve de ce qu'elle racontait.

## Chapitre 13. — BREF RETOUR.

A l'heure du déjeuner, Fanny vit entrer, soudain, sa mère, dans la tenue qu'elle avait à la gare, balançant avec désinvolture sa belle valise écossaise. Elle prit la queue devant une caisse, le regard fixé sur le tableau lumineux où s'affichaient toutes les sortes de hamburgers proposées, et Fanny, en ayant demandé l'autorisation, put la rejoindre avant que sa mère eût passé sa commande. Tiens, ma petite fille ! s'exclama la mère de Fanny, à peine saisie. Elle voulut l'embrasser mais fut gênée par la valise et par les amples manches poilues du nouveau manteau. Elle émit, souriante, quelques baisers en l'air.

— Si je pensais te trouver là !

— Où est Tante Colette ? demanda Fanny, les bras croisés sur son tablier.

— Ah bien, écoute, je n'en sais rien, moi ! J'arrive à l'instant de l'aéroport et dans deux heures je suis repartie.

— N'iras-tu pas voir l'aïeule ?

— Je n'ai pas le temps ! A quoi bon ? Est-ce qu'elle change ?

— C'est qu'elle va mourir ! souffla Fanny les genoux tremblants de rage.

— Tu exagères !

La mère de Fanny acheta deux gros hamburgers et deux portions de frites, puis elle consulta sa montre, posa sa valise pour appliquer sur la joue de Fanny un petit baiser pointu, en levant bien haut la main qui tenait le sac en papier ; elle se détourna et marcha vers la sortie où un homme que Fanny ne connaissait pas, un peu semblable à son père, lui prit le bras ; ils s'en allèrent, les cheveux bouclés de la mère de Fanny sautant gaiement sur son col. Entra alors Tante Colette, fugitive. Les deux sœurs ne parurent pas se voir. Quant à Fanny, elle avait déjà regagné son comptoir et, sachant que Tante Colette aurait filé à peine elle-même serait parvenue, en courant, jusqu'aux caisses, elle ne bougea pas, essaya, souffrant, la peau brûlante, de ne plus la regarder.

## Chapitre 14. — FANNY DEVIENT CAISSIÈRE.

L'attitude et le travail de Fanny ayant donné toute satisfaction, et en vertu de la règle tacite qui consistait à ce qu'on ne gardât jamais trop longtemps à la fabrication des hamburgers les jeunes gens au visage le plus agréable, même s'il s'agissait là, quoi qu'il en fût, d'une condition indispensable à l'embauche et si les vilaines figures étaient repoussées sans recours, Fanny passa à la caisse numéro dix, sous une calotte plus haute et avec des devoirs renforcés d'amabilité et de complaisance. Il était défendu de sourire sans montrer ses dents, qu'il fallait avoir opalines et candides ; de prononcer, quelle que fût la circonstance, le mot non ; de s'appuyer, pour se délasser, contre la caisse ; enfin, de dire n'importe quoi qui pût retenir une seconde de plus que nécessaire le client, à qui on n'en devait accorder que quarante-cinq. Fanny accéda à cette nouvelle fonction avec avidité. Mais un hasard désespérant voulut que, dès le jour où elle parut, fraîche et polie, derrière sa caisse, jamais plus Tante Colette ne pénétra dans le restaurant, sous une forme ou sous une autre, alors que Fanny l'avait aperçue, la veille, une trentaine de fois, en manteau ou simplement vêtue de sa robe bleue, entrant sans raison, esquissant quelques pas, disparaissant en hâte. Maintenant que Fanny avait les moyens de lui parler, Tante Colette s'était éclipsée ! Bien que sa mère ne fût pas revenue, Fanny ne put s'empêcher d'établir un lien entre son passage et la soudaine absence de Tante Colette qui, pourtant, ne l'avait pas suivi immédiatement, ainsi que Fanny en convenait. Mais que sa mère, en cela, eût pu lui nuire, Fanny le pensait, soit qu'elle eût conseillé à sa sœur de ne plus approcher Fanny, par prudence vague, ayant appris peut-être la façon dont Fanny s'était comportée à la fête d'anniversaire de l'aïeule, s'imaginant, peut-être, que Fanny poserait à sa tante des questions ennuyeuses, soit qu'elle lui eût défendu de continuer à persécuter Fanny, si telle avait été l'ambition de Tante Colette. Ma petite fille n'a plus rien à expier ! avait dit peut-être, naïvement, la mère de Fanny. Elle aime et respecte la famille bien plus que moi, elle s'inquiète de l'aïeule tandis que je m'envole, sans en rien dire à personne, avec le premier venu ! — Certes, certes, qui se soucie de la famille davantage que Fanny, eût répondu Tante Colette.

Comme elle persistait à ne plus apparaître, Fanny, lasse de guetter en vain, prit l'habitude, timidement d'abord puis avec chaque client, de demander après ses deux tantes, Léda et Colette, se disant qu'il eût été stupide de voir passer autant de monde sans tâcher d'en tirer profit. Connaissez-vous Tante Léda ? Et où est maintenant Tante Colette ? soufflait-elle d'une voix rapide, ses lèvres bougeant imperceptiblement, tout en rendant la monnaie. Cependant le bruit était tel qu'on l'entendait rarement, qu'on ne remarquait même pas, le plus souvent, que Fanny avait parlé. Quand on avait compris on secouait la tête, gonflant les joues : jamais on n'avait seulement rencontré quelqu'un s'appelant ainsi. Pas même un animal ? insistait Fanny, découragée. Pas même un chien, pas même une chienne ? La musique saccadée emportait ses mots, ou une joyeuse publicité pour le restaurant, pleine d'esprit, qui faisait sourire à la ronde. Pas même une chienne ? répétait Fanny, mais ces deux prénoms restaient inconnus de tous. Elle montrait en même temps, quand elle l'osait, la photographie de Tante Colette. Un homme crut reconnaître son divan ; il lança une grivoiserie ; Fanny, dorénavant, cacha la photographie. D'ailleurs, l'image étant indistincte, ne pouvait-il s'agir de sa mère en réalité, dont les traits, quoique plus fins, n'étaient pas si différents de ceux de Tante Colette ? La mère de Fanny avait hérité de la bonne, affable, large face familiale, tandis que Fanny, selon une expression de l'aïeule, tenait, elle, de son père, et jamais Tante Colette ni Tante Clémence ne l'avait jugée aussi jolie que certaine nièce aux longues joues pâles, au fier petit nez droit et insolent semblant dire toujours : Eh bien quoi ! En présence de Tante Colette, Fanny ne se fût même pas permis de murmurer une telle impertinence !

## Chapitre 15. — RETROUVAILLES.

Fermement agrippé à la caisse, Georges, tout d'un coup, fut devant Fanny, le regard décidé. C'est encore toi ! s'écria Fanny qui s'était apprêtée à parler de ses tantes et qui, contrariée, tapota les doigts de Georges.

— Quels renseignements peux-tu me donner ? siffla-t-elle avec mépris.

— Je viens te chercher, dit Georges calmement.

Son visage familier, résolu, exaspéra Fanny. Il fronçait les sourcils tout comme Fanny le faisait ! Elle se pencha et le souffleta, puis rougit d'avoir été peut-être aperçue par la direction. Ignorant Georges, qui n'avait pas bronché, elle prit la commande du client suivant. Sa propre joue lui cuisait ! Vas-tu déguerpir ? murmurait-elle dès qu'elle le pouvait. Mais, légèrement en retrait maintenant, Georges ne bougeait pas. Alors Fanny, honteuse, feignit de ne plus le voir, dans la crainte qu'on pût supposer entre eux quelque relation.

A la sortie, Georges lui accrocha le bras et la tira de son côté. Elle s'adoucit, car il faisait nuit : personne ne l'eût reconnue ni n'eût distingué, de toute façon, Georges d'elle-même.

— Viens chez nous, disait-il en la tiraillant, ma mère et mes sœurs nous attendent.

— Mais, mon pauvre Georges, tu ne pourras jamais rien me dire de Tante Colette !

— Si, si, précisément.

Il sourit avec assurance, sans lâcher Fanny. Il portait les mêmes vêtements qu'autrefois, un blouson de nylon bleu vif fermé jusque sous le menton, serré sur sa taille svelte, une culotte de velours bouffante s'arrêtant aux genoux et des bottes semblables à celles d'Eugène, au bout pointu et relevé. Fanny hésita, soupira, puis le suivit, solidement tenue par la main de Georges autour de son bras.

## Chapitre 16. – En famille ?

Aux confins de la cité, Georges habitait un grand immeuble horizontal, barré à chaque étage de galeries étroites et si longues que deux personnes se voyaient à peine d'une extrémité à l'autre. Les enfants avaient établi dans ces couloirs sombres, éclairés dès le matin à la lumière électrique, leurs quartiers de jeux, un vaste parking occupé en permanence par des centaines de voitures, devant l'immeuble, et, derrière, le boulevard périphérique, interdisant qu'ils jouassent dehors. Georges guida Fanny jusqu'à la cinquième galerie. Malgré l'heure tardive, quelques gamins traînaient encore dans le passage ; et ils se campaient sur leurs jambes crânement écartées, clignaient des yeux et regardaient Fanny avec arrogance, sournois et désœuvrés.

Les quatre petites sœurs de Georges, qui avaient bien changé depuis que Fanny les avait vues, lui sautèrent au cou. La mère de Georges l'embrassa avec émotion. Bonsoir, ma fille, dit-elle avant d'appeler Fanny par son véritable prénom. Fanny se taisait. Georges, ravi, lui montra les transformations apportées à l'appartement, et il était désinvolte et gai comme si elle l'eût quitté de la veille. La mère de Georges eut pour Fanny des gestes pleins d'affection. Au moindre mouvement de Fanny, elle lui emboîtait le pas, soucieuse de ne lui laisser rien désirer. Pour être plus près d'elle, elle se perchait sur l'accoudoir du fauteuil, le meilleur du salon, où elle avait installé Fanny, et de temps en temps lui caressait très légèrement la tête. Elle s'enquit avec sollicitude de ses parents, n'ayant rien oublié de tout ce qui les concernait, prenant, surtout, un vif plaisir à recevoir des nouvelles du père de Fanny, bien qu'elle ne l'eût jamais rencontré. Les quatre sœurs, devant la fenêtre, penchaient leur figure charmante et comme alourdie par les nombreux sourires qu'elles adressaient à Fanny à tout propos. Fanny dîna, on veillait en son honneur.

— Et Tante Colette ? chuchota-t-elle à l'oreille de Georges, profitant de ce que la mère était à la cuisine.

— Oui, oui, plus tard, fit-il avec une sorte de grimace.

Fanny resta dormir dans la chambre de Georges, malgré son dégoût. Il consentit à lui abandonner son lit et alla se coucher aux côtés de sa mère, non sans avoir réclamé auparavant plusieurs baisers qui soulevèrent le cœur de Fanny. Comme elle avait été fière, autrefois, de se voir embrasser par l'un des plus beaux garçons de la cité, car Georges était parmi les plus convoités ! Sa répugnance datait de l'instant où, comprenant qu'elle était pour la famille une étrangère dont on n'avait fait que se résigner à la présence, elle avait décidé de partir en quête de Tante Léda. Elle n'en avait touché mot à Georges : il eût essayé de la retenir, non parce qu'il l'aimait, même si cela était probable, encore que Fanny s'en souciât peu, mais parce qu'il eût redouté peut-être qu'elle s'introduisît dans un monde où lui-même n'eût pas eu l'avantage, malgré sa beauté. Qu'était Georges, pour Fanny, auprès d'Eugène qui, non content d'être le fils de Tante Colette, serait un jour dans la maison de l'aïeule ?

Fanny n'avait pas dormi aussi bien depuis longtemps, néanmoins. Chaque soir Georges vint l'attendre à la sortie du restaurant et elle le suivait complaisamment chez sa mère, où elle dînait entourée de soins et d'amitié. Les quatre petites filles se pressaient autour d'elle. Fanny aimait les enlacer, les cajoler, tant elles étaient lisses et jolies. Mais Georges repoussait toujours le moment de lui révéler ce qu'il savait de Tante Colette, à la grande inquiétude de Fanny. Georges exigeait des baisers de plus en plus prolongés !

Lorsque Fanny, un soir, parla des villages et de l'aïeule, la mère de Georges ne lui accorda pas autant d'attention qu'à l'ordinaire mais réduisit ses réponses à quelques acquiescements polis, ne lui posa pas de questions, l'interrompit bientôt, sans s'en rendre compte, pour lui demander si Fanny avait vu récemment son père et s'il se portait bien. Quand même il serait mourant ! dit Fanny avec impatience. Ce qui m'importe, à moi, c'est que l'aïeule résiste. La mère de Georges se scandalisa, muettement. Sa bouche se pinça un peu. Fanny, à son idée, trahissait, de toute évidence. Mais, que pouvait bien trahir Fanny ? La mère de Georges, la prenant aux épaules, la serra sur son sein.

— Va, ne me parle plus de ces gens-là, dit-elle sévèrement.

— C'est toute ma famille ! s'indigna Fanny.

— Nous sommes là, dit la mère de Georges.

Les quatre sœurs se jetèrent sur Fanny, se cramponnèrent à son vêtement, se pendirent à son cou, l'une d'elles entortilla ses jambes autour des jambes de Fanny, et elles criaient joyeusement, frottant leur petit front bombé sur les joues de Fanny :

— Nous sommes là, nous sommes là, nous sommes là !

— Ma vraie famille habite les villages, là-bas, insista Fanny, à demi étouffée par la fougueuse tendresse des fillettes.

— Certes, certes, dit la mère de Georges en s'enveloppant d'un air lointain.

— Ce que pense de toi ta vraie famille, dit Georges alors, souriant finement, moi, je le sais, pour avoir reçu la visite de ta tante.

— Tante Colette est venue te voir ? s'écria Fanny.

— Oh, elle a fait le voyage tout exprès.

S'étant dégagée un peu rudement de l'étreinte des gamines, Fanny, attrapa, comme elle avait eu coutume de le faire autrefois par plaisanterie, les oreilles de Georges, et le secoua, son nez tout contre le sien.

— Et que t'a-t-elle dit ? commanda-t-elle d'une voix altérée.

— Elle souhaite que tu m'épouses, comme prévu, et que tu cesses de courir après son fils.

— Mais Eugène est mon cousin ! gémit Fanny.

— C'est ainsi, dit Georges froidement.

In this part Fanny is singled out as being different. 'singulière', 'autre', 'étrange'

QUATRIÈME PARTIE

## LES ACCUSATIONS DE TANTE COLETTE.

Sur le grand lac en cette saison désert, cerné de hauts immeubles de verre bleu et d'augustes maisons anciennes, Tante Colette et Fanny allaient en barque, sous un soleil léger. Tante Colette avait empoigné les rames ; d'un mouvement vigoureux, elle faisait s'éloigner hardiment de la baraque où on les louait le canot fatigué, qui prenait l'eau un peu. Elle avait retroussé son manteau de fourrure et posé ses pieds chaussés de lourds bottillons sur la planche transversale, ne laissant pas de place à Fanny dont les souliers trempaient dans la flaque. Mais Fanny, bien qu'elle grelottât, ne s'inquiétait guère en ce moment de tomber malade, se fût moquée de la mort elle-même. Emballée dans son poil par endroits collé en galettes, Tante Colette eut vite chaud et elle passa les rames à Fanny. Quand elles furent au milieu du lac, elle lui intima de s'arrêter. Elles étaient seules, le lac nu, on abritait l'hiver cygnes et canards. Nul visage ne se montrait aux fenêtres des maisons en bordure ; les nouvelles façades de verre scintillaient, couleur d'eau, cachant aux regards les employés de bureau qu'on savait là, se hâtant par les couloirs, montant et descendant dans les ascenseurs, grouillant derrière la paroi réfléchissante et polie, une lointaine parente, croyait se rappeler Tante Colette, faisait dans l'une de ces tours la secrétaire. Elle inclina le buste en arrière, posa ses bras sur les bords de la barque et toisa Fanny d'un œil sévère.

— Il faut que je t'expose, commença Tante Colette, les raisons qui m'ont amenée à certaine décision prise à ton encontre, que je te ferai connaître en dernier lieu. Non, non, ne me demande pas maintenant de quoi il s'agit : tu dois comprendre quels sont tes torts en sorte de ne pouvoir que trouver juste ce que j'ai arrêté. Si ce n'est pas le cas, c'est que tu m'auras mal entendue. Mais cette résolution est irrévocable ; seulement, je tâche de la justifier devant toi afin que tu n'ailles pas te plaindre d'avoir été maltraitée, afin, en somme, de te clouer le bec. Enfin, il n'y aura rien à discuter.

La nécessité de réfléchir à des mesures définitives te concernant s'est imposée devant cette évidence : tu sèmes le trouble dans notre famille, ce que nulle famille, tu le sais, n'est tenue d'accepter. Et voici pourquoi nous estimons que notre responsabilité n'est engagée en rien dans tes écarts de conduite : dès le début nous t'avons considérée, tout naturellement puisque tu es la fille de ma sœur, comme une des nôtres, comme un membre de la famille à part entière, non qu'ayant constaté quelque chose de différent en toi nous fussions convenus de passer outre, mais, simplement, parce que nous n'avions rien remarqué qui te distinguât. Tu étais, pour nous tous, la fille de ta mère, et une enfant assez charmante de surcroît, en tout cas parfaitement semblable à tes cousines. Vois, j'ai là un cliché qui l'atteste.

Tante Colette montra à Fanny une photographie où elle se reconnut en compagnie d'autres petites filles, au bord d'un puits, coiffée comme elles et, ainsi que venait de le dire Tante Colette, leur ressemblant au point qu'on eût pu la prendre pour leur sœur, encore que l'image fût imprécise et que, sans doute,

 Flou?

n'importe quelle fillette vêtue et peignée de la même façon eût donné cette impression.

— En effet, je n'étais guère différente, alors ! s'écria Fanny avec ravissement.

— Il est trop tard pour te réjouir, dit Tante Colette en rangeant la photographie. Mais tu m'as comprise : nous n'avions aucune raison de te regarder en étrangère, puisque rien ne nous rappelait que tu pouvais l'être. Que nous n'ayons pas vu ce qui était là, ou qu'il n'y ait véritablement rien eu de particulier en toi à cette époque, peu importe. Aujourd'hui encore je ne pourrais trancher, quoique je penche pour la première hypothèse. Nous t'avons aimée, accueillie, comme il était dans notre devoir de le faire. Mais, ce qui est curieux, c'est que la singularité que nous ne voyions en toi, tu en as pris apparemment une conscience de plus en plus vive en grandissant, nous forçant à la découvrir, bien malgré nous. Tu nous as obligés à te distinguer, par les moyens les plus divers ! Et quand nous ne demandions pas mieux que de continuer à te traiter impartialement, quand, plutôt, nous ne songions à modifier notre attitude, ne pouvant concevoir aucun motif ! Je ne sais ce qui, tout d'abord, t'a rendue honteuse de ce que tu étais — ne devrais-je pas dire de ce que tu croyais être, de ce que tu t'es mise à croire être ? Car qui étais-tu véritablement, à l'époque ? Qui s'en souvient ? Ta mère elle-même hésiterait à le dire ! Tu nous as confondus, embarrassés par une humilité excessive. Tu t'arrangeais, sur les photographies, pour qu'on ne te vît qu'à demi. Tu voulais être servie la dernière et semblais t'excuser toujours de la peine que tu nous donnais, de paraître à nos yeux, d'être appelée par moi ma nièce, enfin de ta présence, si normale, au sein de la famille, dont tu paraissais désirer secrètement qu'on t'exclût tout en redoutant une telle éventualité, mais, alors, tu aurais simplement trouvé cela juste. Te compor-



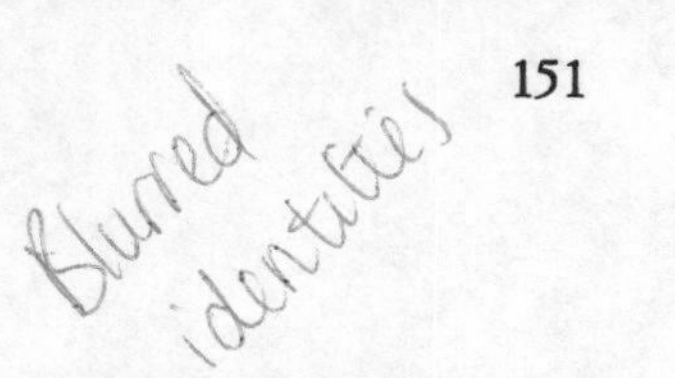

tant ainsi, tu nous importunais ; nous ne savions plus que penser : ce qui avait échappé autrefois à notre regard commençait à nous atteindre, par ton insistance à nous le faire voir. Et comment empêcher que ta honte peu à peu ne nous persuadât ? Nous sommes devenus envers toi plus contraints. A-t-elle raison, est-elle vraiment autre ? devions-nous nous demander, aussitôt convaincus par ton attitude. Peut-être même avons-nous ressenti comme un début de mépris, autorisé par tes abaissements constants, certaine façon ridicule que tu avais, quand nous voulions t'embrasser, de ne céder, pour notre bien, qu'à contrecœur, comme effarée du danger que nous courions à poser nos lèvres sur ta peau. Enfin, tu as déformé notre jugement : nous avons pris l'habitude de penser à toi comme à quelqu'un d'essentiellement étrange et, je dois l'avouer, assez peu digne de respect. Observe donc cette image !

Sur la photographie que tendait Tante Colette, Fanny, coiffée de maigres couettes, loin derrière Eugène et ses trois cousines qui portaient leurs cheveux longs et raides, baissait la tête, avait l'air désemparée et incongrue. Jamais on n'eût cru qu'elle était apparentée aux autres enfants ni qu'elle avait grandi sur le même sol. Fanny soupira sans rien dire et Tante Colette reprit :

— Puis, une fois que tu nous as eu réduits à te mettre à part dans nos pensées et à te mésestimer, voilà que l'orgueil t'a saisie, voilà que tu ne tolérais plus la condescendance défiante avec laquelle nous te parlions. Ayant tout fait pour t'aliéner notre affection, tu nous en voulais de ne plus t'aimer aussi simplement qu'autrefois et de voir désormais en toi une intruse, ce que tu es devenue irrémédiablement. Muettement, tu nous blâmais de t'avoir abandonnée ! Tu as tenté d'attirer de ton côté l'aïeule, plus faible, plus clémente. Tu t'es efforcée de te rendre sa préférée, par mille câlineries. Dans le même temps, tu tâchais de nous imiter, voulant te réintégrer à la famille et qu'on oubliât ce quelque chose qui te désignait malgré toi. Ah, que d'illusions ! Ma pauvre nièce, comme tu nous as pitoyablement singés ! Tu as emprunté à l'aînée de tes cousines ses inflexions de voix, à l'autre sa manie de se gratter le nez ; tu as juré, comme ton oncle ; tu as voulu porter les vieux vêtements d'Eugène, qui t'engonçaient affreusement. Avec cela, susceptible et fière ! Et qui trompais-tu ? L'aïeule, peut-être, qui n'en avait d'ailleurs guère besoin. Mais ces excès ont gêné le reste de la famille plus encore que les premiers. Nous ne voyions plus que tout ce qui te séparait de nous. Et quand, parfois, nous te regardions assise à notre table, nous nous demandions avec surprise ce que tu faisais parmi nous, avant de nous rappeler que tu étais la fille de ma sœur, ce qui nous semblait de plus en plus mystérieux, quoique indéniable. Tu avais été, malheureuse fille, une anomalie ; tu t'es transformée en faute, dont tous, vaguement, nous portions la honte. Sais-tu que nous avons dissimulé ton existence à chaque fois que nous l'avons pu ? Tu te promenais, certes, dans le village avec l'aïeule. Mais, ce qu'elle disait de tes liens avec elle, le sais-tu ? Oh, je ne te le dirai pas, non. Suis-je cruelle ? Je ne veux que t'éclairer. Aussi je me tais là-dessus.

— Je ne respecte rien autant que la famille, murmura Fanny machinalement, ses mains crispées sur les rames à hauteur des genoux.

— Eh, ce n'est pas assez, ce ne sera jamais assez de ta part ! s'écria Tante Colette impatientée. Vois ce que tu es devenue, vois comme tu as laissé croître ce qui, précisément, t'éloignait de la famille !

Une nouvelle photographie montrait Fanny dans tout l'éclat de sa particularité, jeune fille maintenant auprès de sa cousine frêle et pâle, qu'elle éclipsait par sa haute taille, la vigueur de son teint, l'originalité de ses traits. Tante Colette s'enflammait, faisant danser la barque.

— Tu comprendras, je pense, qu'en retour de ce qu'il faut bien appeler notre sacrifice, oui, car nous t'avons gardée parmi nous, nous t'avons toujours reçue courtoisement — ah, le nieras-tu maintenant ? —, qu'en récompense de ces efforts nous ayons attendu de toi, au moins, certain effacement, certaine discrétion — oserais-je le dire : une parfaite insignifiance, que nous pussions, au moins, t'oublier tant soit peu. Cette perfection-là aurait réparé bien des défauts. Qui sait ? Peut-être même t'en aurions-nous eu de la gratitude. Pouvais-tu avoir d'autre ambition ? Mais ton arrogance aveugle t'a poussée à toutes les démesures. Tu as écrasé, c'est le mot, mon Eugène par tes résultats scolaires. A quoi cela te servait-il ? A te rendre l'estime de ta famille ? C'est tout le contraire que nous exigions de toi ! Au lieu de laisser filer devant ton cousin, humblement, tu l'as ridiculisé par des prouesses qu'il ne pouvait suivre et qui n'ont fait que nourrir notre amertume. On te trouvait jolie. On ne complimentait guère tes cousines. Ah, ah, on disait de toi, probablement, que tu étais « piquante ». La vraie beauté de tes cousines se laissait moins remarquer. Etait-ce à toi d'être la plus jolie ? Pour nous, il n'y avait rien dans ton visage qu'on pût comprendre ni apprécier. Tu ne nous ressemblais guère, voilà tout ce dont nous étions sûrs. Tu t'es mise à chasser Eugène dans les coins. Tu te jetais sur lui pour l'embrasser ; il n'était pas question qu'il te résiste, je vous ai vus, va. Des intentions sur mon Eugène ! T'inviter à notre table, c'est une chose, mais te donner notre fils, était-ce envisageable ? Tu peux te flatter de m'avoir tourmentée !

— C'était sans le savoir, hasarda Fanny.

— C'est égal, ma santé s'est ressentie de ces soucis que tu

m'as causés. Je craignais tant que tu entraînes mon Eugène au-delà de ce que son amour pour moi et sa déférence envers la famille lui imposent de ne pas franchir ! Enfin, tu nous as présenté bientôt un jeune homme de ton entourage, Georges, qui te ressemblait étonnamment, et visiblement fait pour toi, gentil du reste. Tu l'as bien méprisé, après l'avoir choisi. Il t'a fait honte comme tu nous faisais honte au village mais sans que rien justifiât cet embarras qu'une sotte présomption : il t'a paru que la présence de Georges témoignait bien mal de ton appartenance à la famille, qu'il te fallait prouver sans cesse, te figurais-tu. Tu ne t'es pas inquiétée de notre désir, qui était de te voir demeurer avec Georges, où se trouvait ta place ; car à quoi bon mélanger ce qui s'oppose ? Ce n'est pas que Georges te semblât indigne de toi ; mais, à tes yeux, il te faisait tort, tandis qu'Eugène, ton cousin, t'était utile.

— Comment renoncer à Eugène ? souffla Fanny dans un sursaut d'audace. Tante Colette se pencha brusquement, quelques mèches noires échappées de son chignon pointant sur son crâne, tout à sa colère revenue.

— Impudente ! Mais qu'es-tu donc, toi ? Qu'es-tu donc aujourd'hui ? Comment définir clairement ce que tu es ? Es-tu quelque chose ? Es-tu seulement quelqu'un dont on puisse dire précisément : elle est ainsi, de telle région, son origine est celle-là ? Faut-il croire que tu n'es rien de dicible ? Ah, tu veux mon Eugène ? Mais, tu le sais, je ne t'ai même pas reconnue, le jour de l'anniversaire, et le premier prénom qui m'est passé par la tête, que j'avais lu la veille dans un méchant petit roman, je te l'ai donné, voilà, et peut-être n'es-tu rien de plus, peut-être n'existes-tu pas davantage, que le personnage secondaire, Fanny, de ce livre inconsistant, que j'ai d'ailleurs abandonné, qui doit traîner sous mon lit avec les moutons et les revues de ton oncle ! Comment t'appelais-tu, autrefois ? Je ne m'en sou-

viens même pas. Avais-tu un nom ? Vois-tu, je n'en suis même pas convaincue.

— Je l'ai oublié également, dit rapidement Fanny pour plaire à Tante Colette.

— Ma pauvre fille !

Tante Colette, ulcérée, semblait ne plus savoir où porter son regard. Elle ordonna d'un geste à Fanny de reprendre les rames.

— Tu as commis une dernière faute, continua-t-elle calmement, que je crois impardonnable, en te toquant de retrouver Léda, ma sœur. Qu'as-tu fait de mal ? Oh, ce n'est grave, au fond, que parce qu'il s'agit de toi, c'est ainsi. Que veux-tu changer à cet état des choses ? Ma fille, c'est comme cela que va la vie. Tout ce que tu fais, toi, est passible du jugement le plus sévère. Il fallait te garder dans les limites d'une neutralité inaccessible. Es-tu chez toi, au village ? Tu es seule à le voir ainsi. Alors, voulant rechercher Léda, tu accusais ta mère de négligence. Ce n'est rien, encore. Tu affirmais implicitement savoir ce qu'est Léda, puisque tu espérais la découvrir en quelque endroit du monde et la persuader de t'écouter. Mais, d'où te venait cette assurance ? Qui t'avait jamais rien dit au sujet de Léda ? Réponds, je te prie, à ma question.

— Personne, murmura Fanny.

— Pouvais-tu être certaine que nous désirions revoir Léda et que tu ne nous blesserais pas en souhaitant la ramener ?

— Non, cependant...

— Savais-tu si nous ne la voyions pas, en réalité, chaque jour ?

— Non.

— Si nous souffrions du silence de Léda, si silence il y avait, était-il naturel que le prestige de la faire rentrer parmi nous te revînt, à toi l'étrangère ?

— Je ne sais pas, dit Fanny.

Excluded from family protection -

– N'était-il pas déplacé que toi-même te choisisses dans le rôle de messagère entre Léda et sa famille ?

– Peut-être.

– Car, s'il s'était révélé que Léda ne méritât pas notre affection, était-ce à toi de le faire connaître ?

– Je l'ignore.

– Enfin, ne crois-tu pas avoir usurpé le droit de t'occuper de cette question ?

– Léda est ma tante et je pensais que...

– Tu es trop sûre de toi, coupa sèchement Tante Colette. Léda est ta tante tant que nous le voulons bien et tu étais ma nièce avant que j'en décide autrement. Voilà où je voulais arriver : nous t'interdisons, Fanny, de paraître à nouveau dans notre famille, dont nous avons jugé que tu ne faisais plus partie, pour notre sauvegarde.

Fanny eut une sorte de gloussement. N'osant s'interrompre de ramer, elle ne put essuyer ses larmes, qui gouttèrent à son menton, gonflèrent son nez et contrarièrent un peu Tante Colette, dont le regard se fixa sur la berge.

Ce roman, dit-elle alors, avait pour titre : *Les amants sans patrie*.

Quand Fanny et Tante Colette eurent rendu la barque, après un tour complet du lac et un bref arrêt sur une petite île aménagée au centre, Tante Colette, contente de la promenade, emmena Fanny dans une buvette à proximité, où quelques enfants accompagnés de leurs parents absorbaient des chocolats, et lui en offrit un, puis, largement, un gâteau à la crème. Assise devant la fenêtre auprès de sa tante, Fanny savoura l'instant. Elle s'en étonnait, ayant voulu tout à l'heure se jeter à l'eau.

## CINQUIÈME PARTIE

### Chapitre 1. – RETOUR AU VILLAGE.

Quand Fanny arriva au village de l'aïeule, chargée d'une nouvelle valise où elle avait mis tout son petit bagage, la foire au cresson battait son plein, festivité annuelle. De gros personnages en carton bouilli se déplaçaient lourdement par les rues, faisaient rire ou s'enfuir les gamins excités, annonçaient le programme d'une voix profonde, lançaient quelques avis publicitaires pour le supermarché qui, enfin, allait ouvrir non loin. Devant l'église, une pêche à la truite était installée et, sur le terrain communal, une piste d'autos tamponneuses, un stand de tir à la carabine. Non sans émotion, Fanny retrouva sur le visage tendu des hommes qui s'essayaient au tir – visant si longuement avant de faire feu qu'ils lassaient le spectateur qu'un tel cérémonial, au reste, avait convaincu de leur talent –, la mâle expression de détachement et de sérieux mêlés, de flegme, et de mécontentement quand, ayant raté le cœur de la cible, ils en accusaient la médiocre qualité de l'arme, qu'elle avait vue toujours aux hommes en cet endroit, quels qu'ils fussent, et qui se retrouvait, à peine modifiée par le moindre enjeu de la situation, sur la figure colorée des jeunes gars qui, à demi levés dans leur voiture, conduisant d'une main désinvolte, roulaient sur la piste d'autos tamponneuses blasés et comme poussés par le seul désir de se désennuyer, mais qui prenaient à heurter de plein fouet l'auto d'une fille un plaisir aigu, qu'ils tâchaient de rendre ricanant, pour impressionner. Les jeunes filles à talons aiguilles, aux cheveux décolorés et frisottants, se hâtaient à petits pas vers les voitures, mains dans les poches de leur blouson. Elles se soumettaient, lorsqu'un garçon les accompagnait, à sa virile volonté de piloter, et se laissaient secouer et brimbaler en criant un peu, pour le flatter ; car il mettait, alors, tout son honneur dans la bagarre. D'autres jeunes filles, au maquillage rose, attendaient sur le bord en mâchant du chewing-gum ; assourdies par la musique, elles jouissaient du moment et semblaient vouloir demeurer là toujours, certaines prenaient leurs aises et ôtaient leurs chaussures.

Fanny avançait au milieu de la foule lente et repue, reconnaissant ici et là quelques têtes qui se tournaient vers elle avec indifférence ou une sorte de curiosité morne, vide de souvenirs. Je les reconnais pourtant, songeait Fanny surprise, et il n'y a encore pas si longtemps qu'ils m'ont vue ! Puis une idée la glaça : l'aïeule, sans doute, était morte à présent. Elle obliqua vers le cimetière, courant à demi. Cette partie du village était déserte et Fanny pouvait entendre, comme autrefois de la cour de l'aïeule, toujours sous un soleil tiède, à l'heure pesante de l'après-midi commençant, le roucoulement mystérieux des tourterelles qu'elle ne voyait jamais. Ce bruit familier l'écrasa. Car sans nul doute l'aïeule était morte, et d'un coup Fanny comme dépotée du village. Aussi, certaine de ce qu'elle allait voir, Fanny interrompit brusquement sa course et revint sur ses pas. Elle marcha jusqu'à la maison de l'aïeule. La grille refusa de s'ouvrir. Elle sonna ; nul chien n'aboya. Soudain Tante Colette fut sur le seuil, à l'autre bout de la cour, les bras croisés sur un tablier fleuri.

— Eh bien, c'est pour quoi ! cria-t-elle.
— C'est moi, Fanny.
— Ah, oui ! Mais, maintenant, Eugène est ici chez lui, dit Tante Colette fièrement.
— Je voudrais bien entrer, dit Fanny.
— Nous n'y tenons pas.
Tante Colette rentra et claqua la porte. Fanny aperçut dans un coin une belle niche toute neuve, au petit toit pentu figurant des tuiles, décorée de faux lierre. Ne voyant pas le chien, elle supposa qu'il était à la maison, faveur que l'aïeule n'avait jamais accordée à ses propres bêtes. Eugène est dans la place, murmura Fanny. Est-ce trop tard ? S'il était marié ? Comme elle scrutait les fenêtres à la recherche de quelque indice, se haussant sur le trottoir étroit, un cycliste passant en trombe manqua l'accrocher, puis défilèrent des dizaines d'hommes à vélo suants et concentrés et Fanny tout d'un coup se trouva entourée par la foule accourue des stands pour voir arriver comme chaque année, recevoir des mains du maire une bouteille de bon vin et cinq kilos de sucre, le vainqueur de la course, le même encore sur son fin vélo aérien, fragile, presque impalpable entre les larges cuisses musclées de ce champion, boucher de son état. Bousculée comme si elle eût été invisible à leurs yeux, Fanny tenta de s'extraire du groupe de personnes enthousiastes (bien connues d'elle, et si peu changées !) qui s'exclamaient devant la grille. Personne, la voyant, ne s'écria : Tiens, mais c'est Fanny !, ou quelque autre prénom qu'ils eussent pu lui donner. Pressée entre deux voisins de l'aïeule, Fanny étouffait. L'un d'eux lui triturait le bras sans même s'en rendre compte ! Monsieur Lagneau, s'il vous plaît, se plaignit Fanny. Il abaissa son regard sur elle, fronça les sourcils, semblant se demander ce qu'elle pouvait bien être ; il grommela, fâché de devoir bouger, et se poussa tout juste assez pour que

Fanny, à grand-peine, pût se libérer. Quand j'accompagnais l'aïeule, murmura Fanny, vous ne me lorgniez pas de cet œil-là, rien ne vous paraissait plus naturel que de me voir ici. Elle récupéra sa valise plusieurs fois piétinée et défoncée d'un côté. L'épicière elle-même, affable et digne dame chez qui l'aïeule s'était toujours fournie, ne venait-elle pas de sauter à pieds joints sur la valise, sans raison, sans en tirer seulement quelque plaisir particulier, car elle n'eut pas l'air de s'en apercevoir ? Fanny se planta devant elle, mais les yeux de l'épicière glissèrent sur son front, sur ses joues, passifs et polis. Etant trop bien élevée pour manifester une curiosité importune, l'aimable commerçante, à qui le visage de Fanny ne disait rien bien qu'elle l'eût saluée l'année passée encore, préférait ne pas la voir. Elle n'entendit même pas les quelques mots d'excuse que Fanny lui adressa pour lui avoir bouché la vue.

A la fenêtre du premier étage parurent alors Tante Colette, Eugène et l'oncle Georges, leurs trois figures serrées l'une contre l'autre, tournées vers le podium où se distribuaient les prix. Eugène ! cria Fanny gaiement. Surpris, il lui lança un clin d'œil et un bref sourire qui baignèrent Fanny d'une joie émue. Mais Tante Colette cria d'une voix âpre : Tu es encore là ? Ah, ça ! Vas-tu filer ? Fanny feignit de ne pas comprendre. Elle montra le dos à la maison et porta son attention sur le podium. Soudain une prune pourrie s'écrasa sur son cou puis une autre dans ses cheveux. Pss, pss, faisait Tante Colette comme pour chasser une vilaine bête, tout en continuant à bombarder Fanny de vieilles prunes. Eugène riait si fort qu'il hoquetait. L'oncle Georges souriait avec indulgence, caressant sa moustache – son regard rencontra celui de Fanny sans le plus léger embarras. Tout autour des badauds s'amusaient fort également. On faisait confiance à Tante Colette pour ne pas se divertir aux dépens de quelqu'un qui ne l'eût pas mérité. On s'écarta de Fanny qui bondissait à droite, à gauche, pour éviter les jets de prunes, mais Tante Colette, habile, la manquait rarement, et le visage de Fanny était déjà tout dégouttant de jus douceâtre. Monsieur Lagneau riait plus fort que tout le monde. Il semblait qu'il vît enfin ce qu'était Fanny et l'usage qu'on pouvait faire d'elle. Monsieur Lagneau, autrefois, ne lui avait-il pas confectionné un arc et un carcan de flèches, heureux de lui offrir ce plaisir et d'obliger l'aïeule, sa voisine ?

Monsieur Lagneau, je suis Fanny ! lui dit-elle, haletante, quand un saut l'eut approchée de lui.

– Je ne connais pas de Fanny ! Il s'esclaffait, croyant à une farce.

Enfin Tante Colette se lassa ou n'eut plus de prunes en réserve, et Fanny, un peu courbée, se faufila dans une petite rue tranquille, tenant à bras-le-corps sa valise dont la poignée avait lâché. Elle s'arrêta bientôt pour essuyer sa figure et ses bras nus. Et, sur sa peau poisseuse, les mouches venaient se coller déjà, encore nombreuses l'été quoiqu'il n'y eût plus depuis longtemps de bétail au village. Je ne pourrais donc plus entrer dans cette maison ? songeait Fanny. Elle me serait fermée maintenant que l'aïeule est morte, comme si mes liens de parenté avec chacun devenaient nuls ? Et qu'en est-il de Maman ?

Juste à cet instant, levant les yeux, Fanny vit passer sa mère dans la grand-rue, au bout de la venelle, pressée comme à son habitude, vêtue d'une fraîche robe blanche imprimée de gros bouquets et portant sa valise écossaise. Fanny courut maladroitement et, quand elle déboucha dans la rue, sa mère pénétrait chez l'aïeule. Elle n'osa l'appeler de peur de faire apparaître Tante Colette. Que sa mère fût entrée la rassura cependant car, sachant Fanny au village, ne considérerait-elle pas de son devoir de plaider en sa faveur, quitte à se mettre à dos sœur et beau-frère ? A moins qu'elle crût préférable de se résigner à ce que Fanny restât dehors, afin d'éviter ce qu'elle appelait avec dégoût « les histoires », ou qu'elle n'attribuât pas à l'entrée de Fanny l'importance que celle-ci lui accordait, s'imaginât que la situation présente était un choix de sa fille et n'en parlât même pas à Tante Colette — et à moins, tout simplement, que personne ne lui apprît que Fanny était là, ce qui était encore très possible.

Fanny gagna le seul hôtel du village, l'Auberge de la Plaine. Elle avait traversé la fête en se rappelant avec quel enthousiasme Eugène et elle, à cette époque en vacances chez l'aïeule, se précipitaient de stand en stand autrefois, énervés de ne pouvoir tout faire en même temps. Aujourd'hui la fête lui paraissait bien misérable ! Et le village n'avait, à y regarder de près, seulement rien de charmant.

Dans le vestibule sombre de l'auberge, derrière le comptoir, Fanny entrevit une silhouette familière. Isabelle ! s'écria-t-elle avec étonnement. Isabelle eut un sourire vague. C'est moi, Fanny, ta vieille amie ! Elles s'embrassèrent, sans qu'Isabelle manifestât le moindre trouble ni parût surprise que Fanny eût changé de prénom. Isabelle et Fanny avaient joué ensemble étant enfants ; jamais, au souvenir de Fanny, Isabelle n'avait quitté le village. Elle était maintenant l'épouse du fils des anciens aubergistes et sa vie s'écoulait dans ce petit hôtel peu fréquenté, qu'elle tenait nonchalamment.

— Je ne t'ai pas vue à l'enterrement de ta grand-mère, dit Isabelle d'une voix inhabituellement sévère. Je me suis demandé, alors, si tu n'étais pas morte toi aussi.

— Je l'étais ! s'écria Fanny horriblement honteuse.

Par-dessus le comptoir, elle saisit les fines mains froides d'Isabelle.

— Crois-moi, s'il est vrai que je n'ai pas assisté aux funérailles (mais en es-tu bien sûre ?), que je n'ai même pas été avertie de la mort de l'aïeule, c'est que, très certainement, j'ai été morte momentanément, car comment admettre une telle possibilité ? Tu sais, toi, combien j'aimais et respectais l'aïeule. Je ne serais pas venue la réconforter dans ses derniers instants ? Je n'aurais pas suivi le convoi ? Toi qui me connais depuis toujours, peux-tu envisager une telle hypothèse ?

– Certes, tu lui étais très attachée, concéda Isabelle.

– Tu vois, dit Fanny tout en lui caressant les mains.

Puis, l'étendue de ses fautes la terrassa. L'aïeule avait expiré se sachant abandonnée de Fanny ! Mais aucune photographie à son chevet, sur la commode, n'ayant pu la lui rappeler, avait-elle gardé conscience de l'existence de Fanny, ne l'avait-elle pas oubliée comme tant de gens au village, ou mêlée aux figures de ses rêves, la chassant d'un hochement de tête, se disant : Quelle absurdité ! Si elle n'avait pu de ses yeux vérifier la réalité de l'existence de Fanny, avait-elle eu la moindre raison d'y croire encore, entourée d'Eugène et de ses nombreux petits-enfants si parfaitement semblables à elle-même ? Tante Colette, peut-être, lui avait soufflé à l'oreille, profitant d'un instant vulnérable : Fanny n'est qu'une chimère ! et l'aïeule était partie dans cette conviction. Si elle n'avait pas eu l'amer sentiment que Fanny, elle, l'avait oubliée, perspective plus effroyable encore.

Je te montre ta chambre, c'est cent cinquante francs, dit Isabelle à Fanny dont les yeux étaient baissés, la tête écroulée sur la poitrine. Elle suivit son amie dans un escalier obscur, puis le long de couloirs interminables et tortueux, déconcertée qu'on la conduisît aussi loin quand l'hôtel semblait vide. Voyant la chambre, Fanny s'écria : Mais ce sont les meubles de l'aïeule, et sa courtepointe ! Les trois grandes armoires de l'aïeule se serraient sur deux murs entiers. Ta famille nous les a cédés, dit Isabelle avec satisfaction, là-bas, cela encombrait. Quelques vieux habits pendaient encore dans l'une des armoires, un capuchon de plastique jaune dont l'aïeule s'était servie pour le jardin, à l'ourlet crotté et durci.

## Chapitre 2. — UNE AMIE D'ENFANCE.

Fanny visita le petit intérieur d'Isabelle, qui occupait avec son mari deux chambres au premier étage de l'hôtel. Isabelle s'était plue à renouveler récemment mobilier et tapisseries, à faire valser, disait-elle, les vieilleries incommodes de ses beaux-parents. Elle n'avait conservé qu'un rouet, transformé en porte-plantes, et une roue de carriole teinte et vernie, ornée de petits abat-jour à franges de perles multicolores, était devenue un lustre imposant, aussi large que la table placée au-dessous, dont une plaque de verre aux bords coupants protégeait le bois ordinaire. Les fauteuils de velours de la belle-mère avaient été jetés au profit d'un salon rustique qu'Isabelle et son mari n'avaient pas acquitté encore ; mais leur plaisir à se voir assis sur l'épais tissu brodé de fleurs et d'arabesques du canapé un peu raide, aux pieds chantournés, qu'ils avaient choisi sur le catalogue d'un grand magasin, valait bien, à leur idée, quelques tracas, de menus sacrifices, et même qu'ils le payassent, tout compte fait, le double de sa valeur, pour avoir eu le droit d'en profiter tout de suite.

Fanny dut admirer tout particulièrement un long buffet de bois sombre et laqué, si glacé de vernis qu'on eût dit d'un étrange matériau, quelque dur et vulgaire plastique, aux portes de verre jaune soufflé et quadrillé en une façon de vitrail, derrière lesquelles se laissait deviner toute une collection de chopes, chacune marquée d'un écusson différent. Modeste et fière, Isabelle se déplaçait d'un meuble à l'autre en en contant à Fanny la brève histoire, le lieu de l'achat et le prix, toujours étonnament élevé. Qu'elle eût déboursé une somme importante pour une table basse de verre fumé aux quatre pieds de métal semblait témoigner à Isabelle de la valeur esthétique de son achat, aussi croyait-elle ne pouvoir en épargner le détail à Fanny qui eût sans doute, sinon, tout comme elle-même avant de s'être enquise du prix des choses, méjugé de ce qu'elle voyait.

Une belle cuisine aménagée de formica clair imitant le pin, et qu'elle montra en dernier en s'efforçant à la désinvolture, était la gloire d'Isabelle. Elle l'arpenta en tous sens pour la joie d'entendre claquer ses mules sur le carrelage compliqué ; son tablier voletait, ses joues se coloraient à la description des multiples facilités dont sa vie de ménagère se trouvait embellie. Elle a bien de la chance ! Ah, quel bonheur que le sien, se répétait Fanny, assise devant un café qu'Isabelle lui avait servi.

Le mari arriva, se traînant sur des patins. Bien qu'il eût engraissé, que sa face, juvénile encore, fût devenue large et rouge, Fanny le reconnut tout de suite. Il n'osait, quant à lui, se prononcer, lâcher un nom. La mémoire lui revenant enfin, il lança l'expression qui avait servi à désigner Fanny autrefois au village et que, Fanny l'ayant ignorée jusqu'à ce jour, elle entendit avec une stupéfaction consternée. Isabelle, un peu gênée, rabroua son mari. On l'avait donc, même du temps de l'aïeule, secrètement affublée d'une froide formule éloquente et pratique, à son insu et sachant pourtant ses liens avec l'aïeule ! C'était ainsi quoi qu'elle pût faire, quelque contentement qu'elle pût donner ! Fanny penchait la tête sur son café, tout empourprée de honte. Isabelle allait et venait et feignait de vouloir respecter le douloureux silence de Fanny par une excessive discrétion. Mais, s'étant emparée d'un chiffon à poussière qu'elle passait délicatement sur les meubles propres et luisants, elle s'oublia alors et se mit à fredonner. Mains sur les hanches, elle s'interrompait parfois pour contempler d'un œil critique l'arrangement de son logis, elle prenait un petit air fâché pour bouger de quelques centimètres la rose des sables sur le téléviseur, ou corrigeait l'inclinaison d'un pied de biche fixé au mur dans un brusque souci de perfection, mais, toujours, elle n'était qu'à demi apaisée, qu'à demi comblée dans ses exigences artistiques, et ses sourcils restaient froncés longtemps. Enfoncé dans un fauteuil, le mari s'était endormi. Il s'éveilla soudainement ; tout surpris de voir Fanny, il grommela, par courtoisie professionnelle, de vagues questions sur la famille, Tante Colette qu'il connaissait peu. Laisse donc notre amie tranquille, dit prudemment Isabelle, et Fanny comprit qu'elle se figurait venir à son secours en la dispensant de réponses qui, au sentiment d'Isabelle, n'eussent pu être qu'embarrassées, à l'image de la pitoyable et impossible condition de Fanny. Certainement Isabelle, ayant bon cœur, plaignait Fanny, et pour rien au monde n'eût échangé son existence contre la sienne. Pouah ! songea Fanny, écœurée tout d'un coup. Mais le village la tenait, dans sa bornerie satisfaite. Ah, il m'avalera, il m'avalera, pensait Fanny en regardant évoluer Isabelle avec un indicible plaisir.

## Chapitre 3. — AU CIMETIÈRE.

Fanny acheta un bouquet d'œillets d'Inde et résolut d'aller le déposer sur la tombe de l'aïeule, après une longue hésitation causée par sa honte et son effroi. Elle sortit du village sous le soleil de midi et parvint au cimetière bordé par la grand-route asphaltée de frais. Dans le coin où l'on avait enterré l'aïeule, l'oncle Georges se tenait accroupi, un arrosoir à la main. Il sursauta en voyant Fanny. Puis il ne se retourna pas pour l'embrasser mais se contenta de marmonner un bonjour contraint. Fanny s'agenouilla à son côté.

– Je suis heureuse de te revoir, mon oncle, dit-elle avec enjouement.

– Eugène va se marier, alors...

– Se marier ! s'écria Fanny. Avec cette jeune fille que j'ai trouvée chez vous ?

– Parfaitement, dit-il sur un ton de menace.

– Ils vont donc habiter chez l'aïeule ?

– Chez Eugène, maintenant, rectifia l'oncle Georges.

– Ne pourrais-je, supplia Fanny, parcourir la maison une dernière fois ?

– Nous n'y tenons pas, dit-il fermement.

Au désespoir, Fanny souleva sa jupe comme par inadvertance et offrit au regard de l'oncle Georges un grand morceau de cuisse, qu'elle fit battre doucement contre son flanc.

– Pourtant, continua Fanny, il n'y aurait guère de mal, vous pourriez d'ailleurs me surveiller.

– Nous n'y tenons pas, répéta l'oncle Georges.

Et il s'écarta de Fanny avec dégoût, ostensiblement.

– Je ne suis pas dangereuse, murmura Fanny.

– Mais, tu ne sais pas te conduire ! explosa l'oncle Georges, cramoisi. Tu te moques des règles et des coutumes, et des nécessaires sacrifices familiaux, et des devoirs d'abnégation. Qui es-tu donc ? Mais, aux yeux de la famille, tu n'es plus rien maintenant ! L'aïeule est morte, quant à ta mère, elle se repent de t'avoir donné le jour et acquiesce à nos reproches, enfin elle reconnaît sa faute. Mais toi ? Que peux-tu réclamer ? Eh, disparais, voilà qui serait bien agir !

— Mais le village est ma patrie ! protesta Fanny.

— Qu'y pouvons-nous si tu le considères ainsi ?

L'oncle Georges, en chemisette et bleu de travail, était bien différent de celui que Fanny avait suivi dans sa voiture et, même, de l'oncle Georges qui, dans ses habits du dimanche, avait prétendu ne pas reconnaître Fanny, le jour de l'anniversaire de l'aïeule. Ayant fini d'arroser, il se leva et partit, sans un mot.

Fanny s'attacha à disposer ses œillets avec harmonie. Un bruissement lui fit tourner la tête : à l'autre bout du cimetière aride et régulier comme un enclos se tenaient, immobiles, figées dans la chaleur, Tante Colette, la mère de Fanny et deux femmes du village, toutes quatre en pimpantes robes d'été, celle de la mère se distinguant par l'ampleur de la jupe et sa foison de volants blancs. Elles bavardaient, ne prêtant nulle attention à Fanny. Et il semblait, dans cette attitude étrange, ainsi piquées près de la grille, qu'elles attendissent patiemment que Fanny libérât la place sur la tombe de l'aïeule. Tante Colette laissait pendre au bout de sa main une grosse gerbe de roses. Fanny se redressa et marcha vers la sortie. Elle frôla Tante Colette ; son regard, craintif, croisa celui de sa mère, qui se perdit dans le vague et demeura souriant, léger et poli. Il y avait pourtant bien longtemps que Fanny et sa mère ne s'étaient vues ! L'oncle Georges a dit vrai, pensa Fanny, résignée. Car pas la moindre émotion n'altérait le doux visage de la mère de Fanny et ses yeux pâles avaient rencontré l'œil sombre de Fanny comme celui d'une inconnue, avec l'affable détachement qu'elle avait cultivé au salon de coiffure. Dans son trouble, Fanny trébucha, manqua tomber. Sa mère ni Tante Colette ne tendit la main : voilà qu'elles se dirigeaient à pas lents vers la tombe de l'aïeule, allant la fleurir encore. Tante Colette balançait le bouquet paresseusement. La robe de la mère se gonflait, dévoilant le creux de ses genoux où quelques veines affleuraient. Elles avançaient côte à côte, leurs bras nus se caressant l'un l'autre, ainsi qu'elles l'avaient fait bien avant que Fanny fût née et quand l'éventualité de son existence n'eût pu leur inspirer qu'un éclat de rire incrédule, tandis que, sans doute, la pensée d'un futur petit Eugène les avait émues, certainement semblable déjà dans leurs rêves pleins d'espoirs à ce qu'il était devenu. Si je pouvais me transformer en Eugène ! soupira Fanny en quittant le cimetière. A l'extérieur, les murs de parpaings gris étaient semés de graffiti et de dessins féroces ou obscènes. Isolé en bordure d'un champ, le cimetière, de même qu'une vaste décharge publique à l'autre entrée du village, ou que le supermarché devant ouvrir bientôt, s'atteignait difficilement à pied, le fossé étant étroit entre la route nationale et les plantations de betteraves. Fanny, qui pour la circonstance avait chaussé des escarpins, sautait continûment de la route, où les voitures indifférentes filaient à grande vitesse, au fossé où elle ne pouvait avancer sans se tordre les chevilles. Bientôt sa mère, Tante Colette et les deux autres femmes la dépassèrent, chacune montée sur une bicyclette. Tante Colette conduisait la vieille Mobylette bleue de l'aïeule depuis toujours utilisée comme un vélo ; elle peinait. Pas une ne regarda Fanny, bien qu'au risque de se blesser elle eût bondi dans le fossé pour ne pas gêner leur passage. Elles l'ignoraient sans ostentation, sans même que cela parût délibéré, et la mère de Fanny était bien gaie !

Chapitre 4. — CONVERSATION AVEC EUGÈNE.

Une nuit, Fanny alla se poster sous la chambre d'Eugène, qui donnait sur la rue, et siffla doucement. Il parut bientôt, ouvrit la croisée avec précaution. Collée au mur, Fanny se tendait aussi haut qu'elle le pouvait.

— Tu m'as donc oubliée ? murmura-t-elle. C'est moi, Fanny, ta cousine.

— J'ai à peine le droit de te parler, souffla Eugène.

— Que craint-on ?

— Que tu m'entraînes, comme la première fois.

— Je serais bien bête, vu que tu m'as lâchée méchamment.

— Mais comme tu me maltraitais !

— Maintenant tu vas te marier, Eugène. Pourquoi pas avec moi ?

— C'est impossible ! s'écria-t-il.

— Je suis bien ta cousine.

— On nous regarderait. Que tu es ma cousine, cela s'oublierait vite, mais pas que...

— Quoi donc ?

— Oh, tu m'ennuies ! Et puis, je dormais. Est-ce que tu as l'air d'être ma cousine ?

— C'est cela !

— Il faut se rendre à certaines raisons.

Et il se tut, buté. Fanny tâchait de conserver de la bonne humeur à sa voix, par peur de vexer Eugène et qu'il retournât se coucher.

— Ta fiancée, tu l'aimes, bien sûr, reprit-elle avec effort.

— Bien sûr.

— Alors, tu l'aimes plus que moi.

— Ni plus ni moins que toi, dit-il fermement.

— Tu vois !
— Je ne vois rien du tout.
— Que tu m'épouserais, si tu en avais le courage.
— Oh, peut-être. Seulement, c'est ainsi, je ne préfère pas.
— Ah, pauvre Eugène, tu me déçois.
Elle ajouta aussitôt, pour le retenir :
— Dis-moi si Tante Léda sera présente à ton mariage.
— Comment le savoir ?
— Mais l'a-t-on prévenue ?
— On ignore où elle se trouve, fit-il, impatient, bâillant.
— Et ma mère ? Parle-t-elle de moi ?
— Jamais.
— Elle m'a vue, pourtant.
— Elle n'en laisse rien paraître. Si elle t'a oubliée ?
— Sa propre fille ?
— Comme on oublie, peut-être, ce qui se rattache à un souvenir désagréable, ou honteux.
— Eugène, tu es perspicace ! railla Fanny, à demi défaillante.
— Maintenant, bonsoir.
— Attends !
Mais Eugène avait tiré le battant, replacé le rideau. Fanny revint à l'hôtel, où Isabelle veillait. Son amie, le visage froid, l'arrêta.
— Nous aimerions, commença-t-elle, que tu paies ta chambre, pour le temps que tu as déjà passé ici.
— Oui, j'en parlerai à ma famille, dit Fanny qui n'avait plus un sou.
Comme elle s'engageait dans l'escalier, Isabelle agrippa sa manche.
— Tout le monde sait que tu n'as plus de rapports avec ta famille. Que ferais-tu chez nous ? D'ailleurs, s'agit-il réellement de ta famille ? Voilà ce que se demandent au village ceux qui

se souviennent de toi, peu nombreux, je te l'accorde. Pourquoi serais-tu repoussée par ta vraie famille ? C'est inconcevable. Aussi...

— Et quand bien même, dit Fanny, cela devrait-il changer quelque chose entre nous ?

— Mais, si je ne sais plus qui tu es ! s'exclama Isabelle, offensée.

Et c'était comme si, soudain, elle se persuadait que Fanny avait toujours trompé sa confiance. Il est hors de question que tu passes une nuit de plus ici, intima-t-elle, si tu ne nous as pas réglés demain. Puis l'amie d'enfance de Fanny croisa les bras et ne voulut plus rien entendre.

## Chapitre 5. — DANS LES LIEUX.

Un peu après midi, Fanny, munie de sa valise, arriva à pas prudents devant la maison de l'aïeule, dont elle longea le petit mur du jardin jusqu'à la porte de bois, au fond, qu'elle savait pouvoir ouvrir facilement en se hissant et tirant le verrou de l'autre côté. Elle traversa prestement le jardin, gagna la véranda, poussa la porte de la cuisine : un silence chaud, chargé d'une lourde odeur de fruits cuits — une pleine jatte de prunes encore fumantes, sur la table — la rassura. Elle entra, cacha sa valise entre le réfrigérateur et le mur. La même excessive propreté que du temps de l'aïeule figeait la cuisine, garnie de meubles modestes, ornée de baromètres publicitaires et d'assiettes peintes, dans une sorte d'éternité importante et cossue. Quelques grosses mouches lentes tournaient autour des prunes, lasses. Fanny jeta un coup d'œil dans le salon : sa mère, allongée sur le vieux canapé pelucheux qui sentait le chien, s'était endormie devant la télévision, qu'animaient en sourdine les attendrissantes images d'un feuilleton niais longtemps suivi autrefois par Fanny et l'aïeule ensemble, quand Fanny, serrée contre l'aïeule sur le canapé déjà râpé et odorant, devait demander, pour une intelligence approximative, les explications les plus simples quant aux grossiers mobiles du héros. La mère de Fanny avait la bouche entrouverte, les lèvres souriantes. Elle souriait pareillement, suave et tranquille, sur la photographie d'elle exposée sur le téléviseur, que Fanny ne connaissait pas, ancienne pourtant. Puis, s'étant approchée, elle identifia le cliché, qui lui avait appartenu et que l'oncle Georges avait déchiré, le jour de l'anniversaire de l'aïeule. On l'avait recollé ; seuls manquaient un petit bout du pied de la mère de Fanny et le visage de Fanny elle-même, qui n'était plus qu'un trou déchiqueté sur la ronde poitrine de sa mère.

Fanny quitta le salon discrètement, après avoir, par habitude, éteint la télévision. Comme, de la chambre de l'aïeule, lui parvenait un bruit léger, elle entrebâilla doucement la porte et aperçut Tante Colette couchée sur l'édredon, sa jambe puissante pendant au long du lit. La chambre sans les armoires semblait dépouillée, désolée. Les yeux écarquillés de Tante Colette fixaient Fanny d'un regard hostile : Tante Colette, ainsi que le savait la famille entière, avait la singularité de dormir toujours gardant les yeux grands ouverts et aussi riches d'expression qu'à l'état de veille. Aussi Fanny, déroutée par cette particularité dont le souvenir l'avait quittée, n'osa s'avancer, quoique son envie fût forte d'aller examiner de près le rude visage de Tante Colette et de s'efforcer d'en pénétrer le pouvoir d'impression. Elle remarqua qu'on avait décroché le portrait peint de l'aïeule qu'elle avait toujours connu au-dessus du lit, pour le remplacer par un instantané d'Eugène et sa fiancée pris tandis qu'ils découpaient tous deux, renversés par le rire, un gigantesque gâteau, que Fanny supposa être celui de leurs fiançailles. Et elle s'interrogea sur ce qu'était devenu le tableau de l'aïeule, habilement exécuté au temps de sa jeunesse par un artiste du coin.

Dans la chambre qui avait été celle de Fanny quand elle venait, au rez-de-chaussée, la valise écossaise de sa mère trônait sur le lit, écrasant négligemment une petite poupée dont l'aïeule s'était divertie à tricoter la robe au crochet. Fanny la remit en place, pestant contre l'insouciance de sa mère. Elle arrangea également les têtières des fauteuils qui traînaient chiffonnées sur un siège, et elle lissa la courtepointe à grosses fleurs assortie à la tapisserie où le même décor se retrouvait d'un rose moins vif jusque sur le plafond, donnant le sentiment qu'on vivait en cette chambre comme dans une belle boîte close et capitonnée. Avec une douleur calme et le pressentiment de la fin, Fanny contempla par la fenêtre le jardin sans fantaisie, utile et discipliné. Souvent elle avait aidé à cueillir les fraises, à cette époque de l'année. Et l'aïeule contrôlait scrupuleusement que pas une ne restait dissimulée sous une feuille, par horreur du gaspillage et quoiqu'elle fût chaque été embarrassée de trop de fraises.

Puis Fanny dirigea ses pas vers la chambre d'Eugène : il avait fermé les volets et reposait sur son lit en compagnie de la jeune fille dont une jambe était passée en travers de sa hanche, nue et semblant, dans la pénombre, miroitante. C'eût pu être la cuisse de Fanny ainsi pesant sur le flanc complaisant d'Eugène : quelle surprise que ce ne fût pas le cas ! Fanny se tâtait, voyant un mystère profond de ce qu'elle était là debout sur le seuil, tandis que ses yeux lui disaient, considérant la jeune fille : n'est-ce pas moi également ? On avait laissé à côté du crucifix un canevas brodé par l'aïeule, représentant une femme en train de lire ; et la chambre d'Eugène avait hérité de la petite bibliothèque à vitrine où l'aïeule avait rangé soigneusement, emballés d'un papier transparent qu'on avait avec la viande, moins par respect pour l'objet que par la volonté que ne s'abîmât d'aucune façon une chose qui avait coûté un peu, les livres reçus mensuellement d'un club auquel elle avait eu un jour l'extravagance de s'inscrire. Elle s'en était repentie du reste, s'ennuyant de devoir lire un roman chaque mois et plus encore d'établir un choix parmi des livres dont elle ne connaissait rien, dont les histoires lui étaient étrangères, jamais ne piquaient son intérêt ni sa curiosité, très réduits. Fanny constata que chaque livre était marqué d'un signet à son tiers environ ; car l'aïeule avait préféré supporter la fatigue d'un début de lecture que de consentir à serrer quelque chose qu'elle avait payé et qui n'eût véritablement servi à rien, pas même à l'endormir. Prenant garde de ne réveiller les jeunes gens, Fanny tira un livre au hasard, *Les amants sans patrie,* et le glissa dans sa ceinture. L'heure de la sieste n'allait pas tarder à finir ; Tante Colette la première se réveillerait sans doute et, tombant sur Fanny, quelle brutalité ne s'autoriserait-elle pas ?

Dans le couloir, à l'entrée de la cuisine, Fanny avisa sous l'escalier montant au grenier un réduit protégé par un bout de rideau, où les chiens de l'aïeule, quand il gelait trop fort, avaient eu la permission de coucher. Elle s'y logea tant bien que mal, les genoux ramassés contre la poitrine et le menton baissé, le nez assailli par la persistante odeur de poil mouillé dont restait tout imprégnée la couverture, pliée en quatre, sur laquelle elle était assise. Elle crut après une minute qu'elle ne pourrait endurer une telle position. Puis ses muscles s'engourdirent, l'odeur lui parut moins puissante, Fanny se trouva presque bien.

A cet instant, Fanny l'apercevant par une fente entre le mur et le rideau, Tante Colette sortit de la chambre, s'attabla devant les prunes et commença de manger bruyamment, à même la jatte. Elle portait sa belle robe bleue imprimée de lunes d'argent, qu'elle avait transformée en vêtement d'intérieur, l'estimant probablement trop vieille à présent pour faire encore quelque effet les jours de grande occasion, et la robe déchue recevait maintenant des éclaboussures de compote lorsqu'il y avait peu encore elle avait été sortie de sa housse deux fois l'an et revêtue avec des précautions empruntées. Tante Colette posa sa cuiller quand elle entendit arriver la mère de Fanny, Eugène et sa fiancée, elle s'essuya rapidement les lèvres sur la manche de sa robe et s'occupa à chercher une assiette pour chacun. A peine assis, Eugène, entre deux bouchées, parla d'un chien qu'il voulait acquérir ; il en voulait un gros, qui aboyât à terroriser les visiteurs : la maison ainsi gardée, on dormirait tranquille. Tante Colette approuva l'intention. Et elle chipotait élégamment, prétendait n'avoir pas faim, insistait pour donner sa part. La mère de Fanny se mit à décrire la tenue qu'elle arborerait au mariage : elle serait, tout simplement, en mauve. La fiancée, elle, tenait à porter ce qu'il y avait de plus simple et qui pût se remettre facilement. Aussi, du beige plutôt que du blanc, pas de dentelle, et des demi-talons. Pour le chapeau, elle s'arrangerait d'un béret. Quant à Eugène, on lui achèterait un costume gris, du genre de ceux qu'il aurait sur le dos chaque jour s'il reprenait le métier de son père, comme Tante Colette et la fiancée en formaient le projet pour lui. Il fallait que ces noces fussent économiques, bien que la nourriture eût été commandée en abondance mais, la liste de mariage étant coûteuse, on ne pouvait décemment faire moins. La fiancée se réjouissait d'un service à poisson en grès qu'avait prévu d'offrir Tante Clémence. Elle en répéta le prix avec satisfaction, fière comme si ces trois mille francs eussent attesté son propre mérite. En revanche, Tante Colette cita avec dédain tel parent qui, sous prétexte d'embarras, s'était excusé d'avoir dû jeter son dévolu sur le cadeau le moins onéreux, une paire de brosses à chaussure au manche façon écaille. Elle se scandalisa de ce que cet individu, parrain d'Eugène, s'inquiétait de préserver sa bourse avant tout. Eugène grommelait : rien ne pouvait distraire sa pensée du chien qu'il avait décidé de se procurer. La mère de Fanny chantonnait tout en feuilletant d'une main le programme de télévision, et pas un mot ne fut dit sur Fanny, nul sentiment de gêne ne se manifesta quant à l'abandon dans lequel on la laissait.

## Chapitre 6. – DANS LA NICHE.

A sa grande surprise, dans l'heure qui suivit le dîner, Fanny se vit lancer par sa mère, à travers la fente, les reliefs du repas : quelques os de côtelette encore garnis de gras, de la couenne de jambon, un petit morceau de fromage durci, une pomme presque entière. Elle devina, aux gestes précipités de sa mère, qu'elle agissait en secret. Puis sa mère s'éloigna prestement après avoir ajusté le rideau sur la tringle, en sorte que la fente fût aussi étroite que possible. Elle était chaussée de mules dorées à talons hauts, toutes neuves. Elle n'adressa pas la parole à Fanny, bien qu'elle fût seule dans cette partie de la pièce, et Fanny ne s'en étonna guère, comprenant que, si elle existait tout juste assez pour que sa mère se préoccupât de la nourrir, il n'était plus dans ses capacités de faire en sorte qu'on lui parlât. Elle eût craint d'ailleurs, en ouvrant la bouche, d'affoler sa pauvre mère, qu'on accourût de toutes parts et la découvrît, elle, en cet endroit illicite.

Fanny rongea les os avec avidité. Ensuite, il lui prit l'envie de lire le roman qu'elle avait subtilisé dans la bibliothèque de l'aïeule.

Elle lut jusqu'au matin, éclairée par un rayon de lune qui traversait la porte vitrée du jardin, et son état ne lui revint en mémoire que lorsqu'elle entendit Tante Colette émerger de sa chambre en se raclant la gorge et traîner ses vieux chaussons vers la salle de bains. Mais une allégresse légère transportait Fanny, enchantée par ce qu'elle avait lu et ne pouvant croire qu'il y eût rien de plus réel. Elle se cala gaiement dans la niche; il lui était impossible de déplier ses bras, ses jambes, ou de relever la tête; elle écrasa quelques puces qui l'avaient mordue pendant la nuit. Et Fanny eût volontiers donné, là, tout de suite, le reste de sa vie, brève encore, contre la certitude d'une ultime émotion semblable à celle qu'elle venait d'éprouver, qui valait bien toutes les joies de son passé.

Tante Colette se lavait à grands bruits d'eau, laissait fuser des pets pleins d'aisance. Qu'eût été, même, se disait Fanny, l'existence auprès d'Eugène, avec son ennui inévitable, ses multiples tracas, à côté du bonheur que lui avaient apporté *Les amants sans patrie,* en quelques heures longues comme des années? Tante Colette regagna la cuisine tout en achevant de boutonner sa robe bleue. Elle se grattait le ventre, faisait crisser le nylon : Fanny frissonna jusque dans sa niche. Tante Colette prépara le café. Puis elle s'en alla le boire au salon, devant la télévision qui diffusait, à cette heure matinale, une émission de jeux déjà passée la veille au soir et que Tante Colette, sans doute, avait manquée. Elle jetait les réponses d'une voix forte et se flattait tout haut d'avoir trouvé la bonne avant le candidat, déplorait ensuite de n'être pas à la place de ce dernier et en concevait un mépris aigre. Quand l'émission fut terminée, elle augmenta le son et put ainsi écouter la télévision de la cuisine, où elle entreprit d'éplucher des légumes. Plus tard, la mère de Fanny envoya ces épluchures dans la niche : Tante Colette, pour le déjeuner, avait confectionné un plat de sa spécialité, du hachis parmentier, dont rien ne demeura. Eugène tout particulièrement se goinfra. Et sa figure prenait déjà des rougeurs, certaine épaisseur violacée que Fanny avait toujours connue au visage de l'oncle Georges. Il ouvrit le journal régional arrivé le matin et recula sa chaise afin de lire plus commodément, pendant que la jeune fille et Tante Colette faisaient la vaisselle et que la mère de Fanny s'installait pour suivre son feuilleton. Il cita le nom des personnes mortes depuis la veille. Tante Colette, feignant de connaître tout le monde, s'exclamait, ne voulait pas le croire ; se résignant, elle conluait d'un ton satisfait : Qui l'aurait prédit hier encore ?

Soudain on frappa à la porte et le père de Fanny entra. Il était accompagné de son domestique aux boutons de cuivre, qui portait un lourd paquet. Chacun poussa un cri de surprise. Toi ici ? s'étonna la mère de Fanny, sans quitter le salon. Tante Colette s'empressa. Elle tendit des chaises, offrit du café, sortit des petits-beurres. Eh, eh, faisait Eugène, ne sachant que dire. Le père de Fanny était vêtu d'un riche costume blanc et ses souliers jaune pâle craquaient au moindre pas, il était fier, serein, un peu hautain. Il s'assit, but lentement, tandis que son domestique restait debout, ayant posé le paquet à ses pieds. Comme il se taisait, on n'osait parler. On prenait l'air d'écouter avec intérêt les voix décidées venant du salon où la mère de Fanny était toujours, s'étant contentée de bouger un peu son fauteuil en sorte d'avoir vue sur la cuisine. Si elle ne se dérangeait pas pour saluer le père, c'était sans doute moins par orgueil, car ils vivaient depuis longtemps en bons termes, que par répugnance à l'idée de rater peut-être une scène importante de l'épisode : le feuilleton n'avait pas été programmé depuis quinze ans, alors qu'elle pouvait aller rendre visite au père de Fanny dès qu'elle le désirait.

Tante Colette ne tenait pas en place. Elle vida le placard de tout ce qu'il renfermait de biscuits et friandises diverses, bien que le père ne touchât à rien. Elle s'échauffait, rendue inquiète par le silence. Enfin, il souleva le paquet. J'ai appris ton mariage, dit-il aimablement en le présentant à Eugène. Voici pour toi, mon neveu. Il ajouta, tourné vers Tante Colette : Cela se fait, il me semble. Et il souriait avec modestie, ainsi que le domestique, content comme si le cadeau eût été pour lui. Eugène, un peu gauche, découvrit une longue pièce de tissu épais et brillant, au motif savant et dégageant un fort parfum d'épices qui couvrit dans la maison les odeurs de toujours : montées de la cave, exhalées du fourneau ancien, des armoires où flétrit la lavande, tombées du grenier encombré de vieilleries. La jeune fille remercia avec ravissement et drapa le tissu autour de sa taille, assurant ne rien connaître de plus beau. Vous les gâtez, minaudait Tante Colette, l'œil fixé sur les gros boutons de cuivre du domestique. La livrée du serviteur ne lui en imposait-elle pas davantage que l'élégant et sobre vêtement du maître ? Le père de Fanny fut embrassé et l'on ne sut plus qu'inventer pour lui être agréable. On lui demanda des nouvelles de chez lui, qu'il donna complaisamment. Quand il eut retourné la politesse, une chaleureuse affection régnait de part et d'autre, telle que jamais il n'y en avait eu entre la famille et le père de Fanny. Il consentit à rester jusqu'au lendemain, ayant fait le voyage en voiture, conduit par le domestique. Eugène sortit pour admirer la limousine. La jeune fille parlait de tailler dans le tissu des tentures de salon. Dignement renversé sur sa chaise, poli et laconique, le père savourait son triomphe. Lorsque, jeune homme, il avait franchi pour la première fois le seuil de la maison de l'aïeule au bras de la mère de Fanny alors soutenue par une volonté hardie, de froids regards s'étaient posés sur lui et Tante Colette ne lui avait adressé la parole que pour lui lancer, d'une voix inamicale, quelques questions méfiantes. Tante Colette, à présent, se hâtait afin de réunir pour le dîner des denrées de premier choix. Et elle descendit égorger un lapin, tandis que la mère de Fanny allait au jardin cueillir des framboises dont, au retour, elle jeta une poignée dans la niche, prises parmi les moins belles. Il semblait qu'elle agît négligemment, dans le vague souvenir d'un devoir plutôt que par miséricorde. Se rappelait-elle seulement ce qu'elle eût trouvé dans la niche si elle avait soulevé le rideau, rien n'était moins sûr, à voir combien distraite et lointaine elle traversait le couloir sur ses jolies mules dorées, arrêtée de temps en temps, par hasard, devant le réduit sans que sa cheville tremblât, sans que par un petit battement du pied elle fît connaître à sa fille une pensée à son sujet, un regret. Et, lorsqu'elle sacrifiait une seconde de son temps ou se détournait de son parcours pour offrir quelques framboises ou la tripe encore chaude chue du ventre du lapin, sous le couteau de Tante Colette, probablement ne songeait-elle pas davantage que lorsque la force des habitudes et de l'éducation, et un goût pour la netteté, chaque année l'engageaient à changer sur le crucifix de sa chambre le rameau de buis qui y avait séché – eût-elle voulu croire qu'elle pût avoir une fille dans la niche ? Elle prenait soin cependant qu'on ne la vît pas quand elle entrebâillait le rideau ; mais ce pouvait être par pudeur.

Tante Colette cuisina un potage aux légumes et fit le lapin en civet, dont elle avait recueilli le sang abondant, mousseux, dans le même bol orange, ébréché, utilisé pour cette fonction par l'aïeule autrefois. Eugène, désœuvré, tournait autour d'elle, bien que Tante Colette le pressât d'aller tenir compagnie au père de Fanny, qui s'était laissé servir un apéritif. Eugène renâclait, soudain timide : il craignait de lâcher devant cet homme impressionnant une bêtise inoubliable. Et le père dégustait son alcool à l'anis avec des claquements de langue qui flattaient Tante Colette, au point qu'elle ne voyait plus dans sa singularité qu'une suprême élégance quelque peu impénétrable. Ayant oublié Fanny, Tante Colette se complaisait dans l'idée qu'une étrangeté si richement parée ne pouvait qu'inspirer admiration et révérence. Elle se promettait de travailler à ce que des liens fussent conservés entre le père et Eugène, qui n'avait pas de situation et semblait chaque jour moins disposé à en chercher une. Qu'eût pensé Tante Colette si elle avait vu surgir soudain de la niche sous l'escalier Fanny, sa nièce ? Son sentiment pour elle eût-il été modifié par le respect nouveau que lui commandait le père, pour autant qu'elle la reconnût et que ce dernier lui-même l'avouât pour sa fille ?

Tante Colette sortit d'un buffet près de la niche les confitures et les oignons frais qu'emporterait le lendemain le père de Fanny. Elle les compta soigneusement, ne voyant pas qu'on dût se ruiner pour être obligeant. Au matin, elle ajouta la moitié d'un lapin avec le foie, et un pot de yaourt fermé d'aluminium contenait le sang. Le père de Fanny s'en alla avec lenteur. Alors, dans la cour, il se rencontra avec l'oncle Georges revenant d'une tournée qui, ignorant comme on avait accueilli le père, supposant peut-être qu'on venait de le chasser sans façons, du haut de son costume d'été en tergal gris, le toisa, la lèvre dure et méprisante.

## Chapitre 7. — Préparatifs du mariage et première mort de Fanny.

Toute la maisonnée s'éveilla avant l'aube dans la plus grande excitation. La mère de Fanny, allant et venant dans sa robe mauve à la recherche d'une ceinture qu'elle ne pouvait retrouver, oublia d'envoyer dans la niche ce qu'il restait du petit déjeuner, sans paraître prendre conscience de sa distraction. Même, il lui arriva de soulever le rideau car, désespérée de ne pouvoir mettre la main sur sa ceinture, elle en venait à explorer chaque recoin, mais son regard rapide balaya la niche, omit de s'arrêter sur Fanny, concentré sur la seule image de l'objet poursuivi. Ses escarpins de daim parme cliquetaient sur le carreau, fébriles et insouciants : elle les avait chaussés dès son lever afin, disait-elle, de « les faire ». Tranquille, Tante Colette préparait verres et bouteilles pour l'apéritif, qui serait pris à la maison, et dégageait la table de la salle à manger ou l'on exposerait les présents. Enfin, la jeune fille apparut vêtue d'un modeste tailleur beige, suivie d'Eugène corseté dans le meilleur costume de son père, à la douce odeur de naphtaline. Ce complet, à l'époque, avait représenté, assura Tante Colette en tirant sur les manches trop courtes, une véritable folie, aussi l'oncle Georges ne l'avait-il porté que lors des occasions mémorables et s'était efforcé, avec succès, de le faire durer. Eugène, étouffant déjà, desserrait sa cravate de tricot ; ses gestes étaient malaisés, tant la veste le bridait. Mains dans les poches, il traînait d'une pièce à l'autre, tout à la fois fiévreux et ne sachant à quoi s'employer, gênant de sa lourdeur encombrante les femmes qui s'activaient diligemment, se plaignaient de le trouver toujours sur leur passage et le bousculaient, le gourmandaient avec une tendre satisfaction. Il s'en alla soudain, promettant de revenir bientôt. Puis Tante Clémence fit son entrée et l'on s'attroupa autour du service à poisson, qui s'avéra tel, avec, sur chaque assiette, le relief stylisé d'une tête de rouget, et le plat imitant la forme d'une ancre marine, tel que la jeune fille avait rêvé qu'il fût. On le plaça au centre de la table et le nom de Tante Clémence fut étiqueté dessus afin d'éviter toute confusion. Mais les invités arrivaient, par vagues successives ; la cuisine s'emplit ; les cadeaux s'amoncelaient, que Tante Colette alignait par ordre d'importance et de cherté.

On discutait ainsi :

— Je risque d'avoir bien chaud, avec mon châle.

— Tu l'enlèveras après l'église.

— Non, elle attraperait un chaud et froid !

— Il faut se méfier de ce temps-là.

— C'est le pire. L'année dernière encore un méchant courant d'air m'a cloué au lit pendant trois jours et jamais on...

— Un service à escargots ! Comme ils sont gâtés !

— Les derniers que j'ai mangés m'ont rendu malade, mais c'est qu'ils n'avaient pas dégorgé suffisamment.

— Et le beurre ! Si le beurre a tourné...

— Eugène n'aime pas les escargots.

— C'est vrai, quand il était petit, il ne pouvait voir un escargot sans...

— Cela passe avec l'âge.

— Te souviens-tu des escargots que nous avait préparés ta sœur, l'année où je me suis cassé le coude en...

— Ma sœur aussi sait les préparer à merveille.

— Mais pas aussi bien que défunte maman...

Il se produisit alors cette singulière circonstance : quelqu'un, la fiancée peut-être, jeta ce cri : Voilà Léda, et Eugène ! et l'on vit Fanny bondir hors la niche sous l'escalier, rouler sur le carrelage, un peu de bave aux lèvres, les yeux à demi clos. Un grand chien vigoureux que tenait Eugène échappa à sa poigne. Il s'élança sur Fanny en aboyant si fort que chacun recula de frayeur. Il la saisit à la gorge et entreprit de la dépecer. De gros morceaux de chair qu'il arrachait étaient recrachés tout aussitôt, comme s'il eût voulu la goûter entière avant de se décider à l'avaler. Il grondait, défendant qu'on approchât. Personne ne bougeait. Eugène, consterné, tiraillait ses rouflaquettes, rouge de honte. Le chien avait ses quatre pattes sur la poitrine de Fanny, le cou déjà se trouvait presque tranché. Fanny n'avait fait entendre qu'un léger, très léger couinement ! Maintenant, il fouissait le poitrail, à la recherche du cœur. Il se lassa soudain et revint docilement à Eugène en frétillant de la queue. Alors Tante Colette retrouva sa vivacité d'esprit, elle enveloppa sans dégoût (comme elle vidait les lapins, nettoyait les têtes de veau) ce qu'il demeurait de Fanny dans un vieux drap et s'en alla jeter le tout sur le tas de fumier, au fond du jardin. Tante Clémence lessiva le carreau. La mère de Fanny s'occupait de servir l'apéritif, non sans entrain. Eugène descendit attacher son chien dans la cour, et les conversations reprenaient, portant sur ce qu'on buvait qui pourtant ne changeait jamais : un anis pour les hommes, pour les femmes un petit vin cuit..

— Oh, oh, c'est qu'on serait vite parti, avec cette saloperie-là !

— Mets donc un peu d'eau, voyons.

— Elle veut me noyer !

— Ce porto n'est pas aussi vieux que...

— Mais celui que nous avons rapporté de notre voyage, nous l'avons bu en...

— On en fait de bons, là-bas.

— Cela dépend, cela dépend, moi-même...

— Ah, mais c'est le pays du porto, et il ne coûte rien, vous pouvez y aller !

Brusquement, Georges fit son apparition, son beau visage transpirant, un peu hagard. Où est Fanny ? demanda-t-il à Tante Colette. Il soufflait, ayant couru jusqu'à la maison. Tante Colette eut quelque peine à se remettre Georges. Quand elle l'eut reconnu, elle sourit froidement: Au jardin, dit-elle, sur les ordures. Mais les poules, déjà, avaient englouti tout ce que le chien avait laissé de Fanny, et Georges, ne trouvant que quelques os grattés, quelques cheveux sanglants, pensa qu'on s'était moqué de lui et qu'il s'était mépris en prenant à la lettre la réponse de Tante Colette. L'accueil indifférent que lui réserva la mère de Fanny, autrefois bien disposée à son égard, le persuada de s'en retourner sans tarder. Il avait débarqué d'ailleurs sur un coup de tête : ne lui semblait-il pas que l'habitude d'aimer Fanny lui passait ?

Il humait les parfums de l'été avec délectation et son jeune corps élastique, alors qu'il volait vers la gare, lui paraissait pousser fougueusement l'air chaud : c'était comme si plus rien ne devait jamais lui résister, au long de l'infinité d'années à venir.

SIXIÈME PARTIE

# RECIT DE TANTE COLETTE

## Chapitre 1. — Le mariage.

Enfin, j'ai revêtu ma nouvelle robe, celle qui, sur le catalogue, paraissait faite pour les fortes femmes et qui cependant m'engonce, m'oppresse, sans m'enlaidir d'ailleurs : elle est noire, imprimée de petites fleurs roses. A l'exception de ma sœur, les invités ne s'étaient guère mis en frais, ainsi, me semble-t-il, qu'on le pratique de plus en plus aujourd'hui, par souci d'économie et désir d'être, en toute circonstance, naturel et confortable. Ce que j'approuve au fond de moi, quoique regrettant, et tout particulièrement ce matin, bien sûr, qu'une cérémonie de mariage ne se distingue plus, pas même par les mariés, d'une réunion ordinaire où chacun vient dans le vêtement qu'il a mis en se levant. Mes nièces elles-mêmes étaient à peine propres.

J'aime par-dessus tout l'instant où l'on quitte la maison !

J'ai lavé rapidement avant de partir les verres de l'apéritif, ou m'aurait tourmentée jusqu'à ce soir la pensée de cette vaisselle sale, en attente, libre de souiller dans mon esprit, par rayonnement, la maison entière. Les objets acquièrent dans notre dos une redoutable indépendance, qu'il s'agit de mater.

Nous nous sommes jetés dans la rue sans ordre aucun, sans s'organiser en procession, et mon fils a voulu prendre son chien, refusant de m'entendre car je ne trouvais pas que ce fût très convenable. Il tenait d'une main le chien par sa laisse et me donnait l'autre bras, m'infligeant de pénibles secouements chaque fois que le chien menaçait de s'élancer. Mon fils n'a cessé de parler de ce chien. Il veut le dresser pour la chasse, voilà que la chasse ne se déloge plus de sa cervelle. Mon fils portait pour son mariage un costume de son père qui le serrait aux entournures mais dans lequel je croyais voir déjà son père lui-même, quand il part travailler dans un costume de ce genre, et à cause surtout d'expressions que mon fils commence à prendre de son père, ou que son père lui lègue, et qui toutes sont en rapport avec quelque chose de très mâle en eux. Mon fils aura le visage rouge également, à boire et à manger hors de toute mesure, et tant de salaisons ! Les voisins nous regardaient passer derrière leur rideau et j'ai regretté qu'ils n'aient pas vu alors de cortège imposant mais une foule séparée en petits groupes de connaissances qui se traînaient à notre suite sur toute la largeur de la chaussée, mes nièces avaient les mains dans les poches de leur pantalon de toile et parlaient de tout et de rien avec la fiancée de mon fils, qu'on n'eût pu reconnaître pour la mariée par une particularité de son habit ni par une exceptionnelle émotion, car elle était fort calme, avançait sans grâce aucune, voûtée un peu, comme si, au lieu qu'elle marchât vers la mairie, vers cet acte irrévocable de son choix, elle était allée comme chaque matin chercher le pain au bout du village, avec cet ennui léger qu'elle semblait éprouver même alors.

Le chien de mon fils s'est mis à gueuler, sans raison, et tous les chiens de la rue lui ont répondu, on ne s'entendait plus. Mon fils m'a lâché le bras pour allonger un bon coup de poing sur les reins de la bête, manquant se faire mordre. Son chien était sauvage encore et mon fils le gouvernait mal. Nous avons atteint la mairie dans un affreux concert d'aboiements. Mon fils, vexé de n'avoir su se faire obéir de son chien, avait l'air mécontent et boudeur, ce que remarquant sa fiancée, d'autorité, lui a ôté la laisse des mains, a prié son jeune frère de ramener le chien à la maison, a, ce faisant, mortifié davantage encore Eugène, qui n'a plus desserré les dents avant que d'émettre, sans chaleur, le oui rituel.

C'est mon chien, je t'interdis d'y toucher ! a-t-il craché au visage de sa femme dès que nous avons été sortis. Elle s'est fâchée alors, et mon fils et sa femme se sont disputés ainsi jusqu'à l'église, si contrariés l'un et l'autre que c'est tout juste s'ils ont consenti à se prendre le bras. Quelques grains de riz qu'avait lancés ma sœur, seule à y avoir pensé, demeuraient dans leurs cheveux, qu'ils ont secoués sur le porche avec des mouvements de tête irrités, perdus dans leur colère. Aussi ont-ils très mal écouté les bonnes paroles du vieux prêtre ; car ils se murmuraient à l'oreille les arguments de leur position. Auraient-ils d'ailleurs compris grand-chose à ce langage, qu'autour de moi peu de gens entendaient bien que chaque terme en fût simple ? Mais les phrases sont longues et nous avons oublié à la fin le propos du début, peu habitués à devoir fournir un tel effort de mémoire. Les invités, se relâchant après un premier moment de timidité, jacassaient sans contrainte, parlant de leurs espérances quant au dîner et s'excitant mutuellement l'appétit. Le bourdonnement de ces voix émoustillées arrivaient à couvrir les interminables périodes du curé qui, pas davantage que les sombres murs hauts de l'église, n'impressionnaient quiconque assez pour le garder en respect, et sans qu'il s'agît de notre part d'une volonté de provocation ou d'indépendance, mais, simplement, par ignorance, modération de notre éducation, rien ne nous touchait plus ici que l'ennui, la hâte d'en sortir pour des satisfactions plus matérielles. Mon fils et sa femme eux-mêmes n'avaient que faire de cette cérémonie. Ils y avaient sacrifié spontanément pour qu'on ne pût leur adresser le moindre reproche. Ils n'étaient ni troublés ni adoucis ni même irrités par ce que leur disait le prêtre, qui n'atteignait pas leur conscience. Mon fils probablement songeait à son chien. Ma bru peut-être évoquait certain service à poisson qu'on lui avait offert. Mon fils se tenait mal, appuyé sur une jambe. Nous avions autrefois le sens de la solennité. Mon fils et sa femme ont souri largement quand, au sortir de l'église, tout le monde, ou presque, les a photographiés. Très certainement ce sourire leur donnera l'air un peu niais, mais on se fût inquiété s'ils avaient su rester graves. Beaucoup de choses ont été exécutées de travers. Ainsi, c'est à cet instant que ma sœur aurait dû lancer le riz et non après la mairie. Nous avons le souvenir vague des traditions et le pli de les consacrer mais commettons des erreurs sans intérêt. Nous rions avec un peu d'embarras et, sur les photographies, montrons largement nos dents pour témoigner du bonheur de l'instant. Il ne nous importe plus de paraître majestueux, et l'on y verrait du ridicule ou de la froideur. Aussi mon fils et sa femme, s'embrassant pour qu'on les prît, l'ont fait avec une brutalité telle que mon fils a eu la lèvre fendue par les grandes dents de sa femme, mais, se fussent-ils embrassés avec douceur, on les eût jugés étrangement indifférents et eux-mêmes peut-être se seraient tracassés de ne pas manifester plus de voracité, auraient voulu trouver là peut-être l'illustration d'une vérité compliquée. Quelques gouttes de sang ont taché le col de mon fils, dont toute la mauvaise humeur l'a repris. Nous sommes lentement revenus à la maison où le vin d'honneur était servi, et aux invités se sont ajoutés de nombreux voisins que nous avions conviés à cette petite collation et qui nous attendaient patiemment devant la porte, bien que, normalement, la politesse leur eût commandé d'assister auparavant à la cérémonie de l'église et leur eût défendu, leur absence à l'église n'étant dictée par nul principe, de se présenter au moment de boire et de manger. Car, s'ils ne se sont pas dérangés plus tôt, c'est par paresse et crainte de l'ennui.

Mon fils a détaché son chien avec plaisir. Il a posé les pattes de son chien sur ses épaules et s'est fait photographier plusieurs fois dans cette attitude, la face hilare. Il est entré chez lui avec le chien, afin de le montrer. Il s'est amusé à essayer de l'enivrer, sans succès car le chien refusait le vin, et nous avons beaucoup ri de le voir éternuer chaque fois que le mousseux venait à lui frôler les narines. Je n'ai jamais vu mon fils aussi heureux qu'en compagnie de ce chien. Si, très souvent, sa femme et lui ont quelque difficulté à concevoir un sujet de conversation qui les intéresse tous deux, mon fils ne se passionnant guère qu'à propos de chasse et de voitures et peu de choses captivant sa femme hors ce qui touche à l'entretien de la maison, il semble que mon fils parvienne à discuter avec ce chien mieux qu'avec aucune autre personne, et sans jamais se lasser. C'est son chien que mon fils aurait dû épouser, et non pas une femme, car ont-ils rien en commun, ont-ils les moindres préoccupations semblables ? Mon fils aurait dû épouser son chien ou quelque ami de son sexe avec qui il eût parlé à l'infini de son chien. La femme de mon fils se moque bien de son chien ! Et les petites affaires domestiques de sa femme pèsent à mon fils, qui en supporte le récit par devoir. Qu'a fait mon fils après avoir agacé le chien ? Fatigué, il est allé s'étendre. De longues heures nous séparaient encore du dîner et les invités désœuvrés allaient et venaient par la maison, le jardin, certains ont commencé une partie de boules. Je me suis jointe au groupe que formaient mes sœurs et les autres femmes, dans un coin de la cuisine. Nous avons causé, paisiblement, de la famille, des maux de chacune, des remèdes à y apporter. Nous sommes tranquilles et résignées et ne nous plaisons véritablement qu'entre nous. Qu'un homme s'approche, il nous importune ; et, en sa présence, nous répugnons à parler de nous. Il s'éloigne rapidement, plein d'ennui à la seule vue de notre assemblée, où il est un intrus, où son corps se fait lourd et gauche, et s'en va retrouver les hommes au jardin ou dans la cour, qui, debout, s'entretiennent à voix forte de questions sans mystère, mains dans les poches, le ventre saillant, évitant tout sujet pouvant les faire soupçonner d'éprouver eux aussi, comme leurs femmes, quelque sentiment d'affection, ou de pitié, ou de crainte. Nous sommes demeurées assises un long moment, les poings dans notre giron. Seule notre bouche remuait ; nous pourrions rester ainsi des jours entiers, à ne pas bouger davantage qu'un champignon sur son arbre, car nous ressassons les mêmes propos sans dégoût, sans donner simplement l'impression que nous les avons déjà énoncés puisque, une fois le sujet bien clos, nous n'y ajoutons rien qui dérangerait les doctes considérations exprimées, et nous contentons de nous le renvoyer de l'une à l'autre comme une balle dure et lisse, nous faisant, disent les enfants, des passes, sans danger. Nous nous soucions peu d'éclaicir les problèmes : nous nous préoccupons de traduire les faits en jugements moraux. Nous avons à notre disposition de nombreuses phrases ou expressions composées par de lointains aïeux et qui trouvent à s'adapter à toutes les circonstances de nos placides existences. Nous nous comprenons parfaitement ainsi.

Mon fils s'est levé enfin, son beau costume tout froissé. Les choux à la crème que nous avions laissés du vin d'honneur, il les a donnés à son chien, malgré ma répugnance à voir gâter une bête de telle manière. Il a fait ensuite de nous tous et de son chien un nombre incalculable de photographies instantanées et nous nous sommes beaucoup divertis des étranges figures imprécises et rougies qui apparaissaient sur le papier épais, encore qu'il me semblât que c'était dépenser beaucoup d'argent pour un résultat ridicule. J'étais, en outre, un peu attristée que le mariage de mon fils s'éternisât d'une aussi médiocre façon ; car, pour limiter les frais, nous n'avions pas engagé de photographe, ce qu'à présent je regrettais, à découvrir combien ces clichés rendaient peu.

Ensuite, nous nous sommes voiturés vers l'auberge où nous devions dîner, à quelques kilomètres du village, au croisement des nationales. Les portières des voitures étaient enrubannées de tulle et mon fils a klaxonné tout au long de la route, surtout, je pense, pour se faire admirer dans la nouvelle auto de son parrain qu'il conduisait. J'ai constaté par-devers moi que, si le parrain de mon fils était trop à court d'argent pour lui offrir plus qu'un ensemble de brosses à chaussures, il était encore suffisamment riche pour s'acheter des housses de banquette en velours ras, qui sont parmi les plus chères, et pour s'être permis de faire installer une sonnerie d'alarme qui, tout à l'heure, nous avait effarés par un déclenchement malencontreux.

Le bruit de la route et la grande proximité des voitures interdisant qu'on flânât dehors, nous nous sommes engouffrés dans la salle du banquet où nous avons dû attendre encore qu'on finît de dresser les tables, gênant un peu de notre masse passive les serveurs qui, aigrement, nous reprochèrent d'être arrivés aussi tôt. Nous avions attendu beaucoup tout au long de la journée ; certains bâillaient, comme épuisés de torpeur. Les noces, chez nous, se déroulent ainsi, et tout ce qui précède le repas ne doit être qu'une longue épreuve d'endurance. Nous avions chaud ; la salle semblait basse et légèrement enfumée déjà, car donnant directement sur les cuisines d'où s'échappaient des effluves lourds. Il ne pouvait être question cependant d'ouvrir les fenêtres, à cause du vacarme. Mon fils a ôté veste et cravate et la plupart des invités ont fait de même. Quelques vieilles personnes avaient pris soin d'emporter une paire de chaussons. Après avoir tourné autour des tables disposées en forme de U, à la recherche du menu portant son nom, chacun s'est écroulé sur sa chaise avec un contentement bruyant, sachant qu'il ne la quitterait pas avant plusieurs heures et en éprouvant comme le soulagement d'avoir mis, enfin, la main sur quelque chose de tangible, de se sentir, enfin, récompensé des efforts et débours effectués. Nous avions combiné le menu en sorte qu'il parût copieux et raffiné mais fût composé d'éléments bon marché, dont les termes employés pour les décrire dissimulaient, nous pensions, la simplicité. Notre expérience des mariages nous avait enseigné que les invités sont exigeants, prompts à critiquer la maigreur d'un repas, quand même ce dernier aurait apaisé largement leur faim. Nous-mêmes avions tenu pour avare telle famille qui n'avait servi que quatre plats aux convives d'une noce. Nous voulions dépenser le moins possible mais que cela ne se vît pas. Car il est difficile de se défaire d'une réputation de pingrerie.

Nous avons entamé le repas avec un kir au vin blanc, mon fils et sa femme, assis au centre de la table transversale, buvant les premiers, sous les applaudissements et les vœux de bonheur. Ma bru, rouge, fatiguée, encore un peu fâchée contre mon fils, tacha de cassis son chemisier crème. Elle souriait avec difficulté, comme si ce mariage eût été pour elle une funeste obligation à laquelle elle n'avait su résister, alors que, je le savais, elle s'était fait une joie d'être l'actrice principale d'une telle cérémonie, qu'elle n'avait guère pu imaginer très différente de celle d'aujourd'hui, banale entre toutes. Mais le désagrément, l'ennui de cette journée, seraient oubliés dès le lendemain, dans la fierté de l'avoir organisée et d'avoir réuni autour de sa personne tant de gens qui, pour la première fois, avaient fait de mon fils et de sa femme les objets dominants de leur pensée. Je ne doutais pas que, par la suite, ma bru sincèrement verrait en cette journée l'une des plus heureuses de son existence.

Mon fils riait volontiers, quoiqu'il en voulût à sa femme et à moi de nous être opposées à son désir d'amener le chien au repas. Il soupirait parfois, tout en nous lançant des regards rancuneux. Mon fils avait les joues cramoisies ; et sa chemise à demi déboutonnée laissait entrevoir son maillot de corps à bretelles, tout humide de sueur, plissant sur son petit ventre rebondi que mon fils, lorsqu'il était satisfait, avait maintenant la manie de tapoter et de caresser, avec un visible plaisir.

On apporta les hors-d'œuvre : deux tranches de galantine à la pistache pour chacun, et une coquille de saumon sauce verte – du poisson bouilli, présenté sur une belle feuille de laitue et nappé de mayonnaise au poivre. On parla de l'après-midi qui venait de s'écouler, en se moquant du vieux curé dont certaines préciosités de langage étaient raillées comme des erreurs un peu ridicules, dues à son grand âge. La conversation s'est orientée vers la vieillesse, les hospices, la verdeur des anciens ici présents. On parla du prix des médicaments et des abus de la médecine. Quelqu'un s'est plaint de ses impôts élevés et divers moyens de fraude ont été évalués, on a cité des exemples fameux. On est revenu au repas, comme la viande arrivait : fondant de pintade sur nid de printemps, des petits pois un peu gros. Je me félicitais que la nourriture fût bonne, encore que chacun de nous ici mangeât certainement mieux chez soi, mais en moindre abondance. Nos mères ont élevé leurs filles de telle façon qu'à moins d'une incapacité naturelle nous ne puissions qu'être d'expertes cuisinières, connaissant les secrets de recettes difficiles, sachant depuis toujours les meilleures façon d'accommoder ce qui sort du jardin ou de la basse-cour. Cependant, la circonstance particulière de la noce abusait les esprits : il semblait que ce qui nous était servi dût être remarquable, à la mesure de la longueur de la carte, du petit prestige de cet établissement, de l'habit noir des serveurs. Pour ma part, ne trouvant rien que de très ordinaire à ce que j'avalais, un regret léger m'a saisie au souvenir du coût de ce repas, bien que nous l'ayons eu serré au plus près. Nous sommes ainsi faits. Jamais nous ne sortons au restaurant, crainte de devoir dire : c'est meilleur à la maison, et moins cher : et nous ne tirons le moindre plaisir de rien dans le sentiment de n'en n'avoir pas eu pour notre argent.

Un carré de porc aux lentilles a suivi la pintade, qui m'avait paru coriace. Quelques plaisanteries salées ont commencé à s'élever ici ou là. Un cousin, boute-en-train de la famille, préparait les réjouissances du dessert. Mon fils était rouge et gonflé, prêt d'éclater, et avait défait sa chemise jusqu'à la ceinture. N'en pouvant plus d'attendre, ce cousin s'est dressé et, passant auprès de chacun, a ordonné le jeu rituel, voulant qu'on se levât tenant un verre rempli, qu'on se l'appliquât en trois endroits du corps, puis qu'on le vidât d'un trait, les uns après les autres, sous les exclamations grivoises de toute l'assemblée. Nous avons fait comme il le commandait, bien qu'il nous ennuyât fort à interrompre ainsi le dîner. Mon fils riait aux larmes, hurlait plus haut que tout le monde, ayant aimé toujours ce genre de divertissements. L'air était si chaud et si chargé d'odeurs et de fumée, que des vertiges me prenaient. Quelques vieux dormaient déjà, écrasés par la touffeur et l'inaction. Nous avons eu encore du lapin aux olives, auquel presque personne n'a touché. On se plaignit complaisamment de l'énormité du repas. Vinrent fromages, glaces et pièce montée que mon fils et sa femme ont dû entamer quoiqu'ils semblassent tous deux au point de se trouver mal. Ma bru est montée sur la table afin qu'on se livrât au jeu de la jarretière. Une somme modique a été récoltée, compensée toutefois par la valeur des présents que mon fils et sa femme avaient reçus, qui, finalement, nous faisaient peut-être dégager de ce mariage un menu bénéfice.

## Chapitre 2. – CÉLESTE SÉJOUR.

Le supermarché que nous avait promis le maire et que nous attendions impatiemment, les boutiques ici étant rares et peu achalandées, vient d'ouvrir à l'entrée du village, dans le quartier des lotissements qu'il domine de sa masse considérable, haute et plate, qu'on peut distinguer, ainsi que les lettres gigantesques de son nom, de très loin dans la plaine, et qui désigne ainsi maintenant notre village aux voyageurs mieux et plus tôt que ne le font la pauvre girouette de l'église ou la grande croix de marbre érigée au centre du cimetière. Le bâtiment n'est, en définitive, qu'une sorte de hangar aux dimensions colossales, aux parois ondulées badigeonnées de bleu, précédé d'une vaste esplanade où sont garés voitures et caddies. Mais, à nous qui débouchons de la grand-rue bordée de vieilles maisons basses et serrées, ce local paraît si long, si vaste, si peu susceptible de pouvoir jamais être contourné (un véritable découragement s'emparerait de nous à l'idée de suivre à pied ne serait-ce qu'un de ses murs) qu'il nous semble être bien davantage qu'un entrepôt disgracieux, et nous le voyons un peu comme un château fantastique qui fait la fierté, nouvelle, de notre village, et constitue enfin pour d'éventuels visiteurs une raison de s'y attarder. Nous avons l'impression agréable et flatteuse qu'un important personnage est venu s'installer chez nous ; et nous en serions les sujets reconnaissants, fidèles, pour ce qu'il distrait notre ennui et facilite notre vie domestique, tout en nous amenant chaque jour des villages et bourgs voisins des foules plus nombreuses. Jamais, pour beaucoup, nous n'avons vu autant de monde à la fois. Peut-être notre village perdra-t-il bientôt son nom pour prendre celui du supermarché, tant les deux destinations sont maintenant confondues. Si cette hypothèse m'afflige, je suis trop satisfaite de la présence du supermarché pour ne pas m'y résigner rapidement. Mon fils, sa femme, mon mari et moi, ne pouvons nous empêcher d'y aller tous les jours, sous le moindre prétexte. Avec le chien, nous montons dans la voiture, bien que le supermarché ne soit guère éloigné de plus de trois cents mètres, et roulons lentement vers les lotissements en établissant avec soin le programme de la sortie. L'excitation nous rendant dispendieux, nous tâchons de nous raisonner, nous promettons de ne rien acheter que nous n'ayons auparavant fortement désiré, que nous ne soyons venus contempler plusieurs jours de suite, ce qui, plutôt qu'une contrainte, est une joie pour nous, en nous faisant retourner au supermarché dans la conscience d'une nécessité.

Nous arrêtons la voiture sur le parking, à notre place habituelle, parmi les dizaines d'autres véhicules dont nous nous amusons, pour retarder un peu notre plaisir, à lire à voix haute les plaques d'immatriculation. Comme, alors, nous nous sentons petits au pied du supermarché, et presque intimidés soudain ! Il s'étend à l'infini dans la plaine, jamais notre œil ne peut l'englober dans la totalité de ses proportions. Le son bref de son nom, peint en lettres orange plus grosses que notre maison, est à notre oreille comme celui d'une personne familière, tout particulièrement chérie. Il n'est d'ailleurs nul parent dont nous prononcions le nom avec autant de tendresse et d'espoir. Même son chien a maintenant pour mon fils moins d'intérêt que le supermarché. Mais le chien, depuis quelque temps, répond au nom du supermarché tout comme si on l'appelait lui, comprenant peut-être qu'il plaira ainsi davantage à mon fils.

A l'entrée du supermarché, nous nous séparons en nous donnant rendez-vous pour deux heures plus tard à la cafétéria du second étage, que nous préférons aux autres. Chacun s'empare d'un caddy immense et léger. Il s'en faut de beaucoup que nous ayons exploré le supermarché dans son entier et, désespérant parfois d'y réussir jamais, nous avons pris ce parti d'en prospecter chacun une région différente, avant de nous retrouver pour une longue description de ce que nous avons vu. Jamais nous ne nous croisons dans les allées. Quand il nous semble que nous nous sommes égarés, ou que nous nous sommes enfoncés si loin dans les claires profondeurs du magasin que nous craignons de n'avoir pas assez pour revenir du reste de notre vie, une peur panique fait battre notre cœur et nous sommes prêts alors, pour être sauvés, à jurer que nous ne remettrons plus jamais les pieds au supermarché. Cependant nous finissons toujours par retrouver notre chemin, et la route parcourue, finalement, n'est jamais si longue que nous ne puissions arriver à l'heure dite au lieu du rendez-vous. Ces effrois nourrissent plaisamment nos discussions. Mon fils et sa femme, de temps en temps, partent de concert, lorsqu'ils ont à choisir quelque objet indispensable à leur nouveau ménage. Ils achètent peu de choses, tant il est difficile de se décider. Désirant un lit neuf, ils se trouvent tout d'un coup face à une étourdissante quantité de lits de toutes sortes et de toutes matières, ne savent plus, à contempler une telle diversité, ce qui leur plaît, n'osent jeter leur dévolu sur aucun, pressentant qu'à peine ils auront tendu le doigt vers un modèle qu'un autre non encore aperçu les retiendra, qu'ils regretteront alors de s'être déterminés aussi vite. Je crains que ces tourments n'aient pas de cesse. Car si, rentrant à la maison, ils nous affirment avoir enfin fait le tour de tous les modèles proposés et pouvoir demain fixer leur choix en toute connaissance de cause, ils oublient que ce qu'ils ont examiné subira pendant la nuit d'étonnantes transformations et qu'ils découvriront au matin des modèles qui n'y étaient pas, d'une inimaginable conception, tentants, bouleversant toute résolution. Ils n'auraient pu se représenter qu'existent telle couleur, telle forme de cadre, tel curieux et séduisant matériau. Et, exigeant de tout connaître, ils repoussent chaque fois l'instant de s'engager, préférant encore l'énervement de cette incertitude à la haine amère que, très certainement, ils viendraient à éprouver pour l'objet élu dans ces conditions. Je redoute qu'ils ne se jettent un jour sur celui qui sera le plus éloigné de leur goût et leur coûtera le plus cher, quand leur bon sens sera brouillé tout à fait. Mais le supermarché a donné une orientation à leur existence, qui en avait besoin, et les a rapprochés l'un de l'autre plus sûrement qu'un petit enfant ou quelque chien aimé en commun.

Mon mari et moi ne nous aventurons jamais ensemble dans les rayons, n'étant pas attirés par les mêmes produits. Mon mari retourne presque à chaque fois du côté des outils, dont il découvre une multitude que jamais il n'aurait osé se figurer, dont beaucoup le déconcertent par un emploi auquel il ne s'était jamais avisé de penser, qui l'emplissent de l'agréable impression d'évoluer dans un rêve, où des désirs à peine formulés se réalisent sur-le-champ, dans la plus grande perfection. Il ne peut que rarement résister à l'envie d'acquérir certains instruments à l'usage pour lui fort improbable, mais que leur fonction inattendue, précise, limpide, rend soudain indispensables à ses yeux. Il lui semble alors avoir vécu jusqu'ici dans un aveuglement honteux, n'ayant jamais ressenti le manque de ce matériel conçu par un cerveau plus judicieux que le sien. Mon mari qui avait toujours aimé son travail, se prend à le maudire, car il ne peut se rendre au supermarché aussi souvent qu'il le souhaiterait. Et je crois que, le matin, lorsqu'il s'en va, mon mari souvent nous jalouse, nous qui allons partir au supermarché sans lui.

Quant à moi, la vision de tout m'enchante. Je me promène doucement par les allées dans l'émerveillement paisible d'une si harmonieuse profusion. J'ignore le plaisir des beaux-arts, n'étant entrée dans un musée de toute ma vie. Mais le spectaculaire empilement de milliers d'objets colorés me procure une émotion toute particulière, et, considéré des étages supérieurs, le quadrillage parfait, infini, des étagères tout en bas ! Des musiques à la mode sourdent continûment des murs ou du plafond, encore que ce dernier paraisse situé bien trop haut dans le ciel pour que des sons puissent en tomber jusqu'à nous. Il règne toujours dans le supermarché une délicieuse chaleur ; des parfums variés captivent l'odorat ; nous déambulons dans un sentiment de liberté éprouvé nulle part ailleurs à cette intensité, car, bien que des centaines d'inconnus circulent en même temps que nous par le magasin, l'espace est si vaste que nous rencontrons simplement juste assez de monde pour nous rappeler que nous ne sommes ni seuls ni perdus. D'autre part, les caisses sont si nombreuses (Cent ? Mille ? Davantage ?) que nous ne devons jamais attendre très longtemps.

Vers midi, nous nous retrouvons à la cafétéria, impatients de raconter ce que nous avons découvert ou de nous montrer nos achats. Nous nous asseyons chaque jour autour de la même table, près d'une grande fenêtre ouvrant sur la plaine, par laquelle nous voyons au loin un château d'eau moderne imitant la forme d'un gros champignon, des pylônes électriques aux longs bras tendus, l'autoroute bornée régulièrement par des panneaux publicitaires que nous jouons à déchiffrer et qui, lorsqu'ils concernent le supermarché, répandent en nous comme une fierté satisfaite. Nous nous nourrissons de côtelettes et de frites un peu grasses, rompant, ici, avec notre habitude de ne rien manger qui n'ait été préparé à la maison. Mais nous éprouvons alors un grand bien-être. Les nombreuses tables de formica brun se retrouvent vite occupées et, dans le bruit des voix, le choc des couverts, nous nous taisons bientôt, heureux quand nous reconnaissons quelque visage. Nous resterions là très longtemps à boire du café, observer la plaine, songer à nos prochains achats si, malgré tout, ne finissait par nous pousser dehors la honte de tout ce temps perdu. Nous retournons lentement vers la sortie, par le chemin le plus long. Nous ne comprenons plus comment nous avons pu nous passer du supermarché ; et nous plaignons nos aïeux : nous nous sentons plus forts, plus heureux et plus malins.

## Chapitre 3. — Ce qui change au village.

Depuis quelque temps, d'innombrables transformations affectent notre village (celui, plus précisément, de feu mes parents) qui le feront bientôt ressembler, non plus à un village traditionnel mais à un ensemble d'habitations que le hasard aurait groupées dans le même lieu, ou dispersées sans cohérence. Notre village n'est pas une petite ville, ni même un bourg. Mais peut-on encore l'appeler village ? Du centre où se tient l'église ont disparu maintenant boucher, charcutier, épicier, boulanger, et leurs vitrines barbouillées de blanc servent de support, à présent, aux affiches publicitaires hâtivement collées, négligemment arrachées, que nous voyons fleurir depuis peu, vantant les avantages de magasins situés à la ville la plus proche, où la plupart de nous n'allons guère. Si nos commerçants ont fermé boutique, la faute, bien sûr, nous en revient à tous. Je ne les regrette pas pour ce qu'on trouvait chez eux, que le supermarché propose en quantité supérieure et à moindre prix. Mais quand, le matin, nous suivons la grand-rue, la tristesse désolée de ces boutiques closes, du trottoir où nul ne s'arrête plus, n'en voyant pas la raison, m'étreint péniblement, et je ne sais plus alors ce que je dois préférer. Notre boucher, devenu employé municipal, travaille maintenant à rassembler les poubelles. Ne devrions-nous pas avoir honte, me dis-je, de le voir s'occuper ainsi ? J'évite de croiser son regard, bien que, convaincu de la fatalité de la situation et résigné dans son nouvel emploi, il prenne peut-être mon embarras et ma pitié pour une forme de mépris. L'église elle-même est fermée plus souvent qu'ouverte, notre curé visitant plusieurs villages à la ronde. Aussi personne n'a-t-il plus le moindre motif de diriger ses pas vers cette place morte, cette grand-rue déserte, et le village privé de son cœur paraît déborder mollement de tous côtés, dans une sombre indifférence. Le voilà aujourd'hui entouré de lotissements poussés ici et là sans grand esprit d'ordonnance, où nous, vivant dans la partie ancienne, sommes assurés de nous égarer, tant les maisons se ressemblent (ne s'agit-il pas d'un modèle unique multiplié à l'envi ?). Nous connaissons peu les habitants de ces nouveaux quartiers ; il nous paraît parfois qu'eux aussi sont identiques les uns aux autres, sans que des éléments précis puissent cependant nous faire expliquer facilement une telle impression. Est-ce parce qu'ils se promènent, se rendent au supermarché uniformément vêtus de pantalons et chaussures de sport, souvent rose vif pour les femmes, et que nous ne sommes pas habitués à voir sortir nos voisins dans ce genre d'accoutrement ? Ou bien est-ce que, habitant des maisons que rien ne différencie, des attitudes communes finissent par les imprégner tous, qui nous causeraient ce sentiment déroutant de rencontrer toujours la même personne reproduite, comme les maisons, plusieurs dizaines de fois ? Il est certain qu'il y a là quelque chose d'exceptionnel, que je n'arrive à élucider. Mon fils et ma bru m'ont beaucoup surpris, récemment, en prétendant soudain vouloir aller vivre dans l'une de ces maisons, une fois vendue celle-ci qu'ils trouvent vieille et incommode. Vendre la maison de l'aïeule ? me suis-je récriée, ce à quoi ils n'ont osé répondre. Mais ce n'est que partie remise car, sachant pourtant qu'elles ne valent pas pour le charme et la qualité la demeure de l'aïeule, ces maisons les attirent par la modernité de leur apparence, et comment pourrons-nous lutter contre cette séduction, quand mon fils et sa femme trouvent aux jardinets plantés de marguerites, ornés de nains et d'un faux puits, plus de cachet qu'à leur jardin potager, qu'ils répugnent à cultiver ? Ils ne se fourvoyent pas moins, tout autant que nous, dans ces nouvelles rues qu'ils aiment à parcourir le dimanche, malgré le hurlement continu des chiens qu'un moindre bruit excite à gueuler. L'aïeule elle-même reconnaîtrait-elle encore son village ?

Le cafetier a cessé de distribuer la presse, ainsi qu'il avait coutume de le faire. Voulant rajeunir l'aspect de son établissement, il a recouvert de gris clair les murs crème, changé le mobilier de bois verni pour des tables et des chaises de métal gris, et de la musique forte, brutale, s'écoule maintenant jusque dans la rue, incommodant les vieux qui, pour discuter, jouer aux cartes, à leur vif regret ne se réunissent plus au café mais dans la vaste salle municipale où, au milieu, une table a été dressée pour eux, petite et perdue dans ce grand espace vide. Il est à craindre que le café ne ferme à son tour, les jeunes gens des lotissements n'y venant guère : ils préfèrent, comme nous, les cafétérias du supermarché, et nous nous y rencontrons parfois sans toujours nous reconnaître. En vérité, notre village évolue maintenant si vite qu'il nous semble qu'une main invisible s'amuse à le modifier à notre insu, mais avouer que nous sommes tous responsables de ces avatars serait plus honnête, et pourtant un mouvement puissant nous entraîne, qu'il serait, inclinons-nous à penser, vain de contrarier, d'autant plus que nous savons en tirer profit.

Nous sommes allés, ce dernier dimanche, faire visite à la cousine de mon mari qui, dans un hameau tout proche, dirige avec son époux une ferme importante. Eugène s'enchantait, aimant depuis son enfance les promenades à la ferme. Nous avons passé le supermarché et, surpris, avons été rendus presque aussitôt : jamais encore nous ne l'avions longé jusqu'au bout, et de nous apercevoir que l'extrémité de son bâtiment touchait presque à la demeure de notre cousine, qu'il devait assombrir, lui cachant le soleil, nous a profondément troublés, bien qu'en un certain sens nous nous en soyons réjouis également comme d'un lien direct entre elle et nous. Par ailleurs, si le supermarché lui prodiguait les mêmes félicités qu'à nous, nous ne pouvions qu'être ravis pour elle d'une telle proximité. Mais Eugène était contrarié que le chemin jusqu'à la ferme fût à présent si différent de celui de son enfance, quand, depuis le village, il la repérait sur un côté de la route plate, tortillonnante, et la voyait grossir peu à peu, sans la quitter des yeux, sur l'immense champ de betteraves égal et ras. Non seulement le supermarché l'empêchait de la distinguer de loin, comme autrefois, mais il lui dissimulait le large panorama de la plaine, qui donnait à ces trajets leur charme doucement mélancolique. Mon fils, dans sa déception, se retenait de pleurer. Comme je voyais briller ses yeux, je l'ai rabroué pour sa sensiblerie, gênée que notre cousine pût deviner de quoi il s'agissait.

Nous nous sommes tous assis dans la cuisine, autour d'une assiette de gâteaux secs et d'un petit vin pétillant et sucré dans lequel on trempait les biscuits. Les cousins souriaient de contentement, recevant peu de visites. La pièce était immaculée, chaque objet à sa place, les meubles lustrés, l'évier briqué puis essuyé en sorte qu'aucune goutte ne subsistât (et il fallait, entre deux repas, pour ne pas mouiller un évier si bien séché, aller se servir au robinet de la cour), une légère odeur d'eau de Javel flottait. La porte était ouverte sur la cour, dont le cousin venait de faire recouvrir le sol d'une couche de ciment, mieux adapté que la terre et le gravier aux énormes roues de ses machines. La cousine n'élevait plus de bêtes. Ils n'avaient gardé que leur vieux chien, qui se prélassait sur le ciment tiède. La cousine s'était séparée jusque de ses lapins. Il n'était plus intéressant, expliquait-elle avec regret, de dépenser pour leur entretien. Oh, on est plus tranquille ainsi... Lentement, elle poussait les miettes sur la toile cirée, tandis que le cousin croisait les mains sur son ventre, dans un geste de résignation satisfaite. Nous parlions peu, par phrases brèves. Nous écoutions l'horloge, lançant, quand elle sonnait, un « déjà ! » de circonstance. Mon fils se leva, sortit en disant qu'on le trouverait à la grange. La cousine confia qu'ils avaient acheté au supermarché un nouveau téléviseur. Nous sommes allés le contempler dans la chambre, où il trônait au pied du lit. C'était un bel appareil moderne, si gros qu'on le remarquait avant toute chose dans la pièce étroite, et la cousine l'alluma afin de nous faire admirer la vivacité des couleurs. Mollement, nous sommes restés plantés devant une heure environ, sans manifester pour ce que nous regardions une véritable attention ni de grande curiosité, mais ne voyant pas la nécessité de retourner à la cuisine et ne sachant prendre la résolution d'éteindre. Nous nous sommes secoués quand ma bru a dit : Allons donc voir ce que fait Eugène, et la cousine interrompit la télévision avec un soin prudent.

Mon fils s'était dirigé vers le bâtiment, au fond de la cour, où, enfant, on avait installé pour lui une longue balançoire, suspendue aux poutres et volant au-dessus des bottes de foin que le cousin remisait là. La balançoire était demeurée et Eugène, coincé sur la petite planche, allait et venait vigoureusement, le visage grave. La grange était vide, les cousins n'ayant plus besoin de foin. Et le souffle d'Eugène résonnait fortement, et le grincement des anneaux de métal, tandis que nous le suivions des yeux en silence, dans la persistante odeur d'eau de Javel qui régnait ici aussi. Eugène lança des cris pour éprouver l'écho. Qu'on vît se distraire mon fils de telle manière m'incommodait beaucoup et je jetais aux cousins des regards à la dérobée, mais ils considéraient Eugène d'un œil placide, jambes écartés et bras croisés comme dans la chambre tout à l'heure, et l'on eût pu se figurer, tant leur expression était dépourvue du moindre sentiment, de la moindre critique, qu'ils ne le voyaient pas davantage qu'une émission sans intérêt pour eux, devant laquelle ils se fussent attardés par paresse. Ma bru, tout autant fâchée que moi, sortit de la grange. Nous nous sommes ébranlés derrière elle, et le cousin a proposé de nous montrer ses machines. Mon fils, lui, ne voulait pas descendre, aussi l'avons-nous laissé bien qu'il nous en coûtât de lui permettre de nous faire honte ainsi. Nous avons traversé la cour jusqu'au hangar, nos talons claquant sur le ciment. Il ventait violemment, nous avancions courbés, dans la cour rien ne bougeait.

## Chapitre 4. – La trahison de Georges.

J'avais remarqué, depuis quelque temps, l'intérêt que mon mari semblait porter à une jeune caissière du nouveau supermarché, et je m'en étais étonnée car, dénuée de toute joliesse, elle s'emparait de nos marchandises d'un air morne ou ennuyé, ce qui me fait penser maintenant qu'elle devait obéir en cela aux consignes de mon mari désireux sans doute, avant que l'affaire fût consommée et afin de se donner le loisir de me revenir comme si de rien n'était pour peu que l'histoire eût mal tourné, d'éloigner tout soupçon de mon esprit, mais qu'il s'arrangeât chaque fois pour nous faire attendre devant cette caisse suffit à me convaincre de son attirance pour la femme, ainsi que des retours brusquement différés, un horaire modifié soudain. Du reste, je ne m'en préoccupais guère, n'étant pas irréprochable moi-même. J'étais ennuyée seulement qu'on pût l'apprendre au village. Je craignais la maladresse de mon mari, dont j'aurais préféré organiser les rendez-vous à sa place, m'estimant plus futée. En vérité j'avais, d'une certaine façon, méconnu les capacités d'attachement de mon mari, et dans la contrariété et le grand souci au sujet de l'avenir où je me trouve à présent plongée, je ne puis m'empêcher d'évoquer avec regret ce qu'aurait été, peut-être, notre existence si, dès le début, j'avais su deviner cette qualité de mon mari, ou si j'avais été différente assez pour que cette qualité se soit éveillée tout naturellement en ma compagnie. Car, au fait de son aventure avec la femme maussade, j'avais manifesté une aimable condescendance et n'avais éprouvé qu'un mécontentement léger, causé par son peu d'aptitude à une discrétion de bon aloi.

Un après-midi, m'approchant de la fenêtre, j'ai vu passer rapidement la voiture de mon mari, et aperçu à son côté la caissière du supermarché. Un peu plus tard je me suis rendu compte que mon mari avait emporté tout son linge, plusieurs chemises, ses belles chaussures des jours de fête. Confondue, je suis restée assise un long moment sur notre lit, puis je me suis précipitée au supermarché où j'ai obtenu le nom et l'adresse de la femme : elle habitait une maison du lotissement. J'ai trouvé là son mari, ses enfants, qui étaient encore à l'attendre pour le dîner, et quand, prenant l'homme à part, je l'ai eu instruit de ce qui venait d'arriver, il est entré dans une telle colère contre ma personne que je me suis enfuie, sous les hurlements du chien qu'il a menacé, si je revenais, de lâcher à mes trousses. Je me suis dit alors que nul au village n'aurait, autrefois, réagi de cette manière, et me suis prise à déplorer semblable dégradation des conduites. Puis j'ai tourné longtemps dans le lotissement, déjà honteuse à me représenter la façon dont le village allait bavarder sur notre famille.

Quelques jours plus tard, ma bru s'est emparée de la place vacante au supermarché, et s'est gonflée de cette importance.

## Chapitre 5. – UNE PROMENADE AU BOIS.

Non loin du village se dresse encore un bouquet d'arbres entre deux champs, épargné pour n'avoir été un obstacle à quelque intérêt que ce soit. Il nous arrivait autrefois d'y aller passer les après-midi d'été, bien que la frondaison soit clairsemée et protège mal des grosses chaleurs, mais plus jamais nous ne pensons à nous promener de ce côté, tant la route qu'il faut suivre, naguère tranquille, est empruntée maintenant, tant le petit bois a été rogné. Aussi ne puis-je comprendre à présent ce qui m'a poussée à porter mes pas dans cette direction, ayant d'ailleurs l'esprit occupé par de graves problèmes (occasionnés par la fuite de mon mari et le dénuement dans lequel il m'a laissée). Car il y avait bien des années que je n'étais allée là-bas ; ce qui m'incline à croire cette fois que le destin – et nulle volonté de ma part, nul hasard – m'a entraînée ce matin-là.

J'ai marché au bord de la route à vive allure, les épaules enserrées dans mon châle, sans prendre la peine de me déranger quand une voiture arrivant derrière moi klaxonnait pour que je descende dans le fossé, et je sentais alors, sans en connaître la raison, qu'il fallait que je me hâte, ou je serais bien coupable.

Une brume épaisse voilait l'orée du bois, qui m'a semblé propice. Dans les champs alentour, des tracteurs allaient. Je me suis jetée dans le bois, indifférente aux taillis, afin de gagner rapidement certaine clairière où nous avions eu l'habitude de nous rendre, où, comme c'était le seul endroit pouvant servir de repère, il fallait certainement que je me transporte en premier lieu, plutôt que de tourner dans les fourrés à la recherche de ce que je ne savais encore. Bientôt, une apparition m'a guidée, me confortant dans ce choix : au bout du chemin, le visage modifié de ma nièce Fanny souriait, ondulant, au cœur d'un halo rosâtre, et, comme je me pressais en soufflant bruyamment, reculait, paraissant bondir, puis, pour m'encourager, souriait davantage, d'un air aguicheur. J'avais reconnu Fanny bien qu'elle fût fort différente de ce qu'elle avait été et que, précisément, plus rien ne la distinguât, ainsi que nous avions souhaité qu'elle fût autrefois, sans succès tant était mauvais le fond de sa nature. C'est du reste, voyant ce visage transformé que je l'ai suivi sans réticence. Car, si je l'appelais encore Fanny, je n'avais rien à reprocher à ce visage-là, auquel je parvenais même à trouver une vague ressemblance avec le mien, qui présente les traits typiques des visages de notre famille. Epuisée, j'ai atteint la clairière. Une forme recroquevillée reposait au milieu, sur les crocus naissants, de la même teinte blanchâtre et, comme je m'approchais, d'un aspect aussi lisse et mat que les jeunes corolles de crocus. Je me suis agenouillée, l'ai secouée doucement et Fanny s'est éveillée, aussitôt frissonnante. Aussi je l'ai enveloppée de mon châle, quoiqu'il fût tout humide de rosée, mais il s'agissait de couvrir la nudité de ma nièce qui déjà faisait monter le rouge à ses joues, à peine s'en était-elle aperçue.

— Tante Colette, a-t-elle murmuré les yeux baissés, puis-je t'appeler ainsi ?

— Comment nier que je suis ta tante ? ai-je répondu.

— Mais ne l'es-tu pas davantage maintenant ?

— Telle que je te vois, tu es parfaite, ai-je dit avec conviction.

Le visage de ma nièce a paru se dilater de plaisir et je l'ai trouvée alors extrêmement jolie, au moins autant que ses cousines qui avaient perdu un peu de leur fraîcheur tandis que le teint de ma nièce rayonnait ce matin au point de sembler colorer d'un léger reflet ma paume qui se tendait vers elle. Je lui ai dit de s'accrocher à mon cou, l'ai hissée sur mon dos, et j'ai quitté le bois ainsi chargée. Je me suis dépêchée tout au long de la route, soucieuse de ne rencontrer personne de connaissance : on avait, ces derniers temps, parlé suffisamment de la famille pour que je tinsse à me garder dans la plus grande discrétion. Tante Colette, suis-je pardonnée ? chuchota Fanny à mon oreille. Mais, ne sachant que répondre, je me taisais. Tante Colette, ton silence me fera mourir une nouvelle fois, insista-t-elle. Et je me suis cru ce devoir envers ma nièce de lui assurer que je ne voyais pas la moindre raison pour qu'elle ne rentrât pas dans la famille, encore, mais je ne le lui ai pas dit, qu'un retour aussi exemplaire ne nous mît pas à l'abri d'autres transformations, qu'elle dût par conséquent s'attendre à ce que du temps s'écoulât avant de capter ma confiance. Apaisée, elle a serré mon cou avec vigueur. Je l'ai portée jusque dans notre chambre, sous le regard ébahi d'Eugène qui, seul à la maison, comme toujours bayait aux corneilles devant l'écran de télévision. J'ai fait s'étendre ma nièce, puis je suis sortie en fermant soigneusement la porte, après lui avoir promis de revenir bientôt.

— As-tu reconnu ta cousine ? ai-je demandé à mon fils. C'est pourtant elle !

— Elle est bien changée, s'étonnait Eugène.

— Elle est maintenant selon notre désir, ai-je dit fermement.

— Ainsi, je l'aurais peut-être épousée, marmonna-t-il, mais, outrée, je le réprimandai, en ajoutant que nous devions encore nous méfier de Fanny cependant, qu'elle pouvait reprendre ses mauvais penchants et redevenir la honte de notre famille sans que, une fois que nous l'aurions admise, nous fussions à même de nous débarrasser d'elle facilement. Puis, songeant à la joie de ma sœur, j'entrepris de lui téléphoner.

SEPTIÈME PARTIE

# RÉCIT DE FANNY

## Chapitre 1. — MON ENTRÉE DANS LA VIE.

Comme je me trouvai soudain remplie d'assurance, et ne craignant véritablement plus rien, protégée que j'étais par la transmutation de mon apparence, ma première initiative consista à prendre le train pour la capitale afin d'en ramener Georges qui, si je l'avais autrefois méprisé et malmené, si j'avais voulu le dissuader de penser à moi, pouvait maintenant, calculais-je, figurer à mes côtés, au village, comme un compagnon correct, sa détestable particularité n'ayant plus le pouvoir de m'humilier en faisant remarquer à quel point nous nous ressemblions, et celui peut-être de mettre en valeur ma très satisfaisante nouvelle personne. Tante Colette, d'ailleurs, n'avait-elle pas souhaité me voir poursuivre durablement ma relation avec Georges ? Il m'arrivait de songer avec pitié aux tourments que Georges subirait peut-être dans notre village, ainsi que moi-même en avais souffert autrefois, et à la froideur silencieuse de la famille qui pouvait me presser sur son sein heureuse et fière de me retrouver, tout en n'accordant pas un regard au malheureux Georges. Cette perspective ne me causait véritablement nul plaisir. Mais je n'envisageais pas de renoncer à Georges pour si peu, me sentant très attachée à lui maintenant qu'il ne me nuirait plus et, surtout, impatiente de montrer à

Tante Colette que j'entendais dorénavant lui obéir en tous points. Nous pouvions d'ailleurs espérer que, tout comme moi, Georges, au contact prolongé des habitants du village et des membres de notre famille, en arriverait à perdre cette singularité qui n'était, aux dires de Tante Colette, que l'émanation d'un tempérament présomptueux, bien qu'elle nous fût venue sans que nous l'appelions et, pensais-je, par la faute de nos parents plutôt que par la nôtre. Je souhaitais de tout cœur que pareil bonheur survînt à Georges ; cependant, comprendrait-il jamais la nécessité d'un tel abandon qui n'allait pas, je me le rappelais, sans un pénible sacrifice de soi-même, et jamais ne s'obtiendrait à moins de le désirer si fortement qu'on fût prêt pour cela à mourir ? Or, qui peut être sûr de revenir ? A quoi le devais-je, sinon peut-être à la compassion du destin, à la miséricorde de Tante Colette ? Il me semblait prévoir, à considérer l'obstination de son caractère, et sa grande beauté physique, que Georges jamais n'éprouverait assez de honte ni de dégoût de sa personne, jamais assez l'invincible désir de complaire à Tante Colette, pour se résigner à l'abdication de ce qui, somme toute, là où il vivait, devait ajouter à sa séduction, et que ses père et mère lui avaient transmis avec une naturelle et simple fierté. Qu'on pût soupirer après cette conversion, s'il parvenait même à s'imaginer de tels sentiments, sans doute lui paraîtrait bien méprisable, réfléchissais-je en rougissant, quoique ne voulant admettre, tant je respectais le village et ma propre famille, que Georges eût raison.

Je me présentai au foyer de Georges, me fis ouvrir par sa mère et pénétrai dans l'appartement avec confiance, soulagée pourtant de constater que les fillettes n'y étaient pas. Raide et muette, la mère m'indiqua poliment un siège ; Georges fit : « Tiens ! », à peine surpris. Il sembla content de me voir, m'embrassa, me tapa sur l'épaule tout en me félicitant d'être venue, et c'est à ces manifestations de gaieté spontanées, à la calme urbanité de la mère, que je m'aperçus de cette circonstance : Georges ni sa mère ne remarquaient en moi le moindre changement. D'abord dépitée, je m'en réjouis rapidement, ayant redouté au fond qu'ils me jugeassent avec une sévérité telle qu'il ne me fût plus resté qu'à partir sans avoir ouvert la bouche, et je me contentai de prier silencieusement pour qu'ils fussent jamais les seuls à s'aveugler ainsi. Comme je sus me montrer chaleureuse et humble, la mère se détendit, qui ne m'avait témoigné quelque froideur qu'au souvenir de la façon discourtoise dont je leur avais faussé compagnie la fois précédente. Et sa reconnaissance fut grande quand j'exprimai le souhait de m'en revenir au village accompagnée de Georges. Je promis que Georges trouverait sans difficulté une place au nouveau supermarché de notre village. Ils en furent ravis, car Georges chômait depuis longtemps déjà. Il courut préparer son bagage et la mère pleura un peu, appuyée sur mon épaule. Elle continuait de m'appeler par mon ancien prénom, que j'avais oublié avant qu'elle le prononçât de nouveau comme si, toujours, elle l'avait tenu au chaud dans un coin de son esprit et n'avait attendu que de me revoir pour se donner le plaisir d'articuler ces trois syllabes, avec une insistance heureuse. Elle demanda des nouvelles de mon père et s'attendrit que je ne répondisse pas, voulant me croire émue. Et la mère s'accrochait ainsi à mon cou, frottait ma peau de son nez humide, sans rien percevoir de ce qui désormais m'éloignait à jamais des parages aimés et regrettés d'où elle était venue, que Tante Colette avait exigé de moi. Si je n'avais été convaincue, à la bienveillance avantageuse de Tante Colette, de la perfection de ma métamorphose, le manque de discernement de Georges et de sa mère m'eût accablée : tandis que je le mettais au compte d'une naïveté honnête incapable de concevoir semblables désirs.

La mère vérifia le sac de Georges, ses larmes coulant de plus belle. Georges s'efforça de ne pas pleurer et, après qu'elle nous eut encore retenus afin que nous emportions du chocolat et quelques bananes, nous nous sauvâmes en hâte. Nous l'entendîmes jusqu'au bout de la galerie se lamenter de ce qu'elle n'avait pu offrir à Georges nul petit objet la rappelant à son souvenir, mais elle ne possédait rien, dans son appartement moderne, qui eût pu convenir, ayant acquis les rares bibelots disposés sur les étagères ou sur le poste de télévision au supermarché tout proche, où les voisins s'étaient fournis également. Georges se désolait de partir sans avoir embrassé ses sœurs. Je lui jetais des regards en coin, étonné de le trouver si beau quand il m'avait dégoûtée récemment encore, et attribuant ce déplacement de perspective à la certitude qui m'habitait maintenant, qu'on ne nous prendrait plus pour frère et sœur ou, pis, pour une seule et même personne. Je tâchai de le consoler : sa famille, dis-je, viendrait nous voir au village. Je songeai cependant que si la présence de Georges, au lieu qu'elle fît rejaillir sur moi l'indignité de sa physionomie, rehausserait ce qu'il me fallait bien appeler ma propre assomption, ou mon achèvement total et parfait, je ne devais peut-être pas aller jusqu'à espérer que les visites de sa famille produisissent un effet analogue, mais craindre plutôt qu'elles le détruisissent, en faisant juger suspectes de telles relations et douter de la réalité de mon nouvel aspect. Et, bien qu'il fût absurde d'en douter seulement, ne pourrait-on venir à le nier, puis, en toute sincérité, à ne plus le voir ? Je pressai le bras de Georges avec remords. Maintenant, dis-je d'une voix enjouée, allons saluer ma mère.

Qui est là ? cria-t-elle lorsque j'eus sonné chez nous. Elle s'approcha doucement de la porte et souffla, par le trou de la serrure : Fanny, ma pauvre fille, il m'est impossible de t'ouvrir.

Ta tante m'a prévenue, je sais donc ce qu'il en est de toi à présent et mon regard, vois-tu, ne le supportera pas. Pourquoi as-tu rompu ainsi avec tes parents ? Que dirait ton père ? Ah, j'aime encore mieux souffrir de ne pas te voir !

Abasourdie, je ne dis mot. Nous entendîmes ma mère s'écarter de la porte dans un long soupir, revenir vers le salon, puis des chuchotis indistincts et brefs. C'est parce qu'elle n'est pas seule, m'écriai-je avec colère, et qu'elle a honte de se montrer ! C'est plutôt cela ! Que de mensonges ! Je frappai violemment tout en conjurant ma mère de venir m'ouvrir, mais nul bruit n'était plus perceptible, aussi je me lassai, quoique fort humiliée, et entraînai Georges au-dehors, jurant que Tante Colette ne laisserait pas passer une telle inconvenance.

## Chapitre 2. – AMÉNAGEMENTS.

Mon retour avait provoqué bien du remue-ménage, à mon insu. Plusieurs décisions d'importance furent prises en toute hâte ; cependant, comme elles semblaient satisfaire au plus haut point les intéressés, je pus ne pas en éprouver d'embarras et considérer même que ma soudaine irruption favorisait l'accomplissement de projets caressés depuis longtemps. Ainsi, Eugène et sa femme s'appuyèrent sur le prétexte que nous devions, Georges et moi, trouver un logement, pour s'en aller habiter une maison du lotissement et nous abandonner celle de l'aïeule, qu'ils n'aimaient guère. En contrepartie, nous gardions avec nous Tante Colette que le départ de l'oncle Georges avait dépourvue de tout moyen de vivre.

Georges fut tout de suite employé au supermarché, à réunir

les caddies essaimés sur le parking, ce qui l'obligeait à courir de droite et de gauche et, par conséquent, ne lui déplut pas, car il avait du goût pour le sport. Quels étaient les sentiments de Tante Colette dans une telle situation ? Se trouvait-elle gênée d'être à notre charge ou bien le voyait-elle comme un honneur pour nous, ou comme une circonstance naturelle de l'existence, étant ma tante et, déjà, quelque peu âgée ? M'était-elle reconnaissante de mon empressement quotidien à veiller qu'elle ne manquât de rien ? Et, malgré tout, m'aimait-elle comme sa nièce, consciente de ce devoir envers la fille de sa sœur, ou simulait-elle, ne pouvant éprouver rien de semblable ? Qui avait créé Tante Colette, capable de répondre à ces questions ? Il suffisait que je me trouvasse éloignée de Tante Colette pour que le mystère des effets sur moi de sa simple existence m'exaspérât au point de me pousser à rentrer immédiatement auprès d'elle, où sa présence, décevante, ne m'était d'aucun enseignement. Quel était le lien réel de Tante Colette avec ma personne, n'était-elle donc que ma tante ? Voilà ce que, peut-être, nous pouvions mourir sans savoir jamais.

Georges et moi, d'un accord tacite, décidâmes que Tante Colette conserverait la direction des affaires de la maison, où nous nous comporterions en hôtes respectueux. La chambre de l'aïeule et le salon furent sacrifiés à son seul usage. Sur sa demande, nous les fîmes retapisser d'un papier à grosses fleurs mauves sur fond violet, achetâmes au supermarché, à crédit, une chambre à coucher complète, de style rustique, qui emplit la petite pièce et dont je nettoyai chaque matin les décorations en relief à motif d'entrelacs, la poussière s'y nichant avec un soin particulier. Cette acquisition nous endetta profondément. Cependant nous ne pouvions envisager de faire moins pour Tante Colette : qu'elle nous permît de vivre sous son toit (encore que les difficultés de sa propre situation ne l'autorisassent guère à se passer de nous), nous considérant ainsi, Georges et moi, comme point déshonorants pour elle ni pour la famille, bien que mon récent état ne dût me faire redouter nulle avanie maintenant, ne lui serait jamais assez payé, estimais-je avec foi.

## Chapitre 3. – UNE VISITE.

Comme la coutume exige la présentation de son fiancé aux parents proches par celle qui se trouve au moment de s'établir, je me rendis avec Georges chez un couple de cousins habitant une ferme voisine, en vérité dans l'intention première d'étudier leur réaction et d'en tirer les conséquences appropriées. Nous apportions une brioche au beurre confectionnée par Tante Colette, qui avait approuvé la démarche. Georges se sentait intimidé ; car il commençait à se rendre compte que la sympathie de la famille ne lui serait pas allouée à la seule mesure de ses qualités, d'ailleurs flagrantes, mais qu'il lui fallait espérer que n'atteignît pas la conscience inflexible des cousins, braves gens, certaine particularité dont il n'avait eu jusqu'alors que très peu à se soucier – espérer qu'ils ne vissent rien, même s'il était impossible que cela échappât au regard le moins perçant. Mais le changement évident de mon aspect, Georges et sa mère n'avaient-ils pas omis de le voir ? A ce propos, Georges persévérait dans son aveuglement, aussi étonnant que cela puisse paraître. A l'infortune que représentait ici sa nature et dont il ressentait de plus en plus les effets, il m'associait avec une compassion tout empreinte de délicatesse. Et si, ennuyée pour lui, je tentais de le tirer de son erreur, il ne me plaignait que davantage, sans chercher à pénétrer, par ménagement, la raison de ces toquades. Il n'était donc pas insensé d'escompter que les cousins ne remarquassent pas chez Georges ce qui les refroidirait certainement s'ils voulaient le voir et qu'ils ne pouvaient néanmoins manquer de voir.

Ils nous accueillirent avec une affabilité un peu détachée, une légère tristesse. Car leur vieux chien venait de mourir, dernière bête de la ferme. Ayant préparé des biscuits qui ne se conserveraient pas, la cousine se trouva embarrassée de la brioche. Il fallait la manger pourtant afin de faire honneur à Tante Colette. Et nous nous assîmes tous quatre autour de la table de la cuisine, elle se releva pour aller chercher, lasse (descendre à la cave !), un mousseux bien frais. Aucun n'avait manifesté à ma vue le moindre étonnement. Ils découvrirent Georges sans avoir l'air de le regarder seulement, et me félicitèrent, souriants, de quelques phrases machinales, n'attardant jamais sur mon visage ni sur celui de Georges le regard de leurs yeux vidés.

Savaient-ils bien qui j'étais ? me demandais-je avec inquiétude, tant était grande leur indifférence, tant semblait affaibli leur souci de la famille. Loin, comme j'en avais envisagé la possibilité, qu'ils fussent heurtés par l'apparence de Georges, mais loin aussi qu'ils s'aperçussent du changement de ma présentation ou qu'ils me vissent comme autrefois, les cousins posaient sur nous l'œil impersonnel et courtois qu'ils eussent porté sur des étrangers dont les affaires ne les concernaient pas, dont il eût été vain de se fatiguer à juger quoi que ce fût de la personne. Ils me reconnaissaient cependant, citant mon prénom, s'informant de la santé de ma mère et de celle de Tante Colette. Ah, ils se moquent de la famille, malgré tout ! dus-je convenir avec stupéfaction. N'était-il pas de plus en plus clair que si les cousins ne réagissaient d'aucune manière à l'étrange figure de Georges, à mon allure adéquate, c'est qu'il leur importait fort peu que Georges pénétrât ou non dans la famille, et tout aussi peu que j'apparusse à présent, de cette famille, comme un membre parfait ?

Tout vous est-il donc devenu égal ? ne pus-je m'empêcher de m'écrier au moment où la cousine revenait de la cave. Ne comprenant pas, ils hochèrent vaguement la tête. La cousine versa le vin dans les verres à moutarde décorés de gais personnages. Une rumeur arrivait de la chambre, émise par le poste de télévision devant lequel, avant notre venue, les cousins s'étaient installés pour déjeuner. Où s'en est allé votre sentiment de la famille ? soufflai-je. Du temps de l'aïeule, il n'y avait rien que vous respectiez autant. Le cousin branla du chef avec résignation.

— La famille s'est bien dispersée, hélas, fit-il, distrait.

— Mais, Georges et moi, nous voyez-vous tels que nous sommes ? insistai-je.

— Oui, oui, dit-il afin de m'apaiser.

Tandis que Georges souriait, rassuré, je me désolai d'une telle désaffection et plaignis les cousins, aujourd'hui solitaires, de se préoccuper si peu de ce qui arrivait à la famille désormais, bien que leur rigidité bornée, supposais-je, m'eût causé du tort autrefois, les cousins s'étant sans doute montrés plus intransigeants encore que Tante Colette, ayant éprouvé sans doute à me voir mourir dévorée par le chien un soulagement plein de satisfaction, quoique sans rien de haineux.

— Nous aurions aimé, repris-je, que vous encouragiez notre union en toute connaissance de cause, non par complaisance.

— Ah, tu nous embêtes, soupira la cousine en se dirigeant vers la chambre, l'ouïe alertée par les sons d'une joyeuse musique militaire.

Le cousin se trémoussait sur son siège, aussi, pour lui permettre de suivre sa femme, nous nous levâmes à notre tour et nous rendîmes devant la télévision, où passait à cet instant le trente-troisième épisode d'une saga intitulée *La vie de château.*

Chapitre 4. – COMMENT RÉPONDIT LE VILLAGE.

J'avais beau arpenter les petites rues, matin et soir, lentement, sans autre raison que celle de montrer aux anciens voisins de l'aïeule qu'ils pouvaient maintenant m'accorder toute confiance, sans autre motif que celui de faire état du changement impromptu de ma situation : soit, me croisant ou m'apercevant de sa fenêtre, on ne se doutait pas qu'on eût affaire à la petite-fille de la voisine disparue, m'ayant connue différente, ne croyant pas à la réalité de bouleversements de cette sorte ; soit, le sachant, on n'y prêtait guère d'importance, ou l'on n'estimait pas que cette circonstance fût de nature à me rendre moins étrangère au village, mais davantage encore, par le trouble provoqué en des esprits ennemis de toute forme de mystère. Quoi qu'il en soit, on me rencontrait sans me saluer ni, du reste, manifester d'hostilité particulière. Personne ne cria en me voyant : Fanny ! Mais il me semblait que si, de moi-même, je m'étais présentée ainsi, je n'eusse pas suscité la moindre surprise, pas davantage qu'un Ah, oui ! empli de souvenirs. On eût, simplement, acquiescé poliment, sans bien comprendre l'intérêt d'un tel renseignement. Et ceci m'apparut avec évidence : on avait oublié, à peine fut-elle disparue, celle que j'avais été, pour ne l'avoir jamais comptée parmi les habitants du village. En vérité, comment eût-il pu en être autrement ? Comment eût-on voulu garder la mémoire de ce qu'on avait expulsé de soi tel un corps mauvais ? Si je n'inspirais plus les commentaires désobligeants dont Georges faisait les frais, j'étais une inconnue dont on ne désirait rien savoir, le dégoût des nouvelles figures étant ici largement ressenti, ainsi qu'en témoignait la froide distance à laquelle on se tenait des occupants du lotissement, récemment arrivés.

## Chapitre 5. — MA MÈRE ME DÉSAVOUE.

Peu de temps après notre installation au village, je reçus la lettre qui suit et m'en trouvai longuement affligée :

Ma chère fille,

Je préfère t'avertir tout de suite que tu ne dois pas t'y tromper : je n'ai pu résister au plaisir d'employer cette expression une dernière fois, tu comprendras donc à quel point il m'a été douloureux de prendre la décision que tu vas lire, et peut-être me plaindras-tu comme tu te plaindras toi-même. Ah, Fanny, pourquoi en sommes-nous arrivées là ? Ai-je été coupable ? Mais, vraiment, je ne vois rien que je puisse me reprocher. Car je t'ai élevée convenablement et n'ai jamais cherché à introduire dans ton esprit les idées funestes (je ne sais d'ailleurs rien de précis à ce sujet) qui t'ont menée à ta position actuelle, bien regrettable. Que n'es-tu demeurée morte ! Le problème qu'il y avait à ne plus vivre, en regard de ton état présent, j'aimerais que tu me l'expliques, car, enfin, il est admis que toute souffrance prend sa fin là-bas, je ne croirai jamais rien d'autre. Ta nature obstinée a pris le dessus et, aux dires de Tante Colette, tu es revenue triomphante. Mais as-tu pensé à ta pauvre mère ? Non, je le gage, pas un instant.

Fanny, il est exclu que, telle que je te devine, je te considère encore comme ma fille et que tu voies en moi ta mère. Tu n'es plus que le fruit de ton odieuse arrogance ! Ce que ton père et moi avions fait, tu l'as défait sans scrupule, et tu nous offenses ainsi plus gravement que par n'importe quel acte. C'est pourquoi je crois qu'au fond la résolution dont je te fais part ratifie simplement ton propre choix, et je n'en éprouve que plus de peine mais également, dois-je le dire, une sorte de mépris furieux à ton encontre. Tiens, mes larmes cessent brutalement, ma colère revient ! Fanny, ne tente ni de me revoir ni de m'écrire. Et pourquoi le ferais-tu, puisque nous ne sommes désormais plus rien l'une à l'autre. Signé : la deuxième sœur de Tante Colette.

## Chapitre 6. — CHEZ MONSIEUR LE MAIRE.

Je pris rendez-vous avec le maire du village et allai le trouver dans son bureau, au second étage d'une petite maison, à côté de l'école, où l'instituteur avait son appartement. Dans une minuscule pièce aux murs jaunes, le maire et sa secrétaire travaillaient tous deux, leurs tables se touchant presque ; il venait d'être élu. Je m'approchai un peu embarrassée par la présence de la secrétaire, vieille dame dont l'aïeule, me rappelai-je, avait dit du mal autrefois. Elle me lorgnait avec suspicion — me reconnaissait-elle ? Je posais les mains à plat sur la table du maire et inclinai mon visage vers le sien, dans l'espoir que la secrétaire ne pourrait comprendre nos propos. Il se pencha également, plein de zèle.

— Voilà ce qui m'amène, soufflai-je. Habitant le village, je voudrais qu'on le prenne en compte de manière officielle. Car c'est là que je vais vivre désormais.

— Vous souhaitez devenir citoyenne de notre village ? demanda le maire sur un ton d'approbation.

— C'est exactement cela, dis-je.

— Eh bien, je crois que ce n'est guère compliqué.

— Oh, c'est très compliqué, murmura la secrétaire qui avait interrompu son ouvrage pour mieux écouter. Il n'est pas donné à tout le monde de pouvoir le devenir, certes non. Ici, nous appliquons les lois anciennes.

— J'ignorais cela, s'étonna le maire.

— Nous n'appliquons les lois nouvelles, plus simples, que lorsque nous sommes sûrs de la fiabilité de la personne à qui nous avons affaire, expliqua doctement la secrétaire. Or, tant de rumeurs diverses circulent au sujet de cette demoiselle, contradictoires, indébrouillables, que je crois bon, si vous ne vous y opposez pas, de soumettre sa demande à la rigueur des vieilles lois.

— Où sont-elles, ces vieilles lois ? interrogea le maire, décontenancé et, me sembla-t-il, quelque peu mécontent d'avouer son ignorance.

— Bien que je les sache par cœur, je peux vous montrer le papier...

— Oui, nous voulons voir ce papier, dis-je fermement.

Et je me redressai, marchai à travers la pièce, le nez haut afin de montrer au jeune maire que j'estimais ne plus pouvoir traiter avec lui, et je concentrais mes regards sur la secrétaire qui fouillait dans les tiroirs de son bureau en se désolant de ne pas trouver ce qu'elle cherchait. Si vous avez perdu ces vieilles lois, dis-je, comment allez-vous prouver qu'elles ont existé seulement ? Mais, soudain, elle bondit auprès du maire et lui arracha une grande feuille de papier rose sur laquelle, machinalement, pour s'occuper, il était en train d'essuyer la plume dorée de son stylo. Je l'ai ! cria-t-elle. Voyons maintenant ce qu'on peut appliquer à votre cas. Elle tint la feuille tout près de son visage et se plaça en face de moi, de telle sorte que je ne pusse lire les lois en même temps qu'elle. Cependant je n'osai me plaindre ; car il me semblait que la secrétaire n'eût pas hésité, si elle avait jugé devoir me punir ainsi, à inventer sur-le-champ une loi particulièrement sévère avec laquelle il m'eût fallu m'en retourner, sans espoir. Le maire attendait, vaguement inquiet. Voilà pour vous, dit la secrétaire, rien ne peut vous convenir mieux : « L'étranger désireux de s'établir durablement ou définitivement au village devra obtenir l'accord écrit de sa mère légale ou se présenter en compagnie de cette dernière à la mairie de la commune, entre neuf heures et dix heures du matin, le lundi excepté. » Monsieur le maire, comme moi, sera sans doute d'avis que vous vous conformiez à la seconde partie de l'article, qui n'autorise aucune ambiguïté. Le maire acquiesça mollement. Quant à moi, je me laissai tomber sur une chaise, accablée. Je m'écriai :

— La loi ne dit-elle donc pas ce que peut faire l'étranger qui n'a plus de mère ?

— Ainsi que je vous le disais tout à l'heure, répliqua la secrétaire avec indifférence, il n'est pas donné à tout le monde...

Je me tournai vers le maire et le suppliai de me venir en aide mais, rougissant, il protesta qu'il ne pouvait d'aucune façon s'opposer à la loi ; il la ferait respecter d'autant plus strictement qu'il me devinait prête à tout pour tenter de la contourner. Et il prenait soudain un air grave et froid, dans le souci de racheter auprès de la secrétaire ses hésitations précédentes. Tous deux affectèrent d'oublier ma présence, et je m'en allai furtivement, craignant qu'elle n'exhibât tout d'un coup quelque loi qui rendît illégale la prolongation de mon séjour au village ou passible de peine (savait-on jamais ?) la singularité de Georges.

## Chapitre 7. – Nouvelles pensées autour de Tante Léda.

Ma visite à monsieur le maire m'amena à reconsidérer ma situation au village, que j'avais sue incertaine mais non point tant qu'on ne pût, sur la foi de ma parentèle nombreuse, me soumettre aux lois les plus simples ; tandis que les plus hautes autorités se défiaient de moi comme de la première étrangère venue et ne voyaient pas dans mon désir d'avoir le village pour patrie un honneur pour ce dernier, mais tâchaient de me décourager par des obligations contraignantes. Je me posai alors des questions de ce genre : Ne me traitait-on pas plus mal encore qu'une étrangère quelconque, à qui on s'efforcerait de montrer tout au moins un respect bienséant ? Ne me reprochait-on pas aujourd'hui d'avoir obtenu ce qu'on me méprisait pour ne l'avoir point, autrefois ? Par conséquent, ne me méprisait-on pas maintenant davantage encore ? Où était ma faute ? A qui profitait véritablement que j'eusse changé, sinon à la seule Tante Colette que mon ancien aspect avait toujours offusquée ? Et, pourtant, appartenais-je plus qu'avant à la famille, maintenant méconnue par ma propre mère, à jamais ignorée, sous cette figure, de l'aïeule, et reçue par les autres dans une froide nonchalance ? A quoi, à quoi me fallait-il encore accéder pour mériter d'être possédée par le village et la famille, irrévocablement, et par eux réduite de telle sorte qu'il me devînt impossible de prendre, sans leur consentement moral, la moindre décision ?

Je rapportai à Tante Colette ce que m'avait dit la secrétaire et lui exposai les difficultés inattendues dans lesquelles me projetait la vieille loi. Le visage de Tante Colette se ferma.

— Je ne peux en tout cas remplacer ta mère, fit-elle, ce serait inconvenant pour Eugène. Il importe que je reste ta tante, ni plus ni moins.

— Léda, peut-être, conviendrait, avançai-je timidement.

— Ah, cela te reprend, dit-elle, laconique.

Sur ce, elle s'éloigna et ne me reparla pas de ma suggestion, ce que je m'autorisai à interpréter comme un muet acquiescement, encore qu'il me parût remarquable mais c'était une attitude qu'elle adoptait de plus en plus souvent maintenant, que Tante Colette se résignât à ne pas émettre d'avis.

## Chapitre 8. — En famille.

Le jour anniversaire de la naissance de l'aïeule, Georges et moi décidâmes, avec la permission de Tante Colette (une fois encore étrangement implicite), la famille n'ayant pas été réunie depuis longtemps, de convier tout le monde à un vaste déjeuner, comme autrefois. Je me déplaçai par les villages avoisinants afin d'en aviser chacun et, lorsque je m'étais attendue à des réactions de joie émue, mon étonnement fut grand de lire sur nombre de visages l'ennui, plein de contrariété, qu'inspirait à beaucoup la perspective de cette journée, aux plus jeunes tout particulièrement qui, ainsi que je me l'entendis répliquer, avaient bien autre chose à faire. Seule la conscience du respect dû à l'aïeule les avait fait se déplacer sans rechigner, autrefois, et c'est très complaisamment sans doute qu'ils étaient venus au mariage de mon cousin Eugène, célébration officielle, solennelle, qu'il ne pouvait s'agir de manquer sans motif grave. Mais le déjeuner que je proposais n'était relié qu'artificiellement à cette circonstance importante de l'anniversaire, l'aïeule n'étant plus. Aussi, prétextant d'occupations diverses, beaucoup déclinèrent. On m'accueillait sans me voir, avec des haussements d'épaules indolents ; me reconnaissaient-ils, ou se contentait-on, pour m'écouter, de l'identité que je déclarais, je ne pouvais le deviner. Probablement, on se moquait de savoir ce qu'il était advenu de celle que j'avais été (oubliée !) et l'on me recevait comme la nièce de Tante Colette sans penser, par trop d'indifférence, qu'on ne m'avait jamais vue telle.

Mes jeunes cousins habitaient, en bordure des villages, des maisons en préfabriqué au crépi beige, divisées en pièces carrées et claires pareillement distribuées dans tous ces pavillons de même origine. Les pièces étaient sonores, les murs minces, les vitres tout d'un bloc, dépourvues de croisillons. Mes jeunes cousins, très endettés par l'achat de leur maison, travaillaient dur. Je ne pouvais que battre en retraite devant l'excuse d'un labeur continuel, qu'ils avançaient, sur le pas de leur porte, négligeant de m'inviter à entrer, pour se dispenser du déjeuner. Nous étions pourtant, songeais-je éberluée, de la même famille, et avions porté à l'aïeule un semblable, inaltérable attachement !

Tout honteuse vis-à-vis de Georges, et m'inquiétant s'il n'allait pas s'imaginer être la cause de ces refus, je persuadai quelques vieillards, grand-oncles, grand-tantes, de se joindre à nous, ce qui n'alla pas sans quelque difficulté tant était absolu l'oubli où leur mémoire m'avait engloutie depuis le pénible épisode du chien. Jamais je ne leur avais été aussi parfaitement inconnue ! Tante Colette m'aida à les convaincre et nous nous retrouvâmes près d'une dizaine à table, Eugène, sa femme et leur chien compris ; car, de ce dernier, mon cousin Eugène était tellement entiché qu'il ne voulait se résoudre à s'en séparer, aussi l'avait-il fait grimper sur une chaise auprès de lui, devant une gamelle gravée au nom du chien qu'il avait remplie d'une bouillie de pain et de viande. Je contournais cette chaise avec prudence, quoique la vilaine bête ne parût pas me reconnaître. Dès le début du repas, un spectacle inattendu accapara tous les regards et, à mon vif effroi, fit gronder le chien, qui se calma cependant bientôt. C'était, juchée sur une chaise en bout de table, une grande poupée de paille et de toile de jute confectionnée par mes soins. Je l'avais vêtue d'un torchon noué et des pépins de potiron figuraient les yeux et la bouche. Georges, Tante Colette, de qui je m'étais cachée pendant cette besogne, me regardaient interloqués. Et Tante Colette semblait mécontente, ce dont je m'alarmai aussitôt. Je me levai, posai les paumes sur la table et dis d'une voix forte : Voilà Tante Léda, telle que je me la représente. J'ai souhaité la voir parmi nous aujourd'hui, sous quelque forme que ce soit. Personne ne se rappelant précisément les traits de son visage, pourquoi, n'est-ce pas, ne pourraient-ils ressembler à ceux-ci aussi bien ? Mais j'espère que l'an prochain la véritable Léda sera là, que je l'aurai ramenée enfin et qu'elle saura remplacer avantageusement ma pauvre mère, qu'une illusion a détournée de moi. J'appartiendrai alors au village et nul d'entre vous n'aura plus à rougir de ma situation, bien que celle-ci, depuis l'an passé, se soit grandement améliorée, comme vous êtes en mesure de le constater.

Je me rassis, dans le silence pesant. Tante Colette, la bouche pincée, servit les cœurs de palmier en vinaigrette et, comme elle passait derrière la poupée, la jeta à terre d'une chiquenaude. De plates conversations s'ébauchèrent, portant sur l'état de santé des vieilles gens présentes. Georges, crainte qu'on le remarquât, n'osait parler. Puis Eugène alluma la télévision et l'on suivit muettement une émission de jeux que chacun se réjouissait de ne pas rater, danger fréquent lorsqu'on déjeune hors de chez soi. L'atmosphère alors s'adoucit. Tante Colette elle-même se prenait à sourire – mais quel œil glacial elle posait sur ma personne ! Cette journée dont, malgré le nombre restreint des participants, j'avais auguré un grand plaisir convivial, me fut ainsi gâchée par la contrariété de Tante Colette, à qui, sans savoir comment, j'avais manqué de façon sérieuse. Il m'était douloureux de supposer que si Tante Colette, comme autrefois, ne me reconnaissait pas le droit de m'occuper de Tante Léda, c'est qu'elle considérait que je dépendais encore insuffisamment de la famille pour me le permettre. Cependant, pouvais-je accomplir rien de mieux que d'aller précisément à la rencontre de Léda, d'obtenir qu'elle m'adoptât d'une manière ou d'une autre, puis l'entière citoyenneté du village, une place en son cimetière ? Tante Colette, me dis-je, est décidément trop dure, et peu raisonnable. Car qu'attend-elle donc de moi, qui fais déjà tout ce que je puis faire, humblement, pour pénétrer la sphère familiale (d'où on me rejeta bien injustement !) ?

Les vieux partirent de bonne heure, sitôt le dessert avalé. Ratatiné dans un coin, silencieux, Georges semblait n'avoir été examiné par personne, à peine vu et, soulagé, il se redressait peu à peu, bien qu'il fût encore tremblant de la peur, éprouvée tout au long du repas, qu'on observât sa singularité et qu'on en médît, avec l'absence de retenue qu'ont parfois les vieillards. Sa particularité me parut luire comme un phare et avoir, en outre doublé d'intensité, en sorte qu'on n'eût pu commencer à décrire Georges sans la citer en premier. Saisie de pitié, j'évitai de le regarder. Georges cependant, dans sa simplicité, ne connaissait nul sentiment de honte mais seulement l'embarras décontenancé, peiné, d'avoir à se dissimuler pour n'être point tel qu'une pensée têtue l'exigeait par ces villages. Quant à moi, je me félicitais chaque jour de ressembler si peu à Georges maintenant et, tout en le plaignant, l'aimais sans réserve.

## Chapitre 9. — La confession de Georges.

L'air triste, il vint me trouver dans la petite cour où j'arrosais quelques géraniums fuchsia plantés par l'aïeule. Il s'assit sur une grosse pierre, à mes genoux, et parla ainsi, affecté comme jamais encore je ne l'avais vu :

— Fanny, dit-il, je ne peux endurer davantage l'existence qu'on me fait ici. A tout ce qu'il m'arrive, je suis incapable de donner la moindre explication, car qui suis-je pour mériter d'être traité pareillement ? Je ne suis rien d'autre que moi, Georges, et je ne comprends rien aux noms dont on m'affuble, que j'entends susurrer quand je passe dans la grand-rue, et que pourtant je reconnais pour des noms ridicules et honteux, mais comment peut-on attacher de tels noms à ma personne, voilà ce que je ne comprends pas puisque je ne suis rien d'autre que moi, Georges, et que ces noms que j'entends sur mon passage sont vieux et convenus, ils n'ont pas été inventés pour moi qui suis contraint cependant, quoique ébahi, d'accepter qu'ils me désignent, et alors je rougis et baisse la tête comme si quelque vérité cruelle venait de m'être lancée, mais je suis éberlué et ne puis croire que mon visage à moi, Georges, fasse éclore ces mots terribles sur les lèvres. Suis-je donc, sans le savoir, autre chose que Georges, quelque chose, vois-tu, qui serait haï et méprisé ? Mais je me sens être Georges, tout simplement, ainsi que je me le répète chaque jour pour ne rien avoir à faire avec ces mots, dont, malheureusement, je devine le sens, car ce sont des mots connus, qu'on ne peut feindre de n'avoir jamais entendus ou de trouver plaisants.

– Quels sont-ils ? demandai-je d'une voix légère, mais les joues empourprées, le front brûlant.

Georges se détourna insensiblement et ne répondit pas. Confondue de honte, j'arrosai avec soin le dernier géranium. Ou bien, reprit Georges, si l'on a raison de me nommer ainsi ? Si je suis, en vérité, aussi indigne de respect qu'on me le laisse entendre ? Je ne sais parfois plus que penser, aussi je tâche de me raccrocher fortement à la certitude que je suis moi tel que Maman et mes sœurs m'aiment, cependant, étant loin d'elles, je deviens peu à peu moins certain d'être ce Georges-ci, que celui-là, originellement vil et risible que, sans me connaître, à me voir seulement, on est convaincu par ici que je suis. Pourquoi, me dis-je, tant de gens auraient-ils tort ou me voudraient-ils du mal ? Cela ne peut être – je suis, n'est-ce pas, un garçon discret et conciliant. Au supermarché, mes collègues me regardent de haut et mon chef n'hésite pas à m'appeler autrement que par mon nom, sans, je crois, nourrir de rancœur à mon égard. Je réponds maintenant aussitôt lorsqu'il m'interpelle de cette façon grotesque, douloureuse, mais, le temps passant, la signification du terme s'efface progressivement dans mon esprit, et est-ce que je n'oublie pas là-bas que je suis Georges et non pas cela par quoi il me montre ? Mais je souris et m'empresse, ne voulant pas déplaire, et sens bien que je me perds. Alors...

Tante Colette apparut à la fenêtre de sa chambre, huma l'air du matin, puis se retira, une main retenant son chignon, haut levée, légère, élégante la courbe grasse du bras blanc. Georges souffla : Ta tante elle-même voit en moi une sorte d'animal, entre le chien et le chat... Elle est gentille du reste et ne m'ennuie pas.

Fâchée qu'il se moquât de Tante Colette, je le regardai avec sévérité. Georges enserra mon genou de ses doigts et me demanda la permission de rentrer chez lui, chez sa mère et ses sœurs qui, pour les raisons qu'il venait d'évoquer, lui manquaient intolérablement, et bien qu'il courût le risque de regretter presque aussi fort ma présence, s'étant accoutumé à vivre en ma compagnie. J'étais péniblement étonnée et ne sus que répondre. Le visage de Georges était d'une beauté rare — l'avait-on perçue ?

## Chapitre 10. — DERNIERS JOURS AU VILLAGE.

Le départ de Georges, par les modifications qu'il apporta à notre situation, m'obligea à décider avec Tante Colette d'un déménagement imminent, puis de mon propre départ à la recherche de Tante Léda, que j'eusse, sinon, reporté volontiers, éprouvant à la perspective de ce voyage, déjà, fatigue et lassitude, tout en en sachant bien la nécessité. Si je ne partais pas, il eût été judicieux de reprendre la place de Georges au supermarché. Mais continuer de vivre ainsi, comme invitée au village, à quoi bon ? Tante Colette désapprouvait ce projet. Cependant, elle transporta ses affaires chez Eugène avec docilité, et il semblait que la conscience d'être à la charge de ses proches lui fît s'interdire l'expression de tout jugement et de toute volonté. Tante Colette renonça à sa nouvelle chambre à coucher, qui eût encombré chez son fils et sa bru. Eugène cachait mal son déplaisir de la voir s'installer chez eux. Et, à ma vive indignation, il rabrouait Tante Colette, se comportait en propriétaire et lui défendait, par son attitude cassante, de se sentir chez elle. Tante Colette demeurait dans la salle à manger, assise devant la table recouverte de verre, regardant la télévision d'un œil indifférent. Elle se souciait de ne pas déranger et n'osait se livrer à nulle autre activité; elle observait parfois les voisins, de l'autre côté du grillage, et commentait leur façon de vivre. Son pas lourd faisait trembler les vitres mal jointes. En attendant de réussir à la vendre (ce à quoi Tante Colette et moi espérions qu'il n'arriverait jamais), Eugène loua la maison de l'aïeule au jeune maire.

Tante Colette, la veille de mon départ, me remit un papier plié en deux sur lequel, m'expliqua-t-elle d'un air curieusement froid et détaché, je découvrirais l'adresse de Léda qu'elle avait, en vérité, toujours possédée. Stupéfaite, je m'étonnai avec gratitude qu'elle me la donnât cette fois-ci, puisqu'elle avait blâmé mon entreprise. Tante Colette baissa les yeux sans répondre. Je l'embrassai, elle eut un léger recul, mal à son aise. Mais, dans ma joie, j'oubliai bientôt cet embarras étrange. Léda, m'exposa Tante Colette, habitait un village non loin. Voulais-je lui promettre de ne pas revenir sans elle ? Je promis et Tante Colette ajouta qu'elle refuserait, de toute façon, de me reconnaître si je rentrais seule : ayant choisi de partir contre son gré, je devais accepter les conséquences d'un échec. Je songeai cependant que Tante Colette se montrait encore bien dure, et j'en fus mortifiée.

## HUITIÈME PARTIE

### Chapitre 1. — Chez le père de Fanny.

Ayant quitté le village au petit matin dans la direction que lui avait indiquée Tante Colette et qui se trouva être celle qu'Eugène et elle avaient prise l'année précédente, après avoir marché toute la journée à travers les champs labourés, le long des nationales au trafic incessant, Fanny, un peu surprise, arriva au pays de son père, où la soudaine chaleur l'alentit. Elle avait suivi fidèlement la route recommandée par Tante Colette, sans s'apercevoir, tant elle avait été loin d'y penser, que ses pas la menaient chez le père ! Fatiguée, elle entra dans le village, si différent de ceux qu'elle connaissait qu'elle s'y perdit malgré la petitesse des lieux. Sur le pas de leur porte, assis à deviser à même le sable, les habitants s'interrompaient pour la regarder passer, avec une tranquille attention. Fanny espéra qu'on ne l'identifiait pas comme la fille de son père car elle eût été gênée, devant eux, qu'on devinât qu'elle avait changé, et les raisons probables de sa mutation. Pourtant, il lui déplaisait pareillement, son père jouissant d'un incomparable prestige, qu'on la prît pour une étrangère en visite, qu'on ne l'honorât pas en pensée ainsi qu'on devait honorer spontanément la fille de cet homme-là.

Elle s'arrêta enfin devant la belle maison du père et pénétra directement dans le jardin, aussi pauvre et sec qu'elle l'avait vu la première fois, tristement garni d'une tentative de pelouse brûlée et râpée : le père avait eu là une ambition déraisonnable. Et Fanny se rappela que l'aïeule avait reproché à son gendre un goût de l'esbrouffe, autrefois, ainsi, de temps en temps, qu'une certaine vulgarité de manières. Un peu émue, elle toqua à la porte. Tiens, mademoiselle Fanny ! dit le domestique venu ouvrir. Oubliant de s'effacer pour la laisser entrer, il la contempla avec ébahissement. Fanny lui tendit sa valise, aussi, se reprenant, il s'excusa, fit un pas de côté et Fanny se glissa dans le vaste hall de marbre blanc et rose, où son père passait à l'instant, sortant d'une chambre. Dépitée légèrement, Fanny constata qu'il fut une seconde sans la reconnaître. Mais, ensuite, quel accueil il lui réserva, tel que Fanny n'en avait jamais reçu et digne d'une visiteuse qu'on eût attendue longtemps, dont on se fût langui, qu'on eût aimée, songeait Fanny bouleversée, plus que toute autre personne ! Le père avança vers elle bras écartés, les yeux tout brillants de plaisir et d'admiration, et, serrant Fanny avec force, il lui dit sa joie de la retrouver. Le père avait vieilli et engraissé quelque peu — qui eût pu supposer, à les voir embrassés ainsi, qu'il s'agissait du père et de la fille, le visage de Fanny, plus proche de celui de l'oncle Georges ou de Tante Colette, n'ayant plus rien de commun avec le dur visage du père et lui opposant, même, une forme de contraste singulier et disharmonieux ? Le domestique les regardait en dansant d'un pied sur l'autre. Il finit par cracher à terre, ce que voyant le père, qui avait l'œil vif, s'écarta de Fanny, gratifia le domestique d'une pichenette sur le nez, puis lui ordonna de nettoyer ses saletés avant de leur servir, à lui et mademoiselle sa fille, un bon dîner au salon. Le domestique s'éclipsa, le dos raide, méprisant. La femme que Fanny avait entrevue lors de sa première visite reposait sur le canapé du salon, parée d'un long vêtement blanc et vaporeux dont la traîne bouillonnait à ses pieds. A peine entré, le père agita les mains, glapit : Allez, allez donc ! et la femme s'enfuit effarouchée, au grand embarras de Fanny. Je tiens à rester seul avec toi, dit le père d'une voix chaude et flatteuse, quoique dépourvue d'émotion. Pour contempler Fanny plus à son aise, il recula d'un pas. Fanny, comme par jeu, cacha son visage de ses doigts déployés. Mais n'était-elle pas heureuse, malgré sa confusion, d'une réception aussi enthousiaste de la part d'un père qui, jusqu'alors, avait négligé de se souvenir d'elle, et qui, la revoyant après de longues années, n'avait été qu'irrité, contraint et fort impoli ? Le père voulut dégager son visage ; il tira l'un après l'autre sur les doigts de Fanny qu'il garda emprisonnés dans sa main. Rejetant la tête en arrière dans un petit rire de gorge, s'avouant vaincue, Fanny se rappela tout d'un coup la photographie déchirée par l'oncle Georges lors du dernier anniversaire de l'aïeule, où sa mère souriait largement, un peu penchée, sereine et vive, semblable, avec sa chevelure flottante, à elle-même en cet instant. Le père qui avait dédaigné Fanny, que l'aspect de celle-ci peut-être avait déçu, voilà que, de ravissement, il baisait son front, le front plat, et court un peu, de Tante Colette ! A la fois réjouie et choquée tristement, Fanny murmura : Allons, va ! sur quoi le père claqua des mains pour appeler le domestique. Et celle que Fanny était véritablement éprouvait un sentiment d'offense, et presque de scandale ; car le père n'avait-il pas semblé dégoûté de se tenir seulement au côté de celle qu'elle avait été, lorsqu'elle était venue le voir avec Eugène et alors que, moins que maintenant, on n'avait pu douter qu'elle était sa fille, prête au respect, à la plus grande affection ? Jamais Fanny n'eût imaginé que son père se fût glorifié d'avoir pour fille quelqu'un qui lui ressemblait si peu mais tant à des personnes qui, autrefois, quand la mère de Fanny l'avait présenté à la famille, l'avaient méprisé ostensiblement, qu'il avait trouvées certainement bien laides, bien méprisables elles aussi. A moins qu'alors (cette pensée était douloureuse à Fanny) le père se fût incliné devant leur jugement, à moins peut-être qu'il l'eût fait sien et que rien ne lui eût paru mieux fondé que la mésestime défiante de Tante Colette, que sa froide condescendance à son égard. A présent en vérité, le père était fier de Fanny. Sa paternelle sollicitude s'exprima de mille manières : bien qu'il eût allumé la télévision, il en coupa le son afin de pouvoir converser sans entrave avec Fanny ; il réprimanda le domestique pour avoir cuisiné un très ordinaire poulet au riz, quand il eût aimé offrir à sa fille un repas de bienvenue particulièrement raffiné. Ils dînaient devant une table basse, assis en tailleur, ainsi qu'on le faisait chez le père. Fanny s'était installée à quelque distance de la place habituelle de son père, en vain, car celui-ci, très éloigné de comprendre ces pudeurs, avait sacrifié l'usage pour venir s'asseoir tout à côté de Fanny, au point qu'ils ne pouvaient porter la fourchette à leur bouche sans entrechoquer leurs coudes ou leurs genoux, ce qui ennuyait Fanny mais semblait enchanter le père. Pour lui plaire, il la pressait de questions la concernant, comme avide de ne rien ignorer d'elle. Cependant, à peine avait-elle ébauché la moindre réponse qu'il demandait autre chose, ou bien son regard soudain ne résistait pas à l'attrait des images colorées de l'écran et son attention la quittait visiblement, quoiqu'il prît garde d'être discret. Découragée, Fanny s'interrompait sans qu'il s'en rendît compte. Puis il la harcelait de nouveau en lui reprochant son silence qu'il disait être, tel un amoureux ancien, par trop cruel. Il fixait le visage de Fanny d'un œil aigu, scrutateur — non empli de désir mais d'une violente nostalgie. Et pourtant, s'interrogeait Fanny paradoxalement, était-il certain que les yeux du père discernaient un changement, ne s'avéraient-ils pas, comme les yeux de Georges et de sa mère, inaptes à le voir, et l'attitude du père ne pouvait-elle résulter simplement d'une nouvelle façon d'être de Fanny, que la certitude d'apparaître transformée au regard de Tante Colette avait rendue plus confiante ? Le père prenait de l'âge ; il n'avait d'autre enfant que Fanny ; peut-être s'était-il adouci, avait-il eu des regrets. D'ailleurs, se demandait Fanny, avait-elle la preuve que Tante Colette n'était point la seule qui eût vu ? Car personne, que Tante Colette par une phrase brève touchant à la perfection de Fanny maintenant, n'ayant émis de remarque à ce sujet, Fanny avait tout loisir de supposer que la raison en était qu'on n'avait réussi à voir ce que Tante Colette, mystérieusement, avait vu tout de suite, ce qui lui avait sauté aux yeux, ce pour quoi elle s'était montrée hospitalière et clémente avec Fanny, et ce que, peut-être, Fanny elle-même n'avait vu que sous l'influence du regard convaincu de Tante Colette. Il était probable que la mère de Fanny ne s'y fût point laissée tromper ; si, prévenue par Tante Colette, elle n'avait rien vu de ce que celle-ci lui disait voir, elle eût manifesté sa surprise à haute voix et se fût attachée, sans doute, à désabuser sa sœur. Et que se serait-il passé alors ? Fanny en frémissait. Ce qui la retenait encore un peu sur le chemin de cette hypothèse néanmoins, était l'image indubitable à ses yeux que lui offrait chaque matin le miroir, attestant la complétude de son évolution, et, se figurer que le miroir s'était approprié l'œil et l'imagination de Tante Colette, elle n'y parvenait qu'avec peine. Et pourtant... songeait Fanny, persuadée de plus en plus, en tout cas, que le père ne voyait pas.

Gracieuse dans son vêtement long et fin, la femme vint débarrasser la table. Elle gardait les yeux baissés, manipulait les plats avec une douceur courtoise. Mais le père ne lui témoignait pas plus d'intérêt qu'au domestique, bien qu'elle ne semblât pas être chez lui comme servante. Sortons manger une glace, dit le père en se levant. Sur le point de quitter la pièce, la femme s'arrêta ; le père, cependant, ne s'était adressé qu'à Fanny, ce qu'elle comprit bien vite. Dans le hall, elle couvrit les épaules du père d'une sorte de casaque assortie à la tunique qu'il portait. Elle souhaita timidement une bonne soirée puis fondit en larmes, silencieuse. Elle se retira promptement. Le père dit en soupirant : Comme cette femme aime les glaces ! Aussi Fanny, déconcertée, n'intervint pas.

Son père lui prit le bras. Ils traversèrent le village plongé dans une nuit profonde, tout bruissant de cris d'insectes, pleurs aigus, hauts rires d'enfants, et souvent, derrière les treillis vernissés, le grillage des fenêtres, quelque chose cuisait dans beaucoup d'huile crépitante. Au pied d'arbres géants des hommes attendaient qu'on les appelât pour dîner. Et le père les saluait d'un même hochement de tête hautain, puis il ramenait devant lui les pans de sa casaque, avec componction. Il fit entrer Fanny dans la petite salle d'un café, au fond d'une cour, qui ne se distinguait des autres maisons de la grand-rue que par son éclairage blanc et dur. Deux glaces au citron, lança aussitôt le père, avant de diriger Fanny vers une table à l'écart, le long d'un muret divisant la salle. Quelques personnes se trouvaient là, mangeant des glaces. Comme on regardait Fanny, le père se rengorgeait. Ma fille, dit-il au cafetier d'une forte voix de maître. Cette information ne sembla surprendre personne, pourtant on regarda Fanny avec une curiosité plus grande. Pour se donner une contenance, elle jeta un œil par-dessus le muret, vers cette partie de la pièce restée dans l'ombre d'où, perceptibles par une oreille attentive, des bruits soyeux s'élevaient : sur des matelas posés à terre, de nombreux enfants étaient endormis. Une armoire, des vêtements suspendus, une chaise, laissaient voir qu'il s'agissait d'une chambre, sans fenêtre, ménagée dans la salle du café. Interdite, Fanny reconnut parmi les dormeurs la compagne de son père, qu'ils venaient de quitter ! Elle s'était enroulée dans son surplis satiné, découvrant son visage seulement dont les yeux clos parurent à Fanny mimer le sommeil ; un tremblement parcourait ses lèvres, infime.

— Elle est là ! chuchota Fanny à son père, tout d'un coup tremblant elle aussi.

— Déjà ! fit-il étonné. Avant de partir, je lui ai commandé de retourner chez ses parents quelques jours, mais elle n'avait pas besoin de courir.

Il prit un air vexé. Je ne voulais pas la sentir autour de nous, à rôder, à s'aller imaginer je ne sais quoi, ajouta-t-il en souriant. Car, figure-toi, elle refuse de croire que tu es ma fille, cette innocente ! Et le père éclata de rire, ayant parlé d'une voix haute qui n'avait pu manquer de parvenir à la femme. Toute son attitude révélait clairement que, loin d'être indifférent à l'attention portée sur Fanny, il se souciait de la conserver, tout en feignant de n'en rien remarquer. Or, si le père, ne voyant pas que Fanny avait changé d'aspect, ne pouvait tirer de là sa fierté, elle devait être suscitée, songeait Fanny, par quelque émanation particulière de sa personne qui prouvait selon le père, à l'intention du village, que sa fille vivait en des régions sans commune mesure avec celle-ci, essentiellement supérieures d'une façon indiscutable. Car de quoi se fût glorifié le père ? La joliesse même de Fanny, pour ce qu'elle évoquait ici ces lieux lointains, devait s'orner pour le père d'une valeur extrême, ainsi que sa manière de parler (certaines expressions de Tante Colette !) qui établissait aussitôt que Fanny n'avait pas grandi au village du père. Elle mangeait les mots en vérité et, comme l'aïeule, faisait souvent des liaisons incorrectes, ce que venait à imiter le père. L'année précédente, son père avait traité Fanny avec tout le mépris qu'il infligeait à la femme allongée derrière le muret. Fanny ressemblait maintenant suffisamment à Tante Colette pour être admirée par le père, qu'elle flattait, et presque aimée de lui, dans un débordement soudain de tendresse inemployée ! Il est tout de même bon, pensait Fanny, d'être estimée de son père après l'avoir indisposé si longtemps. Dégustant sa glace, elle remit à plus tard de parler en faveur de la femme, comme elle en avait eu l'intention tant son état l'avait apitoyée. Elle craignait de mécontenter son père, ne voulait troubler des sentiments aussi gratifiants, une soirée telle qu'elle n'en avait jamais passé d'aussi agréable avec lui. Elle accentuait, dans sa manière de se comporter, ce qu'elle pensait qui le séduisait et caressait sa vanité tout spécialement, qui pouvait se réduire à quelques tics et manies de Tante Colette, auxquels personne n'eût pensé à trouver rien de charmant mais qui figuraient pour le père, par ce qu'ils avaient de typique, l'image de ces contrées dominantes et attractives d'où le père n'était pas issu, où on le méprisait a priori. Il ne déplaisait pas à Fanny d'imiter Tante Colette, qu'elle se représentait à cet instant dans la salle à manger d'Eugène, peut-être suivant un feuilleton étranger, les coudes sur le verre froid de la table, dans sa robe aux lunes d'argent imprégnée maintenant d'une légère odeur de graillon. C'était à Tante Colette qu'elle devait la douce aménité du père, quand le cousin Eugène ne s'embarrassait même pas de manifester à sa mère déférence et affection, à présent qu'elle l'importunait de sa présence chez lui.

Le père avait avalé coup sur coup trois petits verres d'alcool fort. Fanny demanda une autre glace, ne se préoccupant plus qu'on la regardât.

— Ah, Fanny, si tu étais ma fille, murmura le père.

— Mais, voyons, je le suis !

Choquée, Fanny s'inquiétait qu'on l'eût entendu.

— Oui, oui, je n'ai pas dit que tu ne l'étais pas, bredouillait-il.

— Alors, il vaut mieux que tu te taises, dit Fanny avec colère. Enfin, que veux-tu que je sois, sinon ta fille ?

— C'est que tu es bien inaccessible, tentait d'expliquer le père. Est-il naturel d'être tellement moins parfait que son propre enfant, vois-tu, de se trouver soi-même si vil à côté de lui ?

— Mais, c'est pour cela que tu m'aimes, trancha Fanny, ennuyée.

Sur ce, elle entraîna son père au-dehors, craignant que le bruit se répandît qu'il avait douté en public que cette jeune personne, présentée comme sa fille, le fût réellement. Pourrait-il arriver, se demandait Fanny tout en soutenant son père, qu'il aille un jour jusqu'à refuser de me reconnaître par excès d'humilité ? Je serais alors bien seule, oui, étrangement isolée !

Le domestique s'occupa de coucher le père, qu'un épuisement soudain transformait en vieillard chancelant, puis il conduisit Fanny dans une chambre d'invités. Au petit matin, Fanny se prépara à repartir, bien que son père ne fût pas encore levé. Il espérait vous garder longtemps, dit le domestique, semblant désapprouver une telle précipitation, et Fanny répondit : Il me faut trouver ma tante Léda au plus vite. Elle étala sur le carrelage de l'entrée une carte géographique de la région de l'aïeule et chercha, avec l'aide du domestique, le nom du village où Tante Colette lui avait révélé qu'habitait Léda. Ce nom était simple et bref ; il résonnait familièrement à l'oreille de Fanny comme à celle du domestique, mais ce pouvait être en raison de sa grande banalité. Ils ne le virent nulle part sur la carte.

— Ce village est donc si petit ! soupira Fanny découragée.

— Pourtant, je crois que je le connais, affirma le domestique.

Devant l'incertitude de Fanny, il prenait de l'assurance ; et, comme elle ne pouvait le contredire, il parlait d'une voix convaincue. Fanny devait monter dans cet autocar-ci, aller dans cette direction-là, et elle tomberait sur le village sans avoir besoin d'autre renseignement. Il en était certain maintenant, aussi Fanny accepta de se fier à lui, trop heureuse. Elle s'enfuit sans avoir vu le père. Une honte vague la saisit, comme elle traversait le jardin désolé. Cependant, que n'était capable de lui dire encore le père, qui l'atteindrait comme une inconvenance ? Si, ayant rêvé dans ce sens pendant la nuit, il se réveillait pour déclarer à Fanny qu'elle ne pouvait en aucun cas être sa fille, se trouvant être à présent trop différente de lui pour que l'affirmation de ce lien de parenté ne fût jugée ridicule, il valait mieux que Fanny ne l'entendît pas, qu'elle s'en allât sans savoir si son père, troublé par elle, reniait aujourd'hui son statut, ainsi que l'avait fait froidement la mère pour d'autres motifs. Car fallait-il qu'au moment où le père enfin la recevait dignement, de lui-même il se retirât le droit de l'appeler sa fille et la privât du bonheur particulier de se sentir aimée et protégée par qui l'avait créée, fût-ce pour la vénérer davantage encore ? Qu'il eût honte d'elle comme autrefois, précisément parce que, méprisant son aspect, il n'avait pu faire qu'elle cessât d'être sa fille, Fanny pensait que cette pénible situation était encore préférable à celle-là, quand elle l'éblouissait tant qu'il ne voulait plus croire qu'elle pût être née de lui.

## Chapitre 2. — LE VOYAGE EN AUTOCAR.

Il sembla à Fanny reconnaître le chauffeur de l'autocar qu'elle attrapa à la sortie du village, pour celui qui, l'année précédente, les avait conduits Eugène et elle. Quelques femmes montèrent avec elle puis descendirent trois kilomètres plus loin, se rendant au grand marché de la région. Longtemps Fanny fut seule. A mesure que s'éloignait le village du père, le ciel s'embrumait, un vent glacial filtrait par les interstices. La route de sable brique devenait une nationale goudronnée, et des magasins géants se dressaient sur les champs plats. Nul n'attendait plus au bord du chemin qu'on s'arrêtât pour lui acheter un beignet froid, un cornet de noix ou de cacahuètes grillées ; nulle chevrette, nulle bête errante ne traversait plus la route, dans la poussière du faible trafic ; mais de vastes panneaux publicitaires jalonnaient le trajet, les séduisants visages exaltés, les teintes violentes des lettres démesurées, prêtes à bondir hors du cadre, distrayaient l'attention du morne paysage souffrant. Ne suis-je pas passée par là en arrivant chez le père ? se demandait Fanny, un peu inquiète. Elle se rassura cependant, étant bien posée pour savoir que tout se ressemblait au pays de l'aïeule et qu'on pouvait visiter plusieurs villages successivement en doutant toujours si, en réalité, on ne revenait pas dans le même.

Alors, au bord d'un champ de betteraves à sucre, loin de toute habitation, l'autocar soudain fit halte et, brusquement apparu, l'oncle Georges monta, un gros sac à la main. Il portait son costume de représentant gris foncé, il était vieilli et las, au point que Fanny qui, ayant appris par Tante Colette le vilain tour qu'il lui avait joué, avait pensé ne jamais pouvoir lui pardonner, se surprit à se sentir émue. Sans la voir, l'oncle Georges se laissa tomber sur un siège juste derrière le chauffeur et Fanny n'aperçut plus que le haut de son crâne violacé. Bouleversée, elle hésitait à le rejoindre ; enfin elle prit le parti d'aller s'asseoir à son côté. L'oncle Georges, cependant, tourna à peine la tête vers elle, comme épuisé à l'idée du moindre mouvement.

— Le temps va se remettre au beau, dirait-on bien, lança Fanny d'une voix faible un peu.

— On dirait, oui. Ah, ce pays, j'avais oublié qu'il pouvait être si dur...

— Vous l'aviez donc quitté ? demanda Fanny, accablée que l'oncle Georges ne réagît pas au voussoiement. Et elle comprit que tout était fini, bien que rien ne le prouvât encore. Elle s'écarta légèrement de l'oncle qui, maintenant, s'abandonnait avec plaisir au bavardage et, même, émaillait son récit de mensonges évidents, et ferma les yeux, dans un brusque désespoir. L'oncle Georges caquetait familièrement, usant d'un « vous » trop cérémonieux à sa bouche. Il s'interrompit net quand l'autocar s'arrêta, enjamba les genoux de Fanny et descendit en hâte, sans prendre le temps de la saluer correctement. Terminus ! jeta le chauffeur. Fanny, déconcertée, s'enquit de savoir si l'on se trouvait bien au village de Tante Léda, mais, le nom de ce village, jamais le chauffeur ne l'avait entendu prononcer. Il ne parcourait pas la région entière toutefois et ne pouvait affirmer que ce village n'était pas situé hors des limites de son itinéraire. Pour l'heure, c'était au village de l'aïeule qu'il avait transporté Fanny, ce que, tout d'abord, elle ne voulut se résoudre à croire. Mais force lui fut de reconnaître la place de l'église, la grand-rue vide, et la silhouette de l'ancien boucher qui, là-bas, transbahutait des poubelles à grand bruit, dans la chemise à petits carreaux bleus et blancs qu'il avait gardée de son ancien état. Effrayée, Fanny songea immédiatement qu'il ne fallait à aucun prix qu'elle se laissât voir par Tante Colette, à qui elle avait promis de ne revenir au village qu'en la compagnie de Léda, ni par qui que ce fût qui pût informer Tante Colette de sa présence. Heureusement la nuit venait, profonde en cette saison. Où aller cependant ? se demandait Fanny, excluant pour cette raison la possibilité qu'on la renseignât sur le village de Tante Léda. A ce propos, un soupçon la gagnait touchant à la sincérité de Tante Colette qui l'avait d'abord envoyée chez le père, la fourvoyant curieusement, qui lui avait donné, en assurant qu'il se trouvait à proximité, le nom d'un village que la carte ignorait, que le chauffeur ne connaissait pas davantage. Mais Fanny avait honte de ces mauvaises pensées, aussi refusa-t-elle de s'y attarder, plus guère confiante en l'avenir et ne voyant pas cependant qu'elle pût désormais faire autrement que de continuer à chercher, quand bien même Tante Colette se fût employée à lui rendre la tâche impossible.

## Chapitre 3. — FANNY S'ÉGARE.

Elle marcha vers les lotissements dans l'intention vague de s'éloigner du village, où il lui semblait qu'on la repérerait aisément. Le froid l'avait surprise et elle n'était encore vêtue que du fin tricot qui lui avait suffi au village du père. Quand je serai hors de vue, je tirerai une veste de ma valise, se disait Fanny. En attendant, elle passait et repassait plusieurs fois dans les mêmes rues sans parvenir à s'écarter de ce qu'elle avait localisé comme le cœur du lotissement, empruntait une voie qu'elle croyait nouvelle jusqu'à ce que l'étrange orangé d'un rideau de cuisine lui rappelât qu'elle en sortait juste, enfin se perdit tout à fait, sans cesser de tourner. Les maisons, les voitures garées devant ni les plaques des rues aux sempiternels noms d'oiseaux ne lui étaient d'aucun secours. Fanny s'épuisait. Le temps de souffler, elle s'arrêta le long d'une haie. Elle vit tout d'un coup le visage de sa mère dans la faible clarté d'une fenêtre, de profil, doucement penché de son côté et souriant d'un long sourire étiré, affable et clément que Fanny jamais ne lui avait connu même aux temps anciens, sans plus rien de cette agitation nerveuse qui souvent contractait les traits de sa mère lors même qu'elle était en joie, souriant de ce beau et poignant sourire étranger à Fanny, immobile et sans fin, vers quelqu'un que Fanny ne distinguait pas, au-dessous du regard de la mère. La lumière de la lune tombant sur la vitre argentait ses cheveux blonds, qui étincelaient. Voilà la maison d'Eugène, murmura Fanny dans la désolation. Elle se fût précipitée n'eût été la crainte, plus puissante encore que son violent désir de voir tourner vers elle le sourire tendre de la mère, de rencontrer Tante Colette. D'ailleurs, ce sourire eût-il perduré pour Fanny ? Probablement la mère, en la voyant, eût pris un air fâché, ou horrifié, et la brutale extinction de ce ravissement qui devait enchanter tout autant que Fanny les personnes présentes dans la pièce, eût été le premier effet produit par son entrée.

Avec regret, Fanny se remit en marche, transie maintenant. Elle avança au hasard, obliqua à l'aveuglette, renonçant à s'orienter. Vaincue par le froid, elle s'apprêtait à ouvrir sa valise quand les phares d'une voiture l'éblouirent. Le conducteur freina, un homme mit pied à terre et courut vers Fanny. C'était son père, dans un somptueux vêtement jaune vif dont le reflet semblait illuminer son visage, comme si le père ne se fût pas trouvé dans le même temps que les choses environnantes obscurcies par la nuit mais eût flotté dans la lueur d'or d'un fragment de journée ensoleillée. Il attrapa le bras de Fanny et le secoua, haletant.

– Oh, je m'excuse d'être partie sans te dire au revoir, oui, je te pris de m'excuser, dit Fanny rapidement, honteuse soudain au point de penser que le père ne l'avait poursuivie que pour lui faire avouer sa faute.

– C'est oublié car, à présent, tu vas revenir avec moi, tu le peux, lança le père d'une voix joyeuse. Je viens de voir ta mère, à l'instant, qui m'affirme que tu n'es pas ma fille, quoi que j'aie cru jusqu'à aujourd'hui. Aussi, bien que cela me peine d'avoir été berné, je m'en réjouis, Fanny, pour nous deux. Cette femme que tu as aperçue chez moi, qui me déplaît fort, je vais la renvoyer sans tarder, et toi...

Le père, dans son impatience, meurtrissait le bras de Fanny, de ses longs doigts secs dont elle avait hérité. Stupéfaite, elle restait silencieuse tandis qu'il tâchait de l'entraîner vers la voiture, dégageant d'un preste mouvement du pied le bas de son vêtement ruisselant, semblait-il, d'inépuisable blondeur, d'où le père peut-être tirait ce soir sa vitalité fougueuse. Sans la regarder il parlait, fortement, décrivant leur existence prochaine, les biens dont il allait combler Fanny. Elle distingua alors le domestique qui les attendait au volant de la limousine. Voyons, il faut être raisonnable, murmura-t-elle, sachant qu'elle ne pourrait couvrir la voix du père. Et comme, afin d'ouvrir la portière, inconsidérément il l'avait lâchée, Fanny prit la fuite. Elle bondit par-dessus une haie, traversa un jardin, sauta dans un sentier entre deux maisons. Elle entendait crier le père, de plus en plus faiblement, et ses implorations se perdaient dans le hurlement des chiens. Courant toujours, Fanny atteignit la sortie du lotissement qu'elle avait cherchée en vain tout à l'heure. Elle se jeta dans le fossé, pantelante. Elle eut, là, tout loisir de réfléchir à ce que lui avait dit le père, qui l'étonnait moins maintenant qu'elle y voyait la conséquence d'un malentendu. Car, se remémorant les termes employés par sa mère dans la missive qui lui avait signifié son abandon, par lesquels il était exprimé que, telle qu'était devenue Fanny aux dires de Tante Colette, sa mère ne pouvait plus se considérer ainsi, comment Fanny n'eût-elle pas envisagé aussitôt quelque mauvaise interprétation du père, que sa maîtrise imparfaite de la langue parlée au pays de l'aïeule avait fait entendre, sous les propos équivoques de la mère, ce qui n'était point ? La mère ayant répété peut-être que Fanny, dans ces conditions, ne saurait plus être la fille de son père, celui-ci avait pris l'expression au pied de la lettre, supposé sans doute que c'était là une formule pudique pour confesser une vieille trahison, et s'en était félicité ignominieusement, certainement fier par ailleurs d'avoir deviné la veille, en présence de Fanny, ce qu'il croyait que lui révélait la mère aujourd'hui. Ainsi, qu'il importait moins au père d'avoir une fille qu'une compagne conforme à ses désirs de parvenu, Fanny le découvrait avec dégoût, tout en ne niant pas que, sous ce désintérêt pour le lien du sang, se dissimulait également, comme elle l'avait perçu, que le père ne parvenait à trouver naturel d'avoir pour enfant une fille aussi profondément différente, et infiniment supérieure selon sa mortifiante mesure des valeurs. Son père maintenant répugnait à Fanny, qui se promit de ne plus le revoir. Le méprisait-elle pour ce qu'il avait voulu lui faire remplacer la jeune personne docile de son village, ou parce qu'il se tenait lui-même en si piètre estime qu'il ne pouvait accepter que Fanny fût sa fille ? Fanny n'était plus, loin de là, convaincue d'être parfaite ; aussi l'admiration du père lui semblait bien pitoyable. Et c'était comme si, de ne savoir discerner ce manquement à la perfection, il n'en était, le père qui la vénérait, que plus ridicule et grossier.

## Chapitre 4. – AU VILLAGE DE M.

Il était grand matin déjà quand elle sortit du fossé, non loin de la dernière maison du lotissement, sur la route principale qui divisait le village. Comme souvent au pays de l'aïeule, un ciel bas pesait sur les toits, défendait de s'élancer même au clocher, trapu et renfrogné, qu'à peine on remarquait de la route, pour dissuader, semblait-il, le voyageur de s'approcher, l'étranger de se sentir bienvenu en ces lieux. Fanny tourna le dos à l'informe masse grise du village et se mit à marcher d'un bon pas. Ne sachant où placer le village de Tante Léda, n'ayant pour le moment aucun moyen de se renseigner, elle avait réfléchi qu'en allant du côté que ne comprenait pas le parcours du chauffeur de l'autocar, qui jamais n'avait traversé le village de sa tante, elle avait plus de chance de rencontrer quelqu'un qui le connût ou d'y arriver inopinément, qu'en repartant de l'autre côté. Si, ce dont Fanny commençait à douter, Tante Colette ne l'avait pas trompée et que ce village existait réellement, et s'il était situé dans les parages, il ne pouvait se faire qu'à force de chercher Fanny ne le trouvât pas.

Elle dépassa ce matin-là plusieurs petites communes à cheval sur la grand-route, pareillement enfoncées, ce morne jour d'automne, écoles et boutiques partout ayant fermé, dans un silence désœuvré. Fanny ne savait si elle avait passé déjà par ces hameaux, tant il était ardu de les différencier. Mais quand, vers midi, elle entra dans le village de M., elle le reconnut avant même que de voir l'enseigne du Coq Hardi, et, décontenancée, ennuyée d'être revenue là, décida de tirer parti de cette erreur en allant visiter Tante Clémence. L'oncle travaillant, sa tante la reçut seule, surprise légèrement mais non point hostile. Et, se rappelant le mauvais accueil qu'elle avait reçu d'elle la fois précédente, Fanny se dit que la froideur de Tante Clémence avait pu être provoquée par le simple fait qu'elle l'avait dérangée, alors que Fanny y avait vu le signe d'une grave antipathie. Tante Clémence l'invita à partager son déjeuner, une belle tranche de cœur qu'elle fit sauter dans un émincé d'oignons. Assise dans la cuisine ancienne, Fanny contemplait sa tante avec reconnaissance ; elle osa lui demander ce qu'elle pensait d'elle à présent, comme Tante Clémence lui servait une part généreuse.

— Ce que l'on croit qui a changé en toi ne m'abuse pas une seconde, répondit Tante Clémence sur un ton dégagé, car je ne le vois pas et suis persuadée qu'il n'y a rien. Cependant, tu peux en donner l'impression, aussi as-tu changé malgré tout, suffisamment pour créer cette illusion que tu es transformée.

— C'est exactement ce qui m'est apparu, murmura Fanny avec humilité.

Tante Clémence, qui n'avait jamais été bavarde, ne dit plus rien. Cependant, à une question que Fanny s'enhardit à poser au sujet de Tante Léda, elle répondit complaisamment, puis, cette question en appelant d'autres, elle proposa soudain de raconter à Fanny ce qu'elle savait de Léda, sa sœur, prétextant qu'ainsi seulement Fanny comprendrait combien il était sot de convoiter la protection de cette tante-là.

## Chapitre 5. — LA VÉRITABLE HISTOIRE DE TANTE LÉDA.

Sa jeune sœur Léda, commença Clémence, avait été toujours, il fallait bien le dire, la préférée de toute la famille, et de l'aïeule elle-même comme de chacune de ses sœurs qui, par conséquent, n'avaient éprouvé ni jalousie ni dépit de cette prédilection qu'elles entretenaient, que Léda devait au charme incontestable de son visage et de ses manières, ainsi qu'à quelque séduction plus mystérieuse que Tante Clémence, n'ayant pas l'habitude de conter, ne pouvait se risquer à décrire, tant c'était impalpable. Aussi Léda, dès son plus jeune âge, avait-elle été accoutumée à ce qu'on lui passât caprices et manies de toutes sortes, et elle était devenue cependant la plus douée des quatre sœurs, celle qui avait l'esprit le plus vif et le plus audacieux. La mère de Fanny et Léda, étant les deux cadettes, vivaient encore chez l'aïeule quand Clémence et Colette avaient quitté la maison pour se marier. Puis voilà que la mère de Fanny présentait à la famille celui qui deviendrait le père de Fanny et qui était alors un jeune homme discret et timide, brillant néanmoins et plein de volonté. Mais, pour les raisons que Fanny savait et d'autres encore, nul dans la famille n'avait voulu entendre parler de ce mariage. Chacun s'était employé, avec une belle ardeur, une constance louable, à tenter de persuader la mère de Fanny de son inconséquence, à la conjurer de renoncer à son projet, voire à la menacer, toutes pressions auxquelles elle opposait un visage impassible et des paroles insignifiantes dont on ne pouvait tirer la moindre certitude. Jamais elle n'avait un mouvement de colère, un mot de révolte ; mais, si elle allait s'incliner, céder, on la laissait sans parvenir à le savoir, et la famille s'obstinait. Tout cela déplaisait fort à Léda. Aimant avec une ferveur toute particulière la mère de Fanny, elle se mit en tête de lui porter secours contre la famille entière qu'on ne lui avait pas appris à craindre ni à respecter au-delà de tout, à cause de cette tendresse indulgente que tout le monde avait pour elle. Dès que quelque tante, quelque cousin arrivait pour sermonner la mère de Fanny, Léda se précipitait, et si elle ne réussissait à renvoyer l'importun elle s'efforçait d'assister à l'entretien, répondant avant sa sœur, tenant des propos qui scandalisaient. L'aïeule elle-même était impuissante à l'en empêcher : Léda avait toujours fait ce qu'elle avait voulu, et jamais elle n'avait eu de motif aussi sérieux de manifester sa détermination. Il semblait parfois qu'elle prît à cœur de faire triompher le désir de sa sœur davantage encore que cette dernière qui, selon Tante Clémence, bien qu'elle eût paru rester insensible aux persuasions, eût certainement fini par céder sous les attaques répétées de la famille, n'eût été Léda qui l'avait pour ainsi dire déchargée de l'épuisante nécessité de se défendre. Léda, par défi, en vint à déclarer que, si sa sœur capitulait, elle épouserait, elle, le fiancé méprisé. Elle espérait ainsi contraindre la famille à se rendre, mais tout au contraire l'excita. Et l'on jugea que Léda était devenue la plus coupable des deux sœurs, en oubliant presque ce qui avait provoqué cette affaire. Qu'on fût contre Léda, précisa Tante Clémence, n'altérait pourtant pas la préférence dont on l'avait toujours honorée ; il s'agissait simplement de la réduire, de la repousser comme un obstacle inattendu aux volontés supérieures de l'organisation familiale, que, pensait-on, Léda ne gênait que par caprice et légèreté d'esprit, et parce que son jeune âge, l'éducation magnanime qu'elle avait reçue, l'aveuglaient encore. Aussi, bien que, tout en jugeant Léda avec sévérité, on l'aimât toujours d'une affection privilégiée, la mère de Fanny, qu'on regardait d'un œil plus clément, était considérée avec beaucoup moins de sympathie et, depuis qu'elle s'était éprise de cet homme d'un amour qui dégoûtait un peu, aimée par devoir. Colette et elle-même, déclara Tante Clémence d'une voix froide, avaient participé activement à ces tentatives de mise à la raison. Et Tante Clémence ajouta sans embarras que, la mère de Fanny étant leur sœur, elles n'en avaient ressenti que plus intimement cette répugnance éprouvée à l'égard du fiancé, pourtant de belle allure et d'apparence soignée.

Cependant, la résolution de la mère de Fanny faiblissait doucement. Tant de complications la fatiguaient, elle aspirait au calme et à la bonne entente d'autrefois. Voyant cela, Léda décida d'user d'une manière brutale : elle rejoignit chez lui le fiancé et s'y installa, puis fit savoir à la famille qu'elle ne rentrerait qu'une fois sa sœur autorisée à se marier. De honte, l'aïeule faillit mourir. La mère de Fanny se trouva confuse et malheureuse, et personne ne douta qu'elle en voulût à Léda de cette initiative, mais, au point où en étaient arrivées les choses, ne pouvant plus reculer, elle s'associa avec une vigueur nouvelle à l'exigence formulée par sa sœur. La famille posa les armes, calculant que, si la situation s'éternisait, ce scandale-ci l'affecterait plus durablement que l'indignité d'un tel mariage. Léda revint à la maison et l'on expédia les noces de la mère de Fanny. Mais la famille était divisée : certains voulaient continuer de recevoir Léda, d'autres l'estimaient inadmissible, les premiers l'invitaient en cachette des seconds qui, l'apprenant, leur battaient froid, enfin il apparut que le seul moyen de sauver l'unité de la famille était de chasser Léda, quoi qu'il en coûtât à tout le monde. La mère de Fanny elle-même ne protesta pas contre cette mesure. Et, sans personne pour la défendre, Léda dut s'en aller. Par orgueil, elle partit sans prévenir, sans qu'on pût deviner pour quelle destination. A ce propos, les imaginations s'enflammèrent et d'aucuns voulurent se persuader qu'elle avait rejoint chez eux la mère de Fanny et son mari, mais cela ne fut jamais établi. Il est probable que c'était là pure invention. Certains allèrent jusqu'à insinuer que, peut-être, la véritable mère de Fanny... Mais Tante Clémence, qui n'avait jamais accordé foi à ces allusions, ne les rapportait que pour donner à Fanny quelque idée des égarements où tombaient, dès qu'il s'agissait de Léda, les personnes sensées dont se composait la famille.

Chapitre 6. — CE QUE FANNY SE FIGURAIT AU SUJET DE TANTE LÉDA, IL LUI FAUT LE RECONSIDÉRER.

A l'instant où Tante Clémence achevait son récit, l'oncle rentra et il ne fut plus question de ce qu'il venait d'être dit. On autorisa Fanny à passer la nuit sur le canapé du salon, identique à celui qu'avait possédé l'aïeule et qui, avec son tissu pelucheux dont elle reconnut la sensation mi-déplaisante sur sa peau, et comme très avant dans sa chair même, émut Fanny en lui inspirant le regret douloureux de n'avoir su alors savourer pleinement ces moments quand, appuyée sur l'aïeule, elle regardait quelque feuilleton que celle-ci commentait plaisamment, par les longs après-midi d'été, dans la pièce aux volets clos.

Fanny ne dormit pas, ayant à réfléchir à la situation qui était la sienne maintenant, profondément modifiée par ce que lui avait relaté Tante Clémence. Cependant, avant que sa tante eût commencé son histoire, Fanny avait compris qu'elle atteindrait son but et qu'elle n'aurait, elle, d'autre alternative, quoi qu'elle entendît, que de renoncer à chercher Léda. Il en allait ainsi du vœu de la famille, auquel les meilleures raisons ne pouvaient plus s'opposer. Si, passant outre, Fanny s'obstinait à vouloir retrouver Léda, il était certain que la famille, sans un mot, sans un geste, sans peut-être même se douter que Fanny continuait sa quête, l'empêcherait toujours d'y parvenir, toujours dirigerait Fanny vers tel village d'où elle aurait le plus grand mal à sortir. Mais Fanny comprenait surtout à présent qu'elle n'avait jamais fait que se nuire ; car, voulant pénétrer la famille, quel pire moyen pouvait lui aliéner sa bienveillance que de prétendre ramener celle que la famille, après réflexion, avait rejetée ? Que Fanny eût ignoré l'histoire ne devait pas l'avoir absoute : ce que la famille cachait devait, aux yeux de la famille, rester caché, mais de nombreux indices permettaient de deviner très précisément sur quoi portait ce qu'on ne devait pas savoir et de s'en écarter en toute conscience. Il s'agissait là du premier devoir de la postérité et Fanny y avait manqué sans pouvoir alléguer qu'elle n'avait rien su de ce devoir, ce qui, du reste, eût constitué une faute également. Sûre de son droit, elle n'avait tenu aucun compte des avertissements de Tante Colette ! Non seulement Fanny devait maintenant fuir toute éventualité de rencontre avec quelle Léda que ce fût, mais jamais plus ce prénom ne devait être prononcé par elle : sans la plus parfaite vertu, elle ne se rachèterait pas.

Cependant, toute tremblante d'angoisse, elle se demandait, se rappelant que Tante Colette, après lui avoir donné cette adresse trompeuse, lui avait défendu de revenir sans Léda, s'il n'était pas déjà trop tard. Car Tante Colette, sachant qu'elle l'envoyait en un lieu inexistant, n'avait-elle pas voulu exprimer ainsi qu'elle lui interdisait tout simplement de jamais revenir, de jamais comparaître devant elle à nouveau ? N'avait-elle pas voulu signifier qu'il ne restait à Fanny, dont l'arrogance n'avait pu être soumise, qu'à tourner par les villages, indéfiniment ?

## NEUVIÈME PARTIE

### Chapitre 1. — La mort de Tante Clémence.

Fanny fut brutalement réveillée par l'oncle. Elle est passée ! dit-il, effaré, puis il se mit à aller et venir en tous sens, en évitant la chambre. Il prépara son petit déjeuner, l'avala seul, tandis que Fanny, incrédule, allait au chevet de Tante Clémence, gênée un peu que l'oncle se fût présenté en tenue de nuit. Quand elle eut constaté la mort de sa tante, elle rejoignit l'oncle à la cuisine. Il pleurait bruyamment. Comme Fanny n'avait jamais vu cet oncle manifester la moindre émotion auparavant, elle en fut presque surprise et, s'apitoyant, pleura un peu elle aussi. Je vais m'occuper de tout, lui promit-elle d'une voix douce. Mais elle demeura un moment à son côté dans la cuisine, réchauffa le café, le servit avec des paroles de réconfort issues de quelque souvenir romanesque, que l'oncle écouta attentivement. Puis elle nettoya la table, conseilla à son oncle d'aller faire sa toilette, bien qu'elle ne fût plus embarrassée par son allure débraillée. Et l'image d'elle-même prenant soin de l'oncle après la mort de sa femme ce matin-là, l'amenant à faire ce qu'il fallait tout en le ménageant, ravissait Fanny qui, ayant peu connu Tante Clémence, n'éprouvait pas de véritable peine. L'aimable accueil que lui avait réservé sa tante la veille comptait dans sa navrance davantage que les visites rendues tout au long des années précédentes où Tante Clémence, n'ayant d'yeux que pour Eugène, n'avait jamais manifesté qu'elle tenait Fanny pour sa nièce.

Quand l'oncle se fut débarbouillé et habillé, son bon sens lui revint. Il s'activa, n'ayant pas besoin de l'aide de Fanny, mais il lui permit de rester le temps qu'elle voudrait. Tante Colette devant arriver, Fanny descendit à la cave. Elle jugeait bon de ne pas se montrer à Tante Colette dans cette circonstance fortuite et malheureuse qui, peut-être, aurait fait proférer à sa tante, si elle avait vu Fanny sans en être avertie, des paroles hâtives, dures ou amères. Certainement, retrouver Tante Colette ce jour-là eût été de mauvais augure. D'ailleurs, il n'était pas question que Fanny surgît devant elle sans avoir obtenu la permission de paraître, laquelle, supputait Fanny, n'allait pouvoir que se négocier, si elle l'emportait jamais.

On hâta les démarches en sorte que Tante Clémence pût être enterrée dans la soirée. Tante Colette, l'oncle Georges, la mère de Fanny et quelques voisins furent seuls à se déplacer, Eugène, entendit expliquer Fanny par Tante Colette, ayant eu, cet après-midi-là, à se présenter pour un emploi. Tante Colette avait revêtu sa robe noire à petites roses, un peu trop cintrée. La mère de Fanny pleurait avec résignation ; Tante Colette et l'oncle Georges se contentaient de se moucher, tandis que le mari de Clémence arborait une étrange figure contrite, comme si, de l'avoir laissée mourir, de ne s'en être aperçu qu'au matin et de ne plus pouvoir maintenant se tirer une larme, de tout cela il eût dû s'excuser auprès des deux sœurs.

Fanny suivit à distance, prudemment, le pauvre cortège. Il faisait, comme la veille, gris et froid, et l'on marchait vite, à petits pas vacillants pour les femmes qui n'avaient pas l'habitude de porter des escarpins, des vernis aux talons hauts et carrés. Fanny avait préparé une lettre pour Tante Colette, où elle exprimait son repentir et la suppliait, quel qu'en fût le prix, de lui pardonner. Près du cimetière, elle avisa une gamine d'une dizaine d'années qui traînait là, curieuse. Elle la pressa d'aller remettre cette lettre à Tante Colette, d'attendre la réponse et de la lui rapporter au plus vite. Flattée, l'enfant fila. A travers la grille, Fanny la vit donner l'enveloppe à Tante Colette d'un air solennel, comme celle-ci s'apprêtait à jeter une motte de terre humide dans la fosse. Les petites roses de la robe de Tante Colette remuaient gaiement, dansaient sur le tissu fluide agité par le vent. Sur le ciel sombre, elles semblaient voleter échappées d'un bouquet.

La gamine fut bientôt auprès de Fanny et récita avec importance : La dame dit qu'elle ne peut rien faire pour vous tant que vos parents ne vous ont pas accordé leur pardon. Elle dit savoir que chacun d'eux s'estime offensé pour des raisons différentes et ne veut pas prendre la responsabilité de vous acquitter avant eux. Après, a-t-elle dit, nous verrons. Fanny, soulagée, remarqua alors que la petite avait les pieds nus dans de vieilles chaussures de sport. Son visage étroit, un peu rusé, était marqué déjà de taches et de rides légères. Fanny l'emmena chez l'oncle et lui offrit une paire de collants de laine. Elle la chassa rapidement, crainte que la famille repassât par là, car elle devrait dans ce cas retourner se cacher à la cave. La petite fût restée volontiers : installée devant le poêle, caressant ses nouvelles jambes, elle s'exclamait devant un canevas brodé qui était, à son goût, dans le cadre doré, tout ce qu'il y avait de plus chic. Fanny lui avait enduit le visage d'une crème contre le froid et, à s'occuper d'elle ainsi, en avait presque oublié Tante Colette. Ce fut, après, une surprise que d'y repenser. Etait-il jamais arrivé que le souci de la famille la quittât plus d'un quart d'heure ? S'était-elle jamais laissée captiver par quoi que ce fût suffisamment pour s'étonner presque, après, que la famille existât ? Car la famille n'avait-elle pas accaparé toutes ses facultés d'intérêt et d'émotion ?

## Chapitre 2. – CHEZ LA MÈRE DE FANNY.

Fanny rédigea soigneusement un acte de pardon puis, quoiqu'il lui en coûtât, prit le train pour la capitale, peu après l'enterrement de Tante Clémence. Sur le quai de la gare, à l'arrivée, elle se rencontra soudain avec sa mère qui, après les obsèques, était montée sans doute dans le même train qu'elle. La mère portait son long manteau de fourrure maintenant râpé au col et aux poignets, ainsi que sa valise écossaise passée de mode. Bien qu'ayant vu Fanny, elle allait continuer son chemin, l'air indifférent, quand Fanny la retint. C'est toi ! Je ne t'avais pas reconnue ! s'écria la mère. Elle ajouta, rassurée, perplexe :

– C'est pourtant bien toi. Parce que Colette m'a dit que tu étais changée, je ne t'ai pas reconnue tout de suite, mais je vois que c'est bien toi.

– Ta lettre n'a donc plus de valeur, n'est-ce pas ? dit Fanny qu'écrasait tout d'un coup un sentiment de tristesse et de déception. La mère ayant acquiescé non sans un plaisir manifeste, Fanny lui prit le bras et elles sortirent de la gare. Il lui sembla que sa mère marchait lentement, d'un pas las. Et, alors qu'autrefois sa mère reprochait à Fanny accrochée à son bras de ne pas avancer assez vite, Fanny maintenant ralentissait son allure pour ne pas donner l'impression qu'elle tirait la mère, ce dont celle-ci ne se rendait pas compte, perdue en des pensées qui durcissaient un peu le pli de sa bouche, lui faisaient des lèvres étroites et incolores. Sa mère, d'ailleurs, devait avoir oublié depuis longtemps le rythme du pas de Fanny. Ayant oublié, pensait Fanny, jusqu'aux traits de sa fille, il lui paraissait que Fanny n'avait pas changé, comme si elle eût été en mesure de percevoir la plus infime métamorphose, à l'instar de Tante Colette. Tandis que, ce dont Fanny était certaine à présent, c'est que sa mère avait oublié d'elle tout ce qu'elle avait su, par insouciance et désaffection, perméabilité aux sourdes influences de la famille. Et si, revenant chez elle en compagnie de Fanny, elle semblait en être contente, ne pouvait-elle préférer cela à la simple solitude ?

Elles traversèrent plusieurs lieux évocateurs, pour Fanny, de souvenirs précis : sur ce muret en bordure de la route, enfant elle avait aimé marcher, se tenant d'une main à l'épaule de sa mère, riant de la dépasser d'une tête et que sa mère, jouant le jeu, l'appelât maman ; sur ce terrain vague, elles avaient vu un jour deux lamas enfuis de quelque cirque mais, stupéfaites, n'avaient pu se défendre ensuite de la sensation d'avoir rêvé ; là, Fanny était tombée... Elle eût aimé rappeler ces petites scènes à sa mère ou que celle-ci d'elle-même les mentionnât. Mais, de son pas alenti, la mère longea le muret, franchit le terrain, sans ouvrir la bouche. Aussi, peu désireuse de constater qu'elle ne se souvenait de rien, Fanny resta silencieuse. Peut-être sa mère se trouvait-elle en ce moment trop affligée par la mort de Tante Clémence pour songer au doux passé avec Fanny. Elle avait vécu aux côtés de sa sœur Clémence aussi longtemps qu'avec Fanny !

Une fois dans l'appartement, la mère poussa de longs soupirs exténués. Mais sa mère avait été, dans la mémoire de Fanny, une jeune femme vive et gaie – voilà qu'elle se dirigeait vers la cuisine en traînant les pieds, et pas une fois elle n'avait songé à se tourner vers Fanny pour lui sourire. Il semblait suffire à la mère d'être rentrée avec sa fille. De la même façon l'aïeule, quand elle recevait Colette ou Clémence, bien qu'elle se fût plainte souvent qu'on la visitât trop peu, ne leur témoignait pas d'attention particulière et celles-ci, installées comme chez elles, ne paraissaient pas en attendre, alors que l'aïeule savait se mettre en frais pour un hôte, lui montrer, par déférence, une chaleureuse affection à laquelle ses filles n'avaient pas droit, dans une sorte de souci économe. En effet il suffisait à la mère d'être rentrée avec Fanny ce soir-là. Cependant, la présence de Fanny lui manquait-elle jamais ?

La mère prépara du thé et vint le servir au salon. Elle ne donna pas à Fanny sa tasse habituelle mais la prit pour elle, machinalement, et versa le thé pour Fanny dans une tasse neuve en plastique dur. De piètre qualité, ce thé avait été acquis au supermarché par la mère plusieurs années auparavant, un jour de promotion, en quantité telle qu'il lui en restait encore aujourd'hui plus d'un kilo. Répugnant au gaspillage, la mère ne voulait pas acheter de meilleur thé avant que celui-ci eût été bu ; elle le faisait seulement toujours très fort.

Après que, en silence, elle eut avalé son mauvais thé, dans la tasse qu'on ne savait par quel bout saisir car elle chauffait de partout, Fanny sortit son acte de pardon. La mère le signa sans difficulté ni s'étonner de cette exigence de Tante Colette. En vérité, que Fanny rentrât ou non dans les bonnes grâces de sa sœur ne devait guère la préoccuper. Est-il vrai, demanda soudain Fanny, qu'on a dit autrefois à propos de Léda que, peut-être, ma véritable mère... Rougissant, elle ne put continuer. Sa mère la regardait avec stupeur. Des larmes se mirent à couler de ses yeux écarquillés et, dans sa main, la tasse de Fanny à motifs de petits cœurs jaunes tremblota. Fanny désira n'avoir jamais prononcé ces mots — serait-elle un jour une fille irréprochable, une nièce accomplie ? Car, maintenant, quoique la mère se fût bien souvent mal comportée avec Fanny, et récemment encore, voilà que Fanny, par cette phrase malheureuse, redevenait celle qui offense étourdiment. La mère, ayant posé la tasse, l'ayant repoussée loin d'elle sur la table, sanglotait, le visage baissé. Comment, disait-elle, peux-tu retenir de pareilles choses. Et sa voix pleine de dégoût persuadait Fanny de sa bassesse, de son indignité essentielle. Jamais la mère autrefois ne pleurait. Mais, ce qu'il en était véritablement de ce que lui avait confié Tante Clémence, il ne serait pas permis à Fanny de le savoir, qui d'ailleurs ne s'aviserait plus de poser cette question à quiconque. Les épaules rentrées, la mère semblait menue et vulnérable, pareille, songeait Fanny affligée, avec son corps tressautant, à une fragile souris aux pattes prises. Il était heureux que la mère vînt d'accorder son pardon officiel : Fanny, certainement, laisserait passer du temps avant d'oser la venir voir de nouveau. Elle se sentait, plutôt qu'honteuse, contrariée par sa maladresse, et atterrée de voir répandre tant de larmes par sa mère qui n'en avait guère l'habitude, au point qu'elle paraissait vouloir se liquéfier sur sa chaise, quitter ce monde emportée par un débordement de pleurs. Immobile, Fanny attendait que le chagrin de la mère s'apaisât. Le bruit de la circulation au ras des fenêtres figurait celui des vagues, aussi la mère ne s'en berçait-elle pas, ne faisait-elle pas durer ainsi sa peine et l'embarras de Fanny ?

Dans un vase posé au centre de la table sur un napperon de papier, un bouquet de marguerites artificielles ployait sous la poussière. La théière neuve qu'utilisait la mère, Fanny en avait vu la réplique exacte chez Eugène, avec son couvercle imitant une espèce de nénuphar. Et, jetant ses regards autour d'elle, Fanny s'aperçut que de nombreux objets dans le salon avaient été remplacés par d'autres dont elle avait vu les modèles identiques décorer la cuisine de ses cousins, la salle à manger de la mère de Georges, le salon de Tante Clémence. Rien de ce que possédait la mère à présent n'eût pu être contemplé ou recueilli par Fanny avec quelque émotion ; car que lui disaient de la mère ces babioles interchangeables, sinon qu'elle avait le goût commun ? Le chagrin même de sa mère lui parut alors, au milieu de ces bibelots, affecté et trivial, sans que la mère, par manque de goût, pût seulement s'en rendre compte. La mère pleurait, pleurait sans fin ! Attristée, confuse, Fanny détournait les yeux chaque fois que la mère levait les siens. Aimant le confort, elle avait semé sur le canapé des coussins de velours multicolores et accroché au mur des proverbes gravés exaltant en lettres gothiques le bonheur du foyer. Elle levait sur Fanny des yeux gonflés et vieillis, espérant sans doute trouver les yeux de Fanny mouillés eux aussi. Mais, saisie de pitié et de gêne, sa fille regardait ailleurs, qui l'avait blessée si cruellement ! Ainsi devait en juger la mère. Pourtant, ce qu'il y a de vrai dans ce que m'a dit Tante Clémence, pensait Fanny, Maman comme le reste de la famille me le cacheront toujours, et l'on m'accusera de n'avoir pas de respect tout en feignant de ne pas s'en étonner venant de moi. Ah, je le savais bien ! Pourquoi ai-je parlé ! Il eût dû suffire à Fanny d'être rentrée avec sa mère ce soir-là, son bras sous le sien. Elles eussent pris le thé lentement, puis dîné d'un plat en conserve, paisibles dans le petit ménage standard de la mère, tout en regardant négligemment la télévision, changeant de chaîne depuis la table, à tout bout de champ, afin d'avoir sous les yeux toujours les images de feuilletons, pour quoi la mère avait une prédilection. Mais Fanny se sauva dès que sa mère se fut calmée et celle-ci, loin de rien tenter pour la garder, l'approuva d'un geste las, comme si, épuisée par les souffrances que Fanny l'avait forcée d'endurer, elle ne pouvait souhaiter que d'être débarrassée d'elle.

## Chapitre 3. — Un ordre pénible de Tante Colette.

N'ayant d'autre endroit où aller, Fanny revint chez Tante Clémence. Encore peu accoutumé à la solitude et ne sachant tenir un intérieur, l'oncle l'accueillit de bonne grâce, à la condition toutefois que Fanny le quittât sous peu, car on eût jasé. Fanny le dorlota, son deuil fut moins dur à l'oncle.

Elle fit rapidement venir la gamine qui lui avait déjà servi de messagère ; la petite n'avait plus son collant. Il apparut qu'on se souciait si peu d'elle qu'au lieu qu'on s'inquiétât de la voir disparaître des après-midi entiers, pour ce qu'elle prenait encore soin de rentrer on l'eût presque réprimandée. Fanny avait dans l'idée de lui faire porter ses billets à Tante Colette. Sa tante, calculait-elle, serait certainement émue par l'aspect de la fillette et n'aurait le cœur de la renvoyer avec une réponse désobligeante pour Fanny. C'était, en outre, le moyen le plus commode de contacter Tante Colette, et la route directe ne serait pas difficile à suivre pour l'enfant. Fanny l'habilla chaudement, lui confia l'acte de pardon et une courte lettre disant ceci : que, son père ne croyant plus que Fanny fût sa fille, elle demandait à Tante Colette de l'autoriser de ce côté-là à se passer d'un pardon qui n'avait plus lieu d'être réclamé. Ayant glissé les deux papiers sous le bonnet de la gamine, elle l'accabla de recommandations avant de l'accompagner jusqu'à la route. La petite, ravie, partit en galopant. Et, bien que Fanny lui eût ordonné de marcher dans le fossé, elle sauta bientôt sur l'asphalte pour courir plus à son aise, ce qui ne laissa pas d'inquiéter Fanny demeurée à la regarder. Dans son impatience qu'elle revînt, elle ne pouvait se résoudre à rentrer en dépit du froid vif. Elle l'imagina à chaque étape de son parcours, avec une légère jalousie quand elle la vit chez Tante Colette. A cette enfant, on ne pouvait rien reprocher ! Tante Colette, trop émue, n'allait-elle pas se laisser prendre à des comparaisons qui seraient au désavantage de Fanny, regretter que Fanny, petite fille, n'eût pas été seulement aussi adéquate que cette pauvre gamine et, finalement, considérant celle-ci, nourrir ses griefs contre Fanny, son éternelle déception ? Elle se tourmenta ainsi, au bord de la route, jusqu'à ce que l'enfant fût revenue, de longues heures après. Elle l'entoura de ses bras tout en la questionnant, étourdissant la fillette qui tentait de retrouver son souffle. Tante Colette s'était contentée de délivrer son message à haute voix, quelque peu négligemment semblait-il, car elle n'avait pas précisé s'il s'agissait d'une réponse au mot de Fanny ou d'une simple remarque qu'elle s'adressait à elle-même, dernière hypothèse que la fillette avait rejetée cependant après y avoir réfléchi tout au long du chemin. Voilà ce que Tante Colette avait dit, dans une sorte de murmure : Comme il ne se pouvait que Fanny n'eût pas de père, quels que fussent, à ce sujet, les doutes de quel père que ce fût, elle devait en obtenir le pardon pour que Tante Colette se sentît en droit de la recevoir naturellement. La petite récitait avec aisance. Quant à la manière dont on l'avait traitée, Fanny pourtant ne réussit à savoir grand-chose. Qu'on lui avait servi un verre de grenadine était tout ce qu'il y avait de sûr. Pour le reste, la gamine s'empêtrait, confondait les personnes, parlait d'un voisin probablement passé en visite comme de l'oncle Georges, ne parvenait à décrire Tante Colette ni Eugène, qu'elle n'avait peut-être pas vu, pas plus que la maison dont elle ne se souvenait que du papier peint décoré de faisans et de fougères, ce qui, cette fois, ne disait rien à Fanny. Mais on avait dû la congédier rapidement ; ce faible intérêt pour l'enfant, se demanda Fanny, tenait-il au médiocre souci qu'on avait d'elle-même ? Sachant la distance qu'elle avait parcourue (le sachant vraisemblablement), on n'avait pas pris la peine de lui offrir un repas, aussi la fillette était affamée. Dédaignait-on Fanny au point qu'on se moquât que sa petite messagère tombât d'inanition et était-ce à la mesure du détachement qu'eût inspirée, par exemple, la propre mort de Fanny ? Il semblait qu'à son sujet on n'eût rien dit à l'enfant, qu'on ne lui eût pas même demandé où logeait Fanny et que, une fois qu'elle avait eu tendu ses papiers, Tante Colette avait grommelé ce qu'elle venait de rapporter, la femme d'Eugène lui avait mis dans la main un verre de grenadine, puis on l'avait poussée dehors, sans rien ajouter ni la raccompagner jusqu'au portail, sans rajuster son petit bonnet qui découvrait une oreille. On l'avait reçue, en somme, avec une indifférence parfaite. Et si Fanny, bien que le nouveau commandement de Tante Colette l'épuisât par avance, pouvait malgré tout se féliciter d'avoir obtenu une instruction claire et ponctuelle, elle la devait sans doute davantage à la manie qu'avait parfois Tante Colette de penser à voix haute qu'au désir de sa tante de la lui faire connaître. Car il apparaissait que Tante Colette, maintenant, se désintéressait de son sort absolument.

Fanny reconduisit chez elle la fillette, ennuyée de la voir si peu disposée à rentrer mais ne pouvant prendre sur elle de lui faire passer la nuit chez l'oncle, à son côté. Elle habitait, assez loin du village, entre la grand-route et la voie des trains de marchandises, une étroite maison au crépi délabré, à la cour encombrée d'immondices. Devant, les branches flétries d'un vieux saule, mort depuis longtemps et laissé ainsi, traînaient parmi la ferraille, les rebuts de toutes sortes collectés et jetés là pour un improbable usage. Fanny s'arrêta à quelques mètres de la cour. La petite qui, espérant encore qu'elle s'en retournerait avec elle, avait avancé lentement, en rechignant et soupirant, dès qu'elle aperçut la maison lâcha la main de Fanny et fila sans un mot. Sur le perron, elle fit volte-face pour crier une injure obscène, d'une voix rauque que Fanny ne lui avait jamais entendue.

Quant à son oncle, il critiqua vertement la soupe qu'elle avait préparée pour le dîner. Ainsi avait-il dû se comporter avec Tante Clémence, au cours de leur longue vie commune.

## Chapitre 4. — CHEZ LE PÈRE DE FANNY.

Le domestique travaillait à déraciner les arbustes brûlés. La sueur coulant de son front, de sa chevelure trempée, avait rendu tout humide un rond de terre à ses pieds.

— Vous n'êtes pas sage, dit Fanny en arrivant, de besogner à une heure pareille.

— Ah, votre père..., se plaignit-il brièvement.

Rompue elle aussi, elle s'agenouilla sur la pelouse jaune et, regardant œuvrer l'homme, remarqua qu'il avait conservé sa lourde veste aux boutons métalliques.

— N'étouffez-vous pas, si chaudement couvert ? s'étonna-t-elle.

— Eh bien, le prestige de la maison de votre père...

Il se redressa, un peu surpris par la question de Fanny.

— Que dirait-on si on me voyait travailler torse nu, comme un jardinier ? On dirait que votre père, en fin de compte, n'est même pas assez riche pour payer un jardinier et qu'il est obligé de faire déplanter les arbustes par son majordome, son homme de confiance.

— Mais, pourtant, n'est-ce pas vous qui déplantez les arbustes en ce moment ?

— Peuh ! souffla-t-il avec mépris.

— Alors ? insistait-elle.

— On pensera seulement que le majordome, l'homme de confiance, dans son bel habit de fonction est sorti inspecter le jardin, qu'il n'a pu résister à la tentation de corriger deux ou trois petites choses ici et là, expliqua le domestique, le ventre en avant, le nez haut.

— Cependant, continua Fanny insatisfaite, si vous revêtiez un vrai costume de jardinier, avec un grand chapeau de paille cachant votre visage, ne serait-ce pas là une meilleure idée ? Mon père pourrait faire croire qu'il a deux domestiques.

— Mais je ne veux pas devenir jardinier ! protesta-t-il avec indignation.

— Vous déplantez bien les arbustes, dit Fanny en haussant les épaules.

— Ce n'est pas la même chose.

Courroucé, il se remit à bêcher, feignant d'ignorer Fanny. Aux fenêtres de la grande maison arrogante, les treillis étaient baissés pour la sieste, en sorte que nulle présence ne se devinait. Mon père est-il resté persuadé que je ne suis pas sa fille, murmura Fanny, et souhaite-t-il toujours me voir remplacer la jeune femme ? Alors le domestique posa son outil, s'accroupit tout contre Fanny et, l'air grave et content, chuchota :

— Je le crois prêt à vous enfermer pour vous convaincre de demeurer chez lui. Que vous n'êtes pas sa fille, il en est si bien persuadé qu'il envisage d'adopter un enfant du village car, maintenant, il se désole de n'avoir pas de descendance, encore qu'il soit ravi de sa découverte à votre propos, espérant toujours que vous viendrez à lui et avide de ces nouveaux rapports avec vous.

— Il serait capable de me retenir malgré moi ? demanda Fanny alarmée.

— Qui sait ? Votre père, voyez-vous, a perdu l'habitude que quoi que ce soit lui résiste.

Le domestique, ce disant, paraissait tout à la fois résigné et fier de servir un maître au vouloir si tyrannique. Mais Fanny qui, désavouée par ce dernier, ne se sentait plus en droit d'être flattée par ces traits de caractère, afficha une sorte de dédain irrité. N'était-elle pas jalouse du domestique ? Celui-ci demanda d'un air curieux :

— Votre véritable père, le connaissez-vous maintenant ?

— Ah, vous aussi croyez que...

Abattue, elle arrachait du bout des doigts quelques brins d'herbe morte.

— Oh, je ne sais, je ne sais, marmonna-t-il avec embarras.

— Il vaut mieux, dit Fanny, que je ne me montre pas à lui pour le moment. Mais ne m'a-t-il pas aperçue déjà ?

Cependant, rien ne bougeait derrière les treillis. Le village lui-même, à cette heure la plus chaude, s'était tu. Fanny sortit l'acte de pardon qu'elle devait faire signer par son père et le lut rapidement au domestique.

— Comme il me faut le soumettre au plus vite à ma tante, ne voudriez-vous pas, vous, apposer votre signature ? Etant l'homme de confiance de mon père, vous pouvez, moralement, le représenter, il me semble, dit Fanny tout en réfléchissant.

— Je peux aussi lui porter ce papier de votre part.

— S'il ne veut plus être mon père, il refusera de le signer, comprenez-vous, expliqua Fanny sur un ton avisé. Libre à lui d'aller s'imaginer de telles extravagances, mais cela ne doit pas m'empêcher d'obéir à Tante Colette.

— Tout de même...

— Enfin, si votre maître devient fou, n'essaierez-vous pas d'être raisonnable pour lui ?

Et Fanny glissa un stylo dans la main du domestique qui,

hésitant, se lança, avec une émotion et un trouble visibles. Quand ce fut fait, ils restèrent silencieux. Fanny rempocha le papier soigneusement, les yeux fixés à terre. Soudain, à travers le treillis, le père appelait le domestique, d'une voix impatiente. Après un bref salut, ils s'éloignèrent chacun de son côté, le domestique vers la maison, Fanny en direction de la station d'autocar. Elle se jura de mettre tout en œuvre à l'avenir, bien qu'elle lui fût reconnaissante d'avoir obtempéré, pour ne jamais le revoir.

## Chapitre 5. — INSOUCIEUSE MALADRESSE DE LA FAMILLE.

Lorsque Fanny débarqua au village de l'oncle, la neige avait recouvert toits et trottoirs. Une lâche dentelle de flocons effilochés, retenus dans leur chute rêveuse, s'accrochait au crépi rugueux des façades noircies par la route. Ces murs jamais n'avaient connu de lierre grimpant, nulle glycine inutile ; ils semblaient, ainsi ornés, n'appartenir plus au village. Fanny passa la maison de l'oncle sans la distinguer. Une fraîche odeur de matin lui rappela les vacances d'hiver chez l'aïeule — n'était-elle pas revenue au village de l'aïeule par mégarde ? Elle se rassura en découvrant l'enseigne du Coq Hardi ; mais l'illusion d'être rentrée chez l'aïeule, comme autrefois quand, venant de la gare avec sa mère, arrivant à l'aube sous un ciel blanc, elle jouait à imprimer fortement sur le givre du trottoir l'empreinte de son pied botté, l'imprégnait vaguement encore lorsqu'elle pénétra chez l'oncle. Discernant le canapé pelucheux, au fond du salon obscur, elle dut se raisonner pour chasser de son esprit la pensée qu'elle se trouvait en réalité chez l'aïeule. Ce qu'elle faisait maintenant, n'était-elle pas en train de le rêver allongée sur le canapé de l'aïeule semblable à celui-là ? N'évoluait-elle pas, à présent, dans ce rêve du canapé, où bien souvent autrefois, appuyée sur l'aïeule, elle s'était endormie ? Car comment croire qu'elle fût en ce moment chez l'oncle indifférent, si loin de Tante Colette et du village de l'aïeule où elle ne pouvait retourner ? La mort de l'aïeule, elle constaterait qu'elle l'avait rêvée tout en reposant sur l'épaule de celle-ci, et, alors, combien oppressante serait sa honte au réveil ! Si ce n'était un rêve, songeait Fanny assise sur le canapé, sa situation serait infiniment misérable. Le froissement du papier dans sa poche, en même temps qu'il la ramena tout entière chez l'oncle, la rasséréna quelque peu. Néanmoins, la constatation soudaine la désolait que, depuis l'époque où elle foulait joyeusement le sol gelé et où, pourtant, sa position dans la famille, chez l'aïeule même, auprès d'Eugène, lui semblait douloureusement ambiguë, elle n'avait jamais été aussi éloignée de prendre place au sein du groupe familial, malgré les apparences, que maintenant où, sérieusement séparée de l'un et de l'autre, il lui fallait mendier le pardon de ses parents, supplier Tante Colette, oublier qu'on avait enterré l'aïeule sans qu'elle la revît. Plus elle avait tenté de s'approcher et plus fortement elle l'avait voulu, plus elle s'était retrouvée projetée bien en deçà de la simple bienveillance. Aussi, qu'elle eût dû ne jamais bouger, se contenter du statut incertain que le temps lui avait accordé, voilà ce que, dans le plus grand regret, elle ressassait, et le souvenir de son arrivée matinale au village, avec sa mère par le froid de décembre, poignait lumineusement comme l'image de ce dont elle eût dû se satisfaire, de ce qui, en regard du présent, avait été sans prix.

A côté, l'oncle se levait, soupirant, se raclant la gorge, crachait dans le vase de nuit. Il avait au petit jour des lenteurs mélancoliques. Fanny prépara le café, réchauffa la cuisine. L'oncle attendait, les coudes sur la toile cirée, cheveux humides, en bataille. Ni le soir ni au lever ils ne se saluaient plus maintenant, accoutumés l'un à l'autre. L'oncle parlait par phrases brèves ; il ne disait rien qui ne fût nécessaire, qui n'eût un sens pratique. Son regard, se posant rarement sur Fanny, s'attachait à la table, au pied de la cuisinière, à quelque détail du carrelage. Avant qu'il partît au travail, Fanny lui décrivait le menu du dîner. L'oncle se caressait le menton, lâchait des « hum » approbateurs. Elle parlait, elle, d'une voix sèche, le front abrupt. Ses tantes s'étaient adressées de cette façon à leur mari, n'ouvrant guère la bouche que pour informer, ou prodiguer des reproches. L'oncle réservait sa loquacité à ses collègues. Il sortait en silence, fermait la porte derrière lui, vérifiait par deux fois qu'il l'avait bien claquée.

Après avoir fait le lit de l'oncle et, comme chaque matin, ainsi qu'il le lui avait ordonné, retourné le matelas et battu le traversin à la fenêtre, Fanny se hâta d'aller chercher sa petite messagère. Elles se rendirent aussitôt sur la grand-route, déjà débarrassée de la neige qui s'empilait en mottes brunâtres sur le bas-côté. Heureuse de retrouver Fanny, la petite chantonnait. Fanny lui remit l'acte de pardon signé par le domestique, une lettre pour Tante Colette la conjurant maintenant de l'accepter auprès d'elle, puis, l'enfant connaissant le chemin et s'impatientant de partir, elle la laissa s'échapper sans renouveler ses conseils. Elle revint chez l'oncle, à cette heure tranquille du milieu de la matinée qu'elle avait aimée autrefois chez l'aïeule plus qu'aucun autre instant. Le ménage effectué, les légumes du déjeuner épluchés et lavés attendant sur la table, alors on entendait le chuintement du journal que le facteur glissait dans une fente du mur de la cuisine, tombé mollement sur le carreau, ramassé avec le même mot de satisfaction chaque jour par l'aïeule qui s'en allait le parcourir au salon, assise d'une cuisse tout au bord du canapé comme si, bien que son ouvrage matinal fût achevé, que l'aïeule n'eût plus été là pour la rappeler à l'ordre, elle eût voulu montrer pourtant qu'elle ne s'installait pas, que le sifflement de la bouilloire, le bruit soudain de la sonnette, n'eussent pas été longs à la faire bondir, qu'elle veillait toujours, active, prompte, véloce inutilement.

Fanny se posa sur une chaise de la cuisine, devant une grosse pile de revues mondaines que Tante Clémence avait eu coutume de lire et qu'elle avait conservées intactes et propres au bas de l'armoire à linge. Fanny aussi, ayant eu l'habitude d'acheter cette revue où l'intimité des personnes intéressantes du monde entier était dévoilée plus précisément qu'ailleurs, mais en ayant été empêchée ces derniers temps, fut enchantée de pouvoir lire les numéros qui lui manquaient. Elle avala les articles, les entretiens, examina les photographies souvent prises à l'insu de leur sujet, dans une excitation attisée par le regret de n'apprendre tous ces faits que maintenant, quand, les années passées, elle avait suivi l'histoire de chacun pas à pas, au jour le jour lui semblait-il. N'était-elle pas, à les dévorer avec tant de retard, quelque peu dépossédée de ces récits qui, en ce moment même, se poursuivaient sans qu'elle sût ce qu'il se passait ?

On toqua faiblement à la fenêtre du salon. Fanny, dans sa fébrilité, avait jeté à terre, à mesure qu'elle les dépouillait, les numéros gardés si méticuleusement par Tante Clémence qu'on avait parfois peine à croire qu'ils eussent seulement été ouverts, aussi, se hâtant d'aller répondre, elle les foula, en abîmant certains. Elle s'arrêta pour les ramasser, les lisser d'un geste rapide.

— Fanny ! appelait-on dehors d'une voix frêle. Fanny !

— J'arrive ! cria-t-elle, se sentant grisée.

Tout ce qu'elle venait de lire éloignait de sa vision les objets environnants, repoussait, par un étourdissant manège d'apparitions au premier plan de son esprit, les meubles du salon, menus objets, cadres et lampes, dans un lointain flottant, paisible comme en songe. Il semblait soudain à Fanny marchant vers la porte que la réponse de Tante Colette, quelle qu'elle pût être, que Tante Colette elle-même... Elle embrassa la fillette sur ses joues toutes froides et pâles. La petite avait l'air fatigué ; Fanny, apitoyée, lui ôta son manteau, son bonnet, et, avant de l'interroger, lui prépara une omelette. L'enfant, d'une main machinale, feuilletait une revue, posant sur les images un regard inexpressif. Fanny remarqua une grosseur sous son pull-over, entre la nuque et l'épaule.

— Qu'as-tu donc là ? demanda-t-elle.

— Oh, rien, marmonna la petite.

Elle feignit de se pencher avec intérêt sur une page illustrée, elle entortilla sur son doigt une boucle de cheveux. Mais Fanny voulut voir, et le gros pansement qu'elle découvrit alors lui arracha un cri de consternation. Questionnant la fillette, insistant longuement tant celle-ci s'exprimait avec réticence, honteuse d'on ne savait quoi, elle finit par recueillir ceci : L'enfant s'était égarée dans le lotissement du village de l'aïeule. Quand, après avoir tourné plus d'une heure, elle avait enfin retrouvé la maison d'Eugène, on terminait de déjeuner et Tante Colette s'apprêtait à prendre une tasse de thé. On l'avait accueillie fraîchement, avec ennui. Cependant, la voyant épuisée, on lui avait fait retirer son manteau, elle s'était assise, avait posé les deux papiers sur la table. A ce moment, une femme dont elle n'avait pas retenu les traits (la jeune épouse d'Eugène ? Quelque cousine venue déjeuner ?) arrivait de la cuisine porteuse d'une casserole d'eau bouillante pour le thé de Tante Colette. Et, sans que la fillette eût compris comment cela s'était passé, qu'elle-même l'eût heurtée en voulant se ranger ou que la femme eût trébuché, l'eau avait coulé sur son épaule, la brûlant cruellement à travers le pull-over. Elle avait crié, on s'était exclamé, parlant en tous sens ; Tante Colette l'avait conduite dans la salle de bains, avait enduit sans ménagement la partie meurtrie d'une crème glaciale, l'avait entortillée dans ce pansement, hâtivement, avare de paroles de réconfort comme de gestes tendres. Ceci, la petite ne s'en plaignit pas, l'évoqua à peine. Mais il ne fut guère malaisé pour Fanny de le deviner, en regard de ce que l'enfant, précisément, ne disait pas que Tante Colette avait fait. Puis on l'avait laissée partir sans s'inquiéter davantage, avec soulagement. Nulle réponse à Fanny ne lui avait été transmise – un oubli probablement. La fillette ne se rappelait pas si Tante Colette avait jeté un coup d'œil sur les papiers. Tout ce qu'elle pouvait dire à ce propos était que, une feuille d'emballage de petits gâteaux traînant sur la table au milieu d'autres paperasses visiblement destinées à la poubelle, il n'était pas certain que les missives de Fanny, pliées quatre fois, d'aspect discret, n'eussent pas subi le même sort, encore que ce ne fût là qu'une supposition. Mais de réponse, même allusive, d'observation seulement, point. Et, déçue, croyant être indigne, la fillette maintenant pleurait, au grand désarroi de Fanny. Pour s'occuper, elle changea le pansement, badigeonna la plaïe, ce que la petite ne sembla pas remarquer, si dure à la douleur que Fanny en eût gémi de pitié et, pour l'heure, uniquement tourmentée par l'échec de son expédition. Elle fit une courte sieste ; puis, à peine levée, exigea de retourner au village de l'aïeule, malgré les préventions de Fanny. Afin de n'être pas retenue, sitôt cette volonté annoncée elle s'élança au-dehors. Fanny s'assit pour l'attendre, dans le plus parfait égarement. Elle ne doutait pas que l'accident survenu à la fillette fût la manifestation des sentiments de la famille à son propre égard, que traduisaient tout aussi éloquemment le peu de soins accordés par la suite. Car il semblait que la famille ne vît en la petite rien d'humain, mais l'expression personnifiée des ennuyeuses prétentions de Fanny à son endroit, qu'il s'agissait, comme autrefois, selon l'humeur du moment, de réduire ou de négliger. Il semblait que la famille ne vît en la petite qu'un irréel détachement de la pensée de Fanny ! Qu'on lui eût permis de s'asseoir et de parler, au lieu de l'effacer d'un geste de la main comme une pure émanation, que Tante Colette l'eût pansée, témoignait encore peut-être d'un reste de magnanimité. Mais la patience de la famille n'était-elle pas à bout ? Cependant, se demandait Fanny, que puis-je faire sans l'autorisation explicite de venir ? Ne suis-je pas contrainte de me faire représenter ? Si elle eût pu assurer la famille de la réalité charnelle de sa petite ambassadrice, on l'eût écoutée avec plus d'attention et les visites de la fillette eussent été prises pour le signe d'une délicatesse de sa part, d'une obéissance absolue aux consignes de Tante Colette (celle-ci, qui lui avait défendu de se montrer si elle n'avait retrouvé Léda, n'ayant pas, depuis, donné son pardon encore), tandis qu'elles étaient considérées peut-être comme une insistance de l'esprit impudique de Fanny, et repoussées tout comme si Fanny, par exemple, se fût acharnée à vouloir troubler les rêves de ses proches, ce dont on la croyait peut-être capable.

Ah, songeait Fanny en se levant, marchant de long en large, si je pouvais les avertir que l'enfant est bien réelle ! Et, dans le sentiment de son impuissance, elle serrait et desserrait les poings, étouffant soudain dans le sombre salon de Tante Clémence. La nuit étant venue, l'oncle ne tarderait pas à rentrer. Il aurait faim, voudrait dîner et reprocherait à Fanny de le faire attendre. Elle se disposait à mettre la table, quand la petite poussa la porte. Il fallut que Fanny la soutînt jusqu'à une chaise puis, avant que l'enfant épuisée pût prononcer un mot, qu'elle lui fît boire un grand bol de lait. Je ne suis même pas entrée, dit aussitôt la petite, son visage s'empourprant. Elle le cacha de ses mains et refusa de rien ajouter. Courbées sous la honte, ses épaules tremblaient. Fanny, qui l'avait étreinte, soudain fut prise d'un soupçon : elle retroussa la manche humide du pull-over et, là, constata qu'un bon morceau de chair manquait au bras droit, arraché nettement par des crocs bien aiguisés. La plaie déjà coagulait, mais le bras mince de la fillette semblait devoir maintenant se briser au moindre effort. Fanny avait laissé fuser un cri d'horreur et d'effroi. Alors la petite sanglota, convaincue de sa disgrâce. Après bien des questions, entrecoupées de caresses et de promesses qu'elle ne lui retirerait pas sa confiance, Fanny obtint de lui faire relater l'accident : Quand l'enfant était arrivée devant la maison, retrouvée sans peine cette fois, le portail en était fermé au verrou. Elle avait sonné, appelé ; derrière le rideau du salon, une ou deux figures avaient apparu fugitivement, semblant l'épier. La certitude qu'il y avait quelqu'un avait enhardi la fillette, peu désireuse de revenir bredouille. Elle avait franchi la haie, appelant toujours. Puis, comme elle avançait d'un pas décidé vers la porte, le chien d'Eugène avait surgi de l'arrière de la maison et s'était précipité sur elle qui, battant en retraite, n'avait réussi cependant à sauver son bras, dont il avait enlevé un bout sous les yeux des personnes alors accourues à la fenêtre du salon, pressées là comme au spectacle, la mine grave toutefois. Bien que, même après cette affreuse aventure, elle eût réfléchi aux moyens de s'introduire de nouveau, il ne lui était plus resté qu'à s'en retourner, le chien veillant au milieu du jardin. Sa honte d'avoir échoué, de n'être seulement parvenue à susciter la compassion de la famille, terrassait la fillette, malgré les paroles de consolation que lui prodiguait Fanny pour oublier son propre accablement. Elle dut s'en aller bientôt afin de ne pas croiser l'oncle.

Cela va bien, avait-elle dit avec une pointe d'agacement lorsque Fanny s'était inquiétée de soigner son bras. Et il semblait en effet que la petite ne souffrît pas, indifférente à son corps léger, impalpable comme une ombre, une illusion de fillette

Le lendemain, elle fut là dès le départ de l'oncle et, quoique Fanny se réjouît de la voir aussi vaillante, déjà prête, malgré ses blessures, à courir chez Tante Colette de nouveau, elle en éprouvait une vague inquiétude, semblable à celle que lui eût fait ressentir de n'arriver jamais à chasser de son esprit quelque pensée dangereuse pour soi-même. Aussi elle prit sur elle de border lentement le lit de l'oncle, de passer le balai avec soin, de laver la vaisselle du petit déjeuner, en ignorant la fillette qui attendait sagement au salon, presque invisible dans le coin le plus obscur. La petite demeurant silencieuse, Fanny parvint presque à ne plus se rappeler seulement qu'elle existait. L'enfant, d'ailleurs, n'avait-elle pas l'air de pouvoir rester muette et dissimulée aussi longtemps que Fanny le désirerait ou serait assez forte pour ne plus songer à elle ? Si elle brûlait d'aller au village de l'aïeule, c'est que, bien certainement, Fanny lui cachait mal son envie ardente qu'elle le fît.

Une fois que tout le ménage de la maison eut été convenablement exécuté, Fanny ouvrit la porte d'entrée et, plaquée contre le mur, appela doucement la fillette. Vas-y maintenant, cours là-bas, dit-elle, les yeux à demi-clos. Au souffle d'air qui l'atteignit légèrement, elle devina que la petite l'avait entendue, qu'elle était sortie sans un mot, preste et obéissante. Et voilà qu'elle gagnait déjà la route, au bout de la grand-rue, la neige crotteuse et molle giclait haut de chaque côté de ses pieds bottés ! C'était de courtes bottes à lacets comme en avait eu Fanny autrefois, de cuir bordeaux.

Revenue à la cuisine où elle s'occupait maintenant de remettre en ordre les revues de Tante Clémence, et constatant qu'il n'était que neuf heures, Fanny se reprocha d'avoir envoyé la fillette si tôt matin. Tante Colette sans doute n'aurait pas achevé son ménage, auquel elle avait l'habitude de se livrer tout en suivant d'un œil une émission de télévision, et l'irruption de l'enfant à ce moment ne manquerait pas de l'irriter contre Fanny : Ne va-t-elle pas en venir à nous pourchasser dès l'aube ? De quoi, alors, Tante Colette ne serait-elle capable pour écraser les importunes pensées de Fanny, ce cramponnant petit nuage de revendications qu'était la fillette ?

Mais, à peine Fanny commençait-elle à s'inquiéter que celle-ci rentra, intacte encore que très affaiblie par sa course, et son visage heureux, triomphant, la rassura tout de suite. Elle avait trouvé Tante Colette, seule, qui étendait du linge dans le jardin, au terne soleil d'hiver. Elle s'était plantée devant elle en sorte que Tante Colette ne pût feindre de ne pas la voir, qui puisait dans sa robe à petites lunes remontée en poche sur les hanches, des pinces multicolores. Tante Colette avait murmuré, le regard lointain : Il ne tient qu'à Fanny de se faire pardonner. Puis, bousculant la petite sans s'en rendre compte, elle était rentrée, grondant en chemin le chien qu'on entendait hurler derrière la maison. Ravie, la fillette répétait à Fanny ce qu'elle considérait comme un message décisif autant qu'inopiné : Il ne tient qu'à Fanny... Que puis-je faire de cela ? murmura Fanny et, pleine de compassion, elle caressait la tête de l'enfant qui tombait de fatigue. Vois-tu, dit-elle encore, je crois maintenant qu'il n'y a plus lieu d'espérer. Tante Colette n'avait-elle pas signifié, par cette phrase absurde, qu'elle se moquait à présent de la petite messagère de Fanny au point de ne plus même penser à la chasser ou à la blesser, se souciant peu de s'assurer de la nature de sa présence ni qu'éventuellement, insatisfaite, elle revînt, chaque jour, éternellement ? Tante Colette, s'étant adaptée, ne se préoccupait plus d'être ennuyée, ne l'envisageant pas ainsi.

Elle laissait de même, l'été, aller et venir les mouches énervantes et, l'eût-on fait remarquer, eût dit, indifférente : Il y a donc des mouches ? Il était clair pour Fanny maintenant que la fillette eût pu passer le reste de son existence dans le jardin sans que Tante Colette, tranquille et sûre, si elle la voyait encore lâchât autre chose que des paroles anodines, vaquant aux affaires de la maison, solide et confiante, sourde aux appels dont elle avait estimé une fois pour toutes qu'ils ne la concernaient point, à jamais inébranlable. Et ainsi sans doute avaient été l'aïeule et Tante Clémence, pareillement braves, honnêtes et inaccessibles à la pitié. Ainsi de l'oncle Georges, de la famille entière au robuste bon sens.

Déçue par la réaction de Fanny, la petite s'en était allée à son insu. Fanny ouvrit la porte, scruta la grand-rue mais elle ne vit personne que le marchand de pain qui, dans sa camionnette arrêtée, s'apprêtait à corner pour instruire le village de son arrivée.

## Chapitre 6. — La décision de l'oncle et ce qu'il en résulte.

— Il est temps que tu t'en ailles, grommela l'oncle avec une sorte de gêne, peu habitué à exprimer un sentiment. Il ne serait pas convenable que ton séjour dure davantage, si longtemps après le deuil.

— C'est que, dit Fanny, je ne sais où aller.

— Et la famille, donc ?

Comme, soudain, il paraissait méfiant, Fanny n'ajouta rien. Elle prit son mince bagage et marcha jusqu'à la maison de la fillette, ne concevant pas d'autre issue. Un homme en sortait, furtif. Fanny lui demanda des nouvelles de la petite. Aucun enfant n'habite ici, grommela-t-il, mécontent qu'elle l'eût aperçu. Bah, pensa Fanny, ce monsieur se trompe. Une femme en robe avachie la reçut, étonnée mais amène, dans une pièce aux volets clos, parsemée d'objets indéfinissables, emplie de nombreux coussins élimés. Fanny demanda après la fillette. La femme, se méprenant, eut une réponse grossière et rit d'une voix enrouée. Il n'y avait cependant aucun enfant ici, à son grand regret. Elle offrit un verre à Fanny, qui se laissa aller à se trouver bien . Nulle question embarrassante ne lui fut posée. Il apparut qu'on se félicitait qu'elle n'eût pas le type de la région, aux traits souvent trop forts. Quelques heures plus tard, le mari de Tante Clémence se montra, ôtant, à peine entré, veste et casquette : sa surprise et sa contrariété furent vives de la trouver là...

DIXIÈME PARTIE

## PRINTEMPS

Dans un bosquet de jeunes saules que les remembrements avaient oubliés ou dédaignés, seuls survivants auprès d'un ru fétide, l'esprit de l'aïeule se nicha, aux abords du village. Qu'il fût venu se réfugier au village de M., quand l'aïeule n'avait pas été enterrée là, révélait à Fanny, Tante Clémence n'étant plus, qu'il s'était mû pour elle, l'esprit qui, ici dépaysé, solitaire, avait pris sur lui de quitter le village cher à l'aïeule.

Il appela Fanny, comme elle était sortie un soir respirer l'air doux. Et, par quelques détails précis, il se fit connaître à elle et la mit en confiance. Elle s'agenouilla au bord de l'eau, au pied de l'arbre d'où lui semblait provenir la voix, violemment émue. Là-bas, les réverbères du village s'éteignirent car il était minuit passé, et, bien qu'ils n'eussent envoyé qu'une pâle lueur lunaire, Fanny, n'apercevant plus les maisons, frissonnait. La voix de l'esprit lui avait paru sévère – se fût-il d'ailleurs déplacé s'il n'avait eu des reproches à lui adresser ? Or, au point de vue commun qui avait été celui de l'aïeule, la conduite de Fanny était blâmable, voire criminelle, et il ne pouvait se faire qu'à ce propos le jugement de l'esprit s'avérât d'une autre teneur.

Longuement il marmonna, sans qu'elle comprît le moindre mot. Les feuilles murmurantes du saule bruissaient à l'unisson et si l'esprit, tout à l'heure, n'eût hélé Fanny, elle eût pensé maintenant que l'arbre ne vibrait que de sa jeune vie tendre.

Puis elle se rappela que l'aïeule, se parlant à elle-même, avait eu l'habitude de grommeler pareillement. Pourquoi as-tu le cœur si sec ? demanda-t-il soudain d'une voix distincte au timbre inconnu de Fanny. Pourquoi ton cœur s'est-il durci et fermé, pourquoi est-il devenu si froid ? Ne le sens-tu pas à travers ta poitrine, ta peau à cet endroit est-elle tiède encore ? Pourquoi rien n'est-il réel à tes yeux que ce qui peut t'aider auprès de la famille, et tout le reste se fond dans une égale insignifiance, apparaît et disparaît sans que tu t'en soucies, existe et meurt sans que tu le remarques ? Les arbres eux-mêmes... Pourquoi, voulant pénétrer la famille, as-tu laissé périr en toi le sentiment de la communauté ? Pourquoi rien ne t'émeut-il que les souvenirs me concernant ? Car rien ne t'attache ni ne te fait honte que la famille dans son ensemble et tes manquements à celle-ci... Aimes-tu ton oncle, ta tante, tes parents, m'as-tu aimée, moi ? Mais, négligeant de venir me voir au dernier jour, tu n'as souffert que d'imaginer ce qu'on a pensé de ton absence aux obsèques. L'anniversaire également, tu l'avais oublié, uniquement préoccupée alors par l'idée de ta recherche. Quant à la famille, qui t'absorbe plus que toute autre chose, tu ne songes guère qu'à ses dispositions à ton endroit et ne sais d'elle que ce qui te regarde. As-tu appris à connaître l'âme de la famille ? Les malheurs de chacun, ce qui le constitue de léger et de pesant, le sais-tu ? T'es-tu penchée patiemment, attentivement, sur l'histoire familiale, dont tu te vantais de ne rien ignorer des événements ?

Et l'esprit soupira à travers les feuilles, qui se haussèrent et frémirent comme par grand vent, tandis que, doucement, le tronc gracile ployait.

Mais, pensait Fanny outrée, ne pouvant parler à l'esprit, est-il juste que je doive, moi, faire tant d'efforts, alors qu'il a suffi à Eugène de venir au monde ? Eugène, un jour, te traita de... Un sifflement furieux agita les branches, interrompit brusquement la pensée de Fanny, qui rougit. Elle ne put s'empêcher cependant de se rappeler ce que lui avait confié Tante Colette sur le lac : autrefois l'aïeule même avait tenté de dissimuler au village son lien avec Fanny, en vain, tout se sachant avant qu'on songeât seulement à le cacher. Fanny, l'apprenant, en avait conçu une ineffaçable amertume et du ressentiment envers l'aïeule. Mais, dans le cimetière hostile et laid, sous la terre engraissée pourrissait la chair de l'aïeule, s'émiettaient ses os frêles de vieille femme ; sa stricte robe noire des grands jours, parée d'un col brodé jauni un peu, de laquelle Fanny savait qu'on l'avait vêtue, que l'aïeule avait conservée avec un soin vétilleux, s'était décomposée sans recours, insensé gaspillage. Aussi la rancune de Fanny s'était atténuée et son affection pour l'aïeule, émue, pitoyable, honteuse, n'était pas altérée. Pouvait-elle oublier pour autant que la loyauté de l'aïeule lui avait fait défaut ? L'aïeule avait eu, alors, le cœur non moins dur que le sien.

Le saule s'était tu, les branches s'inclinaient mollement, indifférentes à Fanny. Elle appliqua sa main sur le tronc frais qui se dressait maintenant avec désinvolture. L'esprit s'en était allé ou faisait le sourd. Fanny attendit un long moment puis, rien ne venant, gratta les impuretés qui couvraient le tronc, avant de s'en retourner au village.

Mais quand, au point du jour, elle s'apprêta à se coucher, la bouteille d'eau qu'elle gardait à son chevet se mit à remuer et osciller, au risque de s'écraser à terre. Fanny, ivre de fatigue et comprenant que c'était encore l'esprit, feignit de ne rien voir. Puis elle eut un remords, se dit par ailleurs que l'esprit ne se laisserait prendre à une ruse aussi grossièrement humaine. Elle déboucha la bouteille avec humeur.

— Enfin, s'écria l'esprit de l'aïeule, je n'y tenais plus ! As-tu donc tellement peur de mes propos ? Ou si la sécheresse de ton cœur te fait préférer un bon sommeil à quelques vérités exprimées par ta grand-mère défunte qui, quoi que tu en penses, a toujours œuvré pour ton bonheur et souffert par toi plus que par n'importe lequel de ses petits-enfants ? Tous ces derniers sont maintenant installés chacun dans la situation qu'il a choisie, à peu de choses près, qui se rencontre harmonieusement avec les vœux des parents proches. Ils sont mariés, ont un métier convenable, travaillent dur à l'arrangement de leur maison. Celle-ci, pour légère qu'elle soit aujourd'hui, n'en reviendra pas moins, embellie, riche en souvenirs, à l'un ou l'autre de leurs enfants, qu'ils mettront au monde en temps voulu, en quantité raisonnable, à la satisfaction de la famille entière (Serait-ce possible qu'Eugène, déjà ? songea Fanny, blessée. Mais l'esprit ne releva pas). Toi seule qui, pourtant, n'aspires qu'à réaliser les desseins de la famille, te complais dans une position déplorable. Tu n'as su retenir Georges et ne t'es entichée que de ton cousin Eugène, qui ne t'était pas destiné, ainsi que tu le savais. La famille n'existe pas sans la postérité. Or, si tous les moyens te sont bons pour forcer l'entrée du cercle de tes proches, si tu te plains d'être injustement exclue, ayant, à tes yeux, presque les mêmes droits qu'Eugène ou les autres, le devoir d'assurer son devenir ne t'est pas moins étranger que, pour certains de tes parents, ces droits que tu crois avoir. Cependant, tu ne blâmes que cette dernière attitude. Est-ce normal, cela ? Ne s'inquiétant pas de savoir s'ils font ou non partie de la famille comme ils l'entendent, ne pensant pas à étudier l'avis de Tante Colette à ce propos, tes cousins agissent en sorte que la famille perdure conformément à quelques règles simples, prouvant ainsi bien mieux que toi leur respect pour cette institution sacrée. Tandis que tu te dessèches dans de vaines ambitions, des ratiocinations égoïstes et inutiles, le cœur entièrement tourné vers toi-même...

Est-ce ainsi qu'il faut vénérer la famille ? Mais elle n'a jamais attendu de toi que des comportements ordinaires !

— Cependant, si moi, malheureusement, je ne l'étais pas, la famille s'est vite chargée de me l'apprendre, songea Fanny qui peinait à garder les yeux ouverts.

L'esprit, répandu dans toute la pièce, eut un grondement d'agacement.

— Ne pense donc plus qu'à ce que tu dois faire maintenant ! s'écria-t-il.

— Etant rejetée de la famille, expliqua Fanny, je ne puis envisager de la perpétuer sans ressentir l'incohérence de la chose. D'une telle branche, elle ne voudra reconnaître rien ni personne. Aussi, à quoi bon ? Pour l'heure, et la situation étant ce qu'elle est, je ne puis travailler qu'à ma propre incorporation.

— Alors ? demanda l'esprit.

— Quant à la famille précisément, répondit Fanny, je n'ai plus d'espoir.

Puis, n'y pouvant plus résister, elle s'endormit, fâchée cependant de faire si mauvais accueil à l'esprit de l'aïeule, encore que, au regard de ce à quoi elle était parvenue après de multiples échecs, et parce qu'il ne pouvait être question qu'elle se dépouillât maintenant du peu qu'elle avait, les admonestations de l'esprit lui semblassent oiseuses, peu dignes d'une apparition aussi extraordinaire.

Quelques jours plus tard, sa promenade quotidienne l'ayant conduite aux abords du cimetière, Fanny aperçut, qui passaient la grille à cet instant, Tante Colette et sa mère. Chacune portait un bouquet de dahlias bleus ; elles venaient fleurir sans doute la tombe de Tante Clémence, quelque peu délaissée par l'oncle. La robe légère de la mère de Fanny, du même bleu doux que les fleurs, flottait, ample et souple, sur les jambes de Tante Colette, qui tenait le bras de sa sœur. On eût dit, de dos, qu'elles marchaient dans une seule et même robe, un carré de mousseline découpé pour elles dans le ciel de ce printemps. Elles avançaient lentement par l'allée centrale, comme sorties pour prendre l'air; elles s'arrêtaient pour regarder un nom, commenter quelque chose; et la mère de Fanny parfois riait, tête renversée, tout à son aise. Fanny, qui depuis longtemps n'avait vu ni l'une ni l'autre, les contemplait sans se lasser à travers la grille. Elle s'éloigna bientôt néanmoins, par prudence. Car, à supposer qu'elles se rappelassent qui elle était et consentissent à lui parler, ce que Fanny leur dirait de son état présent, quelque avantage qu'elle-même trouvât à ce dernier, les choquerait sans recours. Peut-être ne voudraient-elles admettre seulement qu'elles pussent connaître une telle personne, voire qu'un être semblable existât, et cesseraient-elles aussitôt de la voir, tout souvenir envolé. Elles se remettraient en marche sans dévier de leur chemin et, sûres de leur fait, réussiraient à traverser le corps de Fanny comme elles feraient d'un simple faisceau de poussière!

Fanny avisa une fontaine et s'en approcha pour se désaltérer. Comme elle avait tourné le robinet, la voix de l'esprit retentit, prise dans le filet d'eau :

— Ma petite-fille boit à la fontaine du village, mais en a-t-elle acquis le droit ? Lui a-t-on jamais dit qu'elle pouvait profiter des services du village comme une véritable habitante ?

— Les étrangers eux-mêmes, pensa Fanny, contrariée, les gens de passage sont autorisés à étancher leur soif aux fontaines!

— Certes, mais tu n'es pas une étrangère en visite, expliqua gaiement l'esprit. Ni une habitante ni une visiteuse : que prévoit la loi pour ton cas ?

— Je l'ignore.

— Vois, tu ignores la loi! Alors, que faire ?

Un homme approchait sur le trottoir. Fanny ferma le robinet et se releva d'un bond, l'air faussement nonchalant. Ce n'était pas, pourtant, que l'homme fût en mesure d'entendre la voix de l'esprit de l'aïeule. Quoiqu'elle ne le connût qu'à peine, les yeux baissés elle le salua ; il répondit par un grognement. Elle n'osa faire couler l'eau de nouveau et s'en alla en rasant le mur du cimetière. De vieux graffiti à demi effacés le souillaient sur toute sa longueur. Comme le regard de Fanny tombait sur un gros M peint en rouge, les jambages de la lettre oscillèrent comme pour avancer et, ténue, difficile, la voix de l'esprit murmura, pareille à celle de l'aïeule quand elle avait été grippée ou qu'elle avait eu, selon son mot, un chat dans la gorge. Ennuyée, Fanny estima qu'elle devait pourtant s'arrêter. Mais, si on la voyait, qu'allait-on penser d'un comportement aussi singulier ? Car si faible était la voix de l'esprit prisonnier de la lettre que Fanny fut contrainte de coller son oreille au mur, juste au point où les deux parties du M se joignent.

— Nous en arrivons là, chuchotait l'esprit, parce que tu as été assez lâche, devant cet homme, pour fermer le robinet et me clouer le bec. Eussé-je émis un doute sur ton droit à exister seulement devant cet habitant du village que, très certainement, sans peut-être même t'en apercevoir, tu serais devenue aussitôt invisible à ses yeux et, plus tard, n'aurais pas cherché à vérifier de quelle loi il pouvait s'agir, te serais moquée de toute façon d'apprendre qu'il n'y a pas de telles lois, tout autant que de savoir qu'il en est cent d'aussi iniques. Ainsi en va-t-il de toute ton attitude au village. Qu'on affirme quelque chose à ton sujet, voilà que tu te plies à ce jugement, de qui qu'il provienne. Il n'est pas une bassesse, pas une mauvaiseté à ton encontre dont tu ne serais capable pour un brin de reconnaissance, pas une mutilation.

— Cependant, objecta Fanny, j'ai obtenu ici plus que nulle

part ailleurs, bien plus qu'au sein de la famille ou que dans ton village où, souviens-toi, à notre insu, on m'avait donné ce nom...

— Certes, certes, acquiesça l'esprit avec, sembla-t-il à Fanny, un soupçon de gêne. Mais, quand bien même tu ne t'en rendrais jamais compte et, longtemps, serais assez abusée pour parvenir à une sorte de tranquillité d'âme, il est de mon devoir de t'avertir de ceci : ce que tu crois avoir gagné en ce village, d'ailleurs de si piètre, de si incertain que ta fierté inspirerait plutôt une compassion incrédule, n'est qu'un autre aspect, plus misérable encore, de ce que les villages et toi-même savez produire de situation dépravée ou, peut-être, de ce que les villages savent créer à tes dépens, dans leur exécration de toute forme d'étrangeté. Il valait mieux, vois-tu, qu'on murmure dans ton dos par chez nous.

— Bah, soupira Fanny à voix haute, fatiguée soudain.

Elle s'écarta du mur, ne se souciant plus que l'esprit de l'aïeule eût encore à lui parler, puis elle prit le chemin du retour, veillant à ne poser son regard sur rien qui pût servir de refuge à une essence raisonneuse, tant il était établi maintenant que l'aïeule aussi n'avait jamais tendu qu'à lui faire tort, en la privant de toute possibilité de n'être point, quoi qu'elle fît, dans l'égarement.

Là-bas, sa mère et Tante Colette tournaient le coin d'une rue, toujours serrées l'une contre l'autre. Sous leur pas uni, les cailloux crissaient avec un bel ensemble. Fanny, contre son gré, les héla, mais, discutant, elles ne l'entendirent pas, et bientôt disparurent.

ONZIÈME PARTIE

# LA MISSION DE LA COUSINE

Je suis chargée de mener une petite enquête au village de M. pour deux parties dont les intérêts s'opposent, comme je m'en aperçois maintenant, ayant cru tout d'abord qu'avec des moyens différents et une plus grande prudence d'un côté elles visaient un même but. La tâche ne m'en sera pas facilitée. Mais si, de part et d'autre, on m'a demandée pour ce menu travail, c'est qu'on connaît mon impartialité et qu'on me fait confiance que je n'irai pas, pour avantager celui-ci, dissimuler quoi que ce soit à celui-là.

Voilà ce dont il s'agit : mon petit-cousin Eugène, que sa femme vient de quitter par dépit de ne le voir décidé à s'occuper sérieusement, et qui n'a pas semblé s'en trouver affecté de façon profonde, s'est toqué d'avoir auprès de lui sa cousine Fanny. Bien qu'il affirme en être épris, il désire savoir précisément ce qu'elle est devenue et connaître ses sentiments à son endroit, avant de s'adresser directement à elle pour la faire venir. Il ne souhaite pas, en particulier, que se soit développée certaine propension qu'elle aurait eue à se rendre singulière malgré la réprobation de tous. Ce penchant, s'il se manifestait même malgré qu'elle en ait, serait pour lui rédhibitoire. J'ai compris cependant que le désir d'Eugène est vif de pouvoir agréer sa cousine. Aussi, tout en me priant d'être sévère dans mon appréciation de cette qualité, très certainement il aspire à ce que mon œil se révèle manquer d'acuité peu ou prou, afin d'obtenir Fanny sans être tenu pour responsable d'une telle incartade, s'il arrivait qu'elle ne fût pas convenable. Ma cousine Colette également veut apprendre de moi tout ce qui concerne sa nièce à présent, sachant l'ambition d'Eugène et, comme elle ne peut l'interdire, désirant du moins contrôler les opérations. Mais, quoiqu'elle ne se soit pas montrée moins discrète qu'Eugène, je sais maintenant que Colette espère entendre le rapport le plus défavorable, à tous points de vue, au sujet de Fanny, en sorte que, le présentant à son fils, elle ne puisse échouer à le convaincre de renoncer. Par ailleurs, chacun s'en remet entièrement à moi et se résigne d'avance aux vérités que je lui apporterai, convaincu que je ne cacherai rien ni ne mentirai d'aucune façon.

Je suis descendue chez le mari de feu ma cousine Clémence, qui a bien voulu me prêter un lit pour quelques jours. C'est un homme taciturne ; il redoute que ses paroles, répétées à tort et à travers, ne lui reviennent déformées d'une manière déplaisante. Je l'ai interrogé à propos de Fanny mais il s'est contenté de marmotter quelques insignifiances et, à moi qui suis de la famille et connue pour ma réserve, n'a rien voulu dire qui puisse me servir, qu'un détail dont, quoi qu'il en soit, j'aurais eu vent ailleurs : Fanny ne se fait plus appeler ainsi par le village, mais du prénom que lui ont donné ses parents. Ces syllabes sonnent incongrûment à nos oreilles, aussi aurions-nous tendance à trouver bien laid et compliqué, ce prénom qui, pour nous, ne peut en être véritablement un. Il se rapproche davantage du nom ou du sobriquet que nous accorderions à un chien ou à un chat. Il n'est pas nécessaire que le nom des bêtes ait un sens ni qu'il rappelle quelque chose, et jamais il ne doit évoquer quelque personne de la famille : le vrai prénom de Fanny ne peut nous faire penser à rien. Je me suis étonnée qu'elle ait choisi de le reprendre. Cependant, le cousin ne m'a pas répondu, craignant peut-être de m'en avoir déjà trop dit. Il semble qu'il voie peu sa nièce et ne l'invite pas à déjeuner le dimanche, mais c'est aussi un homme seul. Il ne m'a pas appris où habite Fanny. Il est, d'ailleurs, fort gêné et mécontent que je lui parle d'elle et le questionne, bien qu'il affecte une indifférence bourrue. Mais je ne peux le bousculer : il est d'usage chez nous de taire beaucoup de choses, de garder le silence sur ce qui apparaît comme équivoque ou qui, en son temps, a provoqué scandale ou remous, d'agir comme si rien n'existait dont on ne pût discuter clairement, sans embarras, sans employer d'expressions grossières ni sentimentales. C'est pourquoi, face au cousin, je suis dans mon tort et nous le savons tous deux.

Afin de glaner quelques renseignements, je me suis rendue au bar-restaurant du village, le Coq Hardi. Les grosses mouches d'été tournoyant dans la salle et celles qui, prises au papier collant, luttaient encore pour s'en délivrer couvraient presque le bruit des voix tant elles vrombissaient, dans l'indolence générale des chauds après-midi. Leurs petites crottes noires maculaient murs et toiles cirées, et les tubes au néon en étaient constellés comme pour un effet décoratif. Je me suis juchée devant le bar, face à la patronne aux yeux tout ensommeillés qui, d'abord, n'a pas réagi à la mention que j'ai faite, comme en passant, de Fanny. C'est qu'elle avait oublié, déjà, que Fanny s'était appelée ainsi. Elle a eu ensuite une moue de mépris, un geste vague et désinvolte qu'ont imité deux hommes assis auprès de moi, signifiant le peu d'importance qu'avait Fanny à leurs yeux. Je n'ai pu m'empêcher de rougir un peu ; car l'un des hommes avait émis un ricanement grivois, sans que, pour autant, le mépris quittât son expression. J'ai pensé à l'embarras que j'éprouverais à relater cela : jamais nous ne parlons de ces choses ! Seuls nos époux entre eux, après un petit verre, se l'autorisent parfois, et ce n'est encore que par le truchement de plaisanteries. Je ne sais quant à moi tout simplement pas quels mots employer. Ils ont continué cependant de parler de Fanny paresseusement, la patronne lâchant une courte phrase dédaigneuse que répétait chacun des hommes, paraissant en éprouver le goût sur ses lèvres, la crachant avec une insolence satisfaite. Bien que je ne sois point facile à émouvoir, ma honte était grande en cet instant : a-t-on jamais vu rien de tel dans notre famille ? Je n'ai pas tardé à comprendre du reste que le mépris touchait moins Fanny, en tant que ce qu'elle est, que la représentation conventionnelle qu'avaient d'elle ces trois personnes connaissant son activité. Ils n'ont dit en vérité, de Fanny elle-même, rien qui pût blesser ou laisser penser qu'elle n'était pas aimée ni seulement qu'ils déploraient sa présence au village. Car ils la méprisaient comme on le fait de quelqu'un dont on juge le métier indigne, comme, au village de l'aïeule, nous méprisons unanimement tel voisin qui vit de la revente d'ordures diverses, mais cette mésestime n'implique pas que nous nous refusions à considérer qu'il a sa place au village ni, peut-être, que nous ne serions point attristés de le voir partir. Ainsi, Fanny avait ici sa fonction, ai-je ressenti bien vite, ce qui, lorsque je songeais à l'honnêteté de notre famille depuis des générations, m'affligeait bien davantage que s'il était apparu qu'on la rejetât de toutes parts. Seule m'a rassurée la constatation qu'on avait oublié ce prénom de Fanny : il était sans doute difficile maintenant de la rattacher en pensée à notre famille. Et je m'attristais, certes, qu'il soit échu à Fanny de compter au nombre des villageois de cette façon, mais, pensais-je avec quelque gêne, pouvait-on concevoir pour elle d'autre situation au village ? Par-devers moi, je n'avais guère approuvé la prétention d'Eugène à vivre avec sa cousine. Il me semblait plus naturel, plus raisonnable, bien que ce fût cruel, que Fanny demeurât une erreur sans lignée ni mémoire, effacée par le terme de sa propre vie et n'ayant eu, sur l'unité du sang familial, nul effet. Ces pensées, néanmoins, ne devaient pas influencer le déroulement de ma mission; je me promettais de servir Eugène ni plus ni moins que Colette.

Sur le conseil de la patronne comme je lui avais demandé où trouver Fanny, je me suis rendue ce soir-là au bord d'un ruisseau où trempaient de jeunes saules éplorés, en dehors du village. J'ai aperçu Fanny de dos, assise au pied d'un arbre, enserrant ses genoux. Afin de ne pas l'effrayer par ma présence soudaine, je l'ai appelée doucement.

— Est-ce encore l'esprit ? a murmuré Fanny surprise, sans se retourner.

— C'est moi, la cousine de ta mère, ai-je dit alors en me montrant.

Le sursaut de Fanny n'a pas été plus brusque que le mien en la découvrant. J'ai cru, tout d'abord, ne pas la reconnaître puis, ayant détaillé ses traits, je n'ai pu douter que c'était Fanny, mais telle que je ne l'avais jamais vue. Confuse, j'ai porté mon regard ailleurs. Je me suis assise auprès d'elle, qui semblait attendre avec une sorte d'appréhension.

— Qui t'envoie me parler ?

— Ton cousin Eugène, ai-je répondu en fixant l'eau croupie.

Et, soulagée, je lui ai transmis la proposition d'Eugène. M'étant souvenue de bribes de conversation entendues autrefois, j'avais supposé, dès qu'Eugène m'avait exposé son désir, qu'il allait rencontrer le vœu le plus ancien de Fanny et que, pour sa part, nulle réticence ne devrait être combattue ; mais je me suis aperçue, à son silence contraint, qu'il en allait différemment aujourd'hui. Je me suis écriée avec une aigreur involontaire : Eh bien, cela ne te plaît plus ? Fanny baissait la tête, mélancolique. Elle m'a expliqué ses raisons d'une voix claire et ferme cependant, qui tenaient en peu de mots : si, ayant échoué en ce lieu, elle errait encore sans attaches d'aucune sorte, observée avec distance et hostilité, alors la possibilité de rentrer d'un pas dans la famille par l'intermédiaire d'Eugène aurait été proprement miraculeuse ; mais si, comme c'était le cas, elle avait trouvé au village un rôle et une place qu'on ne lui déniait pas, qui convenaient fort bien à ce qu'elle était, dans lesquels même, en raison de son aspect, elle avait acquis une forme de succès, malgré les difficultés et le déshonneur, pourquoi eût-elle abandonné cette position inespérée pour une autre qui, lorsqu'on savait les sentiments de la famille à son encontre et la faible volonté d'Eugène, ne manquerait d'être très précaire ? S'étant résolue à vivre exclue de la famille, elle ne voulait se jeter vers de nouvelles espérances qui, une fois déçues, la laisseraient sans recours. Du reste, elle ne se trouvait pas mal ainsi, plutôt favorisée, prospère, et depuis longtemps son amour pour Eugène s'en était allé, irrémédiablement. Légèrement écœurée, je lui ai représenté alors, ainsi que je l'aurais fait avec qui que ce soit, qu'il s'agissait là d'une pitoyable existence. Mais je n'ai rien ajouté : n'était-ce pas pour le mieux de cette façon ? Fanny m'a répété, calmement, qu'il n'y avait pour elle d'autre choix dans les villages, et j'ai admiré la sagesse qui lui avait fait accomplir son dessein de se couler par notre région sans s'opposer à la tacite intention de la famille (jamais, de fait, nous n'en avons parlé entre nous) qu'elle demeurât à l'écart. Je l'ai félicitée d'avoir repris son ancien prénom ; c'était sous ce dernier, a-t-elle répondu, qu'elle plaisait le mieux ici. Et je me suis demandé alors, bêtement, si elle était bien malgré tout la personne à qui je croyais parler, tant je la voyais différente.

Rentrée chez nous, j'ai communiqué ce que je savais à ma cousine Colette, dont il m'a été aisé de deviner la satisfaction. Puis, à Eugène, j'ai appris tout d'abord à quel point l'apparence de sa cousine avait changé, pour devenir même, dans nos parages égaux, tranquilles, résolument insolite. Il a pris un air exaspéré. On ne peut donc pas lui faire confiance, a-t-il grogné, semblant considérer que la responsabilité en revenait à l'esprit buté de Fanny. Fort mécontent, il arpentait la pièce d'un pas nerveux. Pensant clore l'affaire, je lui ai dit que Fanny, de toute façon, ne souhaitait nullement vivre en sa compagnie, et j'ai rapporté ce qu'elle m'avait déclaré à ce sujet. Troublé et, m'a-t-il paru, un peu embarrassé devant moi, Eugène s'est alors trouvé à court de paroles. Mais il n'a pu admettre de s'en tenir là, et il éprouvait sans doute pour sa cousine un sentiment sérieux, ai-je pensé à le voir aussi contrarié. Il m'a priée instamment d'y retourner et de faire part à Fanny de cette chance ultime qu'il lui laissait : si elle estimait pouvoir modifier son aspect, si elle en avait la volonté et le désir, il l'attendrait, de son côté, aussi longtemps que nécessaire ; si, opiniâtre, elle ne voulait en entendre parler ou y aspirait trop mollement pour espérer réussir, qu'elle l'oublie, lui, à jamais. J'ai soupiré devant tant d'obstination mais je suis repartie malgré tout, persuadée d'effectuer un voyage inutile. J'ai retrouvé Fanny appuyée au même saule, à la nuit tombante, son visage incliné invisible dans le miroir de l'eau. Elle a souri de soulagement à ma vue. Quel bonheur, a-t-elle dit, que tu sois revenue. Et ce n'était pas qu'elle n'ait pu soudain se passer de ma présence, mais, ayant bien réfléchi puis fini par changer d'avis à peine avais-je tourné les talons la dernière fois, elle s'était reproché de n'avoir su me rappeler à temps. Elle acceptait maintenant, m'a-t-elle avoué, la proposition d'Eugène. Ennuyée, je n'ai osé la regarder de face. Son insoutenable singularité semblait lui être inconnue ! Sur la surface de l'eau dormante, j'ai contemplé ma propre figure flottant, tâchant de me rendre impassible. Puis j'ai transmis la condition d'Eugène comme si cette exigence allait de soi et qu'elle avait, elle, perdu tout bon sens. Nous sommes restées un long moment silencieuses. Cette fois, a-t-elle murmuré, si la condition était remplie, c'était certain, elle n'y résisterait pas, en mourrait d'épuisement. Allons, allons, ai-je bougonné, au comble de la confusion.

DOUZIÈME PARTIE

# RÉCIT DE TANTE COLETTE

Mon fils Eugène n'ayant plus sa femme pour le faire vivre et Georges, quant à lui, ayant réintégré son emploi de représentant, nous quittâmes tous trois la maison du lotissement où mon fils m'avait accueillie le temps que dura l'escapade de celui-là, pour nous transporter dans la vieille demeure de ma mère, au grand désappointement d'Eugène qui, bien que l'endroit lui appartînt, se trouvait ramené, entre nous deux, à l'époque de son adolescence, n'ignorant pas qu'il nous décevait et nous inquiétait par sa paresse, son absence de dispositions et de goût pour quel métier que ce fût, son indolence devant l'échec de son mariage, une fâcheuse tendance aux idées saugrenues et dont il savait que nous les désapprouvions fortement, pour des raisons précises. Nous avions abandonné la maison que nous louions depuis longtemps en un village proche et nos meubles furent déménagés ici, car ayant toujours vécu en leur compagnie, il nous aurait coûté de nous en défaire. Cependant, nous n'avions plus la place de nous tourner. Le vieux mobilier de ma mère nous importunait, mais il eût été choquant de s'en débarrasser, ainsi que nous l'avions déjà fait de trois armoires, pour un motif semblable. Le reste de la famille, à juste titre, nous en eût blâmé. Deux buffets laqués, deux tables massives, deux canapés heureusement presque identiques, trois fauteuils, douze chaises assorties aux tables, empêchait pratiquement qu'on pénétrât dans la salle à manger. Dans les autres pièces où, personne n'y venant que nous, nous avions logé pêle-mêle meubles de salon et chambres à coucher, ainsi qu'une foule d'objets hétéroclites qui, du sol au plafond, s'élevaient en piles fragiles, nous n'avions ménagé que d'étroits couloirs permettant de se glisser jusqu'à nos lits où nous nous couchions comme en un tombeau, surplombés par quelque commode ou secrétaire que nous avions su caser savamment au-dessus de nos têtes, parallèlement au matelas. Nous nous habituâmes vite à ce nouvel arrangement, au point de ne plus même songer qu'il était inusité. Seul Eugène pestait encore, se plaignait d'étouffer, bousculait parfois imprudemment, dans son exaspération, quelque ingénieux entassement. Il fut content toutefois de pouvoir profiter de trois postes de télévision, partageant ses journées entre chacun, croyant nous donner l'impression, comme nous le harcelions pour qu'il prît son avenir en main, qu'il ne passait pas tout son temps à la maison, car, l'après-midi, il se dissimulait habilement devant le téléviseur le plus discret et jurait par la suite, surgissant soudain par la porte d'entrée, soupirant, feignant la fatigue, qu'il rentrait d'une vaine recherche d'emploi. Il eût fallu, pour le débusquer, explorer chaque recoin, entreprise que l'encombrement des pièces rendait irréalisable. Mais je me tourmentais de voir mon fils s'installer si béatement dans une honteuse inaction. Sans en avoir encore parlé à son père, je caressais le projet de l'envoyer chez le mari de ma sœur qui, lui, avait réussi d'éclatante manière et, pour très différent de nous qu'il fût toujours, n'ayant plus rien de méprisable, nulle bizarrerie déconcertante, parviendrait peut-être à faire quelque chose de notre fils. Eugène refusait de devenir représentant. Je regrettais que ne passât pas en ce moment de feuilleton dont le héros, exerçant ce métier, lui eût donné envie de l'imiter, comme c'était toujours le cas. Mon fils n'était intéressé par rien qu'il n'eût vu auparavant dans le contexte d'une série à la mode. Certes, je m'en désolais. Cependant, moi-même... Et je devais bien avouer que, dans la récente aménité que je ressentais pour le mari de ma sœur, l'attirance de jeune fille qui me portait complaisamment, en pensée, vers cet homme que j'avais regardé de haut, j'étais influencée sans doute par certaine émission dont la morale voulait conduire à des attitudes de ce genre, et que j'avais suivie avec passion tant elle était drôle et distrayante.

Dans le courant de la matinée, une voisine vint chercher le journal que nous finissions de parcourir, vieille habitude du temps de l'aïeule : nous partagions le prix de l'abonnement. Elle se casa dans un coin, entre deux buffets pleins à craquer de la vaisselle des grands jours, et d'une voix perçante nous donna les dernières nouvelles du village, tandis qu'Eugène, nonchalamment sorti du bas de l'armoire où il aimait à se nicher le matin, tout exprès pour l'entendre, feignait le mépris pour ces ragots, allumait une cigarette, le regard lointain, se détournait à demi vers la fenêtre, prenait l'air de se concentrer sur quelque spectacle au-dehors. Jamais il ne manquait la visite de cette voisine, grande pourvoyeuse de médisances, à qui, dès notre arrivée, il avait demandé de venir à l'heure précise où l'on rediffusait à la télévision des émissions de jeux de la veille au soir, qu'il pouvait sans trop de remords se priver de revoir.

La femme jacassait, se répétant, elle posait les pieds sur une chaise et parlait ainsi, contemplant le bout de ses souliers. Puis elle ouvrait le journal et commentait les affaires de la région, ne lisant rien au-delà. Je l'écoutais dans un plaisir ambigu. Ce qu'elle pouvait observer chez nous, la fainéantise d'Eugène et le désordre des lieux, n'allait-elle pas le colporter par tout le village, ternir la réputation excellente qu'avait acquise, à force de discrétion et de netteté, notre mère, et faire plaindre celle-ci par comparaison ? Sacrée commère ! grommelais-je toujours, un peu fâchée, lorsqu'elle s'en était allée. Et, à cet instant, la honte que m'inspirait mon fils était cuisante.

Nous partions alors au supermarché, regarder les nouveautés. Au rayon des téléviseurs, Eugène demeurait longtemps. Une dizaine de postes étaient allumés et son regard fixe sautait de l'un à l'autre avec méthode, et en sorte qu'il pût suivre chaque programme sans rien rater des autres, expérience qui le laissait épuisé. Ah, que faire de cet enfant ? songeais-je, voyant sa figure indifférente, le pli mou de sa bouche. Il arrivait que l'inquiétude me suffoquât ; des larmes me montaient aux yeux ; Eugène, pourtant, n'était pas bête !

Après le déjeuner, comme, à cette époque de l'année, une chaleur épaisse, chargée d'âcres odeurs s'élevant des champs traités, mouillés de pluies d'engrais, blanc déluge dans le lointain, invitait à la sieste, Eugène se pelotonna dans son armoire, tandis que, d'un pas las, je gagnais notre chambre. Un léger choc fit frémir la porte d'entrée. Entre donc ! criai-je, me rappelant que nous attendions ma sœur. Puis je haussai les épaules, allai ouvrir et, tout d'abord, ne vis rien. Baissant les yeux, je distinguai sur la marche du perron une longue forme inconnue — et il me sembla que la teinte jaunâtre de cette marche, qu'un brin de mauvaise herbe poussé là, m'apparaissaient à travers la silhouette sans nom ni pareille qui, au début frissonnante, maintenant ne remuait pas plus qu'un cadavre. Qu'est-ce encore... murmurai-je en tâtant du bout de ma savate avec prudence. Je reconnus soudain les traits de Fanny, encore que d'une façon si vague, si incertaine, que je ne pus me résoudre à l'appeler ainsi. Sans doute, d'ailleurs, je ne l'aurais jamais remise si ne m'avait effleurée l'idée qu'elle seule savait nous causer d'aussi pénibles surprises. Craignant que ma sœur n'arrivât, ennuyée et ne sachant trop que faire, je soulevai l'imperceptible silhouette et la portai en me hâtant jusqu'au hangar. Là, je fus un instant à danser d'un pied sur l'autre. Mes bras cependant ne ployaient pas ; à peine éprouvaient-ils la sensation de soutenir ! Avisant que ce lui serait une couche point trop dure, je déposai le corps sur un sac à pommes de terre plié dans un coin. Puis je sortis en fermant soigneusement la porte afin que le chien ne pût entrer. A ce moment, la grille grinça. Ma sœur s'avança dans la cour, balançant gaiement sa petite valise écossaise. La lumière intense m'empêchait de discerner son visage et je vis approcher avec émotion la robe bleu pâle, les mollets décidés et bien ronds de ma sœur qui venait passer auprès de nous les vacances d'été, ses jolies sandales citadines. Tiens, son ourlet se découd, pensai-je, appuyée à la porte du hangar. Ma sœur avait toujours été telle que, si nous ne nous occupions tant soit peu de ce qui la concernait, et quoiqu'elle pût se montrer, poussée par quelque désir, fort débrouillarde, elle eût vite obliqué vers le pire chemin qui fût ou eût négligé dans la vie quotidienne, par paresse et légèreté, les détails qui témoignent à nos yeux de la rigueur morale de toute une famille. Aussi je ne me contentai pas, quand nous nous embrassâmes, de lui parler de son ourlet, mais, après le dîner, comme nous buvions une tisane dans un coin de la cuisine laissé dégagé, j'apportai ma boîte à ouvrage et commençai à recoudre sa robe, penchée sur ses genoux malgré ses protestations. A côté, Eugène et son père regardaient un film policier dans le plus grand silence. L'impondérable forme dans le hangar, songeais-je contre mon gré, si elle se réveillait, qu'adviendrait-il, et que dirait ma pauvre sœur ? Etait-elle réellement bien morte enfin ? Je ne pouvais m'empêcher de soupirer, remerciant le ciel que notre mère fût partie avant de connaître tous ces nouveaux tracas. Cependant ma sœur, fort contrariée de me voir agenouillée à ses pieds, en tirait prétexte, un peu méchamment, pour déplorer que je n'eusse pas pris toujours le même soin de sa personne, que je me fusse rarement aperçue aussi promptement que de cet ourlet des symptômes d'un inévitable fourvoiement. Ainsi, disait ma sœur, lorsque, jeune fille, elle s'était mise à lire avec une véritable folie ces petits romans à huit francs, au titre encadré d'une guirlande de roses, illustrés d'une photographie représentant un éternel couple langoureusement embrassé, qu'elle faisait venir, précisa ma sœur, de la gare de la ville la plus proche dès qu'elle apprenait qu'un voisin ou quelque parent s'y rendait, s'étant arrangée d'ailleurs pour que la buraliste qui les vendait lui en gardât chaque semaine un exemplaire, car, bien que les histoires fussent indépendantes les unes des autres, la simple pensée, dit ma sœur légèrement excitée, de ne pas les avoir lues toutes lui contractait les muscles du ventre, faisaient transpirer ses tempes et son front exactement comme si elle eût manqué d'une drogue, ce qu'étaient devenus pour elle, dans l'ennui de la province, dit ma sœur, ces petits livres écrits par des dames au nom anglais, Dans la jungle de l'amour, Un fiancé pour Bernice, Aussi longtemps que tu m'aimeras, qui, à partir de semblables intrigues, échafaudaient des récits riches en promesses pour soi-même, modeste lectrice d'un village enterré, sans que, dit ma sœur avec un rien de tristesse, peu instruite comme elle l'avait été, ne connaissant de l'amour que ce qu'en lui montraient les unions raisonnables de son entourage, elle eût les moyens de réfléchir que de tels prodiges de passion ne se peuvent trouver que dans les livres et que les alliances excentriques comme, dans ces romans, il s'en produisait à chaque fois entre beaux jeunes gens de conditions opposées, ne peuvent mener, dans la vraie vie, qu'au désastre, pensait maintenant ma sœur, étant allée, disait-elle, au fond de cet insuccès-là – ainsi, lorsqu'elle avait plongé dans le gouffre de ces fantasmagories, non seulement nul autour d'elle ne l'avait mise en garde, ne lui avait donné à éprouver, au seul énoncé des titres, le moindre sentiment de ridicule ou, tout au moins, d'artifice absolu, mais, s'étonnait encore ma sœur, on l'avait encouragée avec une sorte de plaisir amusé, comme, observai-je, acquiesçant, on se plaît à flatter en quelqu'un un vice mineur, s'en divertissant tout en étant convaincu qu'on ne lui fait pas de mal ; on lui rapportait, dit ma sœur, ces dangereux petits recueils avec la complaisance narquoise, mais à elle dissimulée, réservée à la compagnie, que manifestait un fin clin d'œil quand, tel ivrogne de longue date passant à la maison, on remplissait son verre à ras bord. Aussi, accusait ma sœur, notre négligence d'alors avait pour ainsi dire ruiné sa vie, ce que toutefois, dis-je, consternée, pour nous défendre tous, il nous avait été impossible de prévoir dans une pareille mesure, personne d'autre qu'elle n'ayant jamais ouvert ces fameux livres. Devinant ce qu'elle allait ajouter, j'en étais confondue et peinée, ayant cessé de coudre pour mieux l'écouter et appuyant mes bras sur ses genoux, tandis que, du salon, les bruits violents de la télévision nous parvenaient par intermittences, nous isolant, ma sœur et moi, par comparaison, dans une intimité un peu dramatique. J'eusse souhaité qu'elle s'arrêtât là mais, cruelle comme elle l'avait souvent été dans notre enfance, elle continua d'une voix légèrement geignarde, en triturant son ourlet sans se soucier de le découdre davantage encore. La tête levée vers elle, une douleur me venait au cou ; je soupirai avec discrétion et me reposai plus commodément sur ses cuisses. De telles lectures, ininterrompues, jamais critiquées, l'avaient conduite, poursuivait ma sœur, à considérer le monde au travers du filtre idéalisant qui, dans ces histoires, rendait toute situation susceptible d'éternité et de grandeur, toute personne élégante et belle, nécessairement noble d'esprit. Elle s'était vite sentie aussi perdue dans ce village, dit ma sœur, dans cette famille qui était la sienne, qu'une princesse tombée là par accident, et quand, expliquait ma sœur avec émotion maintenant, le souffle un peu court, s'étant rendue un jour à la ville, comme elle sortait du kiosque de la gare avec un nouveau petit roman sous le bras, elle avait rencontré cet homme, celui qui deviendrait son mari, si lumineusement singulier, tellement incomparable, par son étrangeté pleine d'allure, aux ternes jeunes gens qu'elle pouvait côtoyer et qui, ce jour-là, arrivant à la ville pour la première fois de son existence, craignant les regards, avait, se rappelait ma sœur, un air de détermination farouche, de dédain un peu trop volontaire, tout à fait semblable à la mâle expression du héros au menton dur qui, sur la couverture du petit livre juste acquis par ma sœur, s'apprêtait à prendre les lèvres d'une blonde beauté renversée, — quand, donc, reprenait-elle, dans sa témérité exaltée elle avait osé lui adresser la parole, l'aborder, faussement timide, rougissante, et qu'il lui avait répondu sans contrainte, surpris mais flatté certainement d'un accueil aussi prompt, aussi gratifiant en des parages dangereux pour lui, où la honte toujours était au bord de lui faire perdre ses moyens, elle s'était persuadée immédiatement, disait ma sœur en secouant maintenant la tête d'incrédulité, qu'elle pourrait vivre avec lui ce qu'on ne vivait jamais autour d'elle et pour quoi seulement, elle, était faite. Alors, termina ma sœur, vous êtes tous un peu responsables de la faillite de mon mariage puisque, m'ayant eue pourtant sous les yeux, vous n'avez pas empêché mon imagination de m'emporter... J'évitai de répondre, non que je ne trouvasse pas ma sœur affreusement injuste mais parce que, sachant la chose qui était en bas, dans le hangar, j'étais gênée de le lui cacher et que ma pitié pour elle, ma sœur, était grande en cet instant. Puisse-t-elle être morte, priais-je en moi-même, disparue, dissoute ! Puisse-t-elle n'avoir jamais existé ou que, pareillement, meure tout souvenir de son passage !

Je ne pus m'empêcher cependant de parler d'elle à Eugène. Il mit quelques minutes à comprendre (mais n'était-ce pas encore bien rapide ?) : j'employai, fort embarrassée pour décrire celle que j'avais vue, des termes inhabituels et vagues. Mon fils rougit violemment ; il me sembla qu'il s'affolait. Tu sais, je ne lui en avais pas demandé autant ! s'écria-t-il. Ça, je le jure ! Il bredouillait à présent, comme s'il eût eu à redouter quoi que ce fût. Je pris un air sévère. Ayant décidé de mener à bien mon projet en ce qui le regardait, je jugeais préférable de ne lui témoigner la moindre indulgence afin qu'il ne lui vînt pas, à ce moment-là, l'idée de protester. Je lui demandai d'aller voir dans le hangar. Mais, terrifié, il s'y refusa obstinément. Et il resta pendant deux jours honteux et déconcerté. Qu'un autre constatât ce que j'avais vu, fût-ce Eugène, et me rapportât son impression, m'eût aidée pourtant à me représenter clairement ce phénomène, car, aucun mot précis ne me venant à l'esprit, j'en venais à douter de n'avoir pas rêvé et répugnais encore à retourner dans le hangar, vérifier s'il y avait bien là comme une apparence de ma nièce.

Quelques jours après l'arrivée de ma sœur, je pris l'autocar avec Eugène sans en rien dire à personne. Nous nous rendîmes chez son mari, où j'allais pour la première fois. Si les habitations du village me déçurent d'abord par un aspect général de pauvreté, la maison de cet homme m'impressionna favorablement, et je me sentis même, dans le vaste hall tout en marbre véritable, intimidée au point de craindre mon audace. Le domestique, qui nous avait ouvert, nous pria de bien vouloir patienter. Eugène, renfrogné, semblait fier cependant d'être déjà venu dans cette demeure imposante. C'est quelque chose, n'est-ce pas ? répétait-il en marchant de long en large. Il me pressait de répondre, de m'extasier à mon tour, se figurant, eût-on dit, qu'ayant vu les lieux avant moi il devait récolter une part de cette admiration. Mais je me tenais dans un coin, silencieuse, par politesse.

L'homme soudain émergea dans le hall, sans nous voir. Il était suivi du domestique, qui nous rappela à son attention. Il eut un geste large, agacé. Alors, le domestique lui ayant dit sans doute qui nous étions, il s'arrêta net et tourna vers moi un visage ébahi et confus. Il s'avança en multipliant les excuses, et il était vêtu d'un splendide vêtement rouge vif, long et riche, qui me fit trouver à côté ridiculement étriqué le petit blouson noir d'Eugène, qu'il déformait de surcroît en y enfonçant ses poings. Ah, quelle surprise, quelle surprise ! s'exclamait-il. Il nous serra la main successivement, plusieurs fois. Puis il donna un ordre sec à son domestique et, quand il avait paru tout à l'heure se hâter vers quelque occupation, il nous entraîna vers le salon, comme s'il n'y eût eu d'autre urgence que celle de nous recevoir et de veiller à notre confort. Il redressa les coussins du canapé, tapota le fauteuil. Il alluma la télévision, en régla le son très bas, afin, je présumai, de nous distraire par ce défilé d'images vives. Cet homme semblait, en notre présence, aussi content et fébrile que s'il eût accueilli quelque personnalité, quelque esprit supérieur ! Pour ma part, j'étais gênée de ces égards venant de quelqu'un qui avait accoutumé d'être le maître et dont le train de vie, chez nous, eût fait de lui le premier notable du village, ce à quoi ne nous mènerait jamais le métier de mon mari.

Le domestique nous porta une orangeade, puis il fut congédié d'un claquement de talon sur le carrelage. Enfin, après un court silence, vint le moment d'exposer le motif de ma visite. Je me plaignis longuement de l'incapacité d'Eugène à s'employer où que ce fût, de son ignorance nonchalante ; j'expliquai que nous étions impuissants à le changer, Eugène ne voulant rien entendre de nous. Assis à côté de moi, celui-ci ne broncha pas bien qu'il fût certainement très vexé et, malgré tout, je lui en sus gré. Notre hôte demeurait impassible. Aussi, dis-je, empoignant tout mon courage, si vous pouviez le surveiller, lui prodiguer vos conseils, l'aider à trouver ce qui lui convient... Oh, je devine que c'est vous demander beaucoup, pardonnez-moi...

Je me tus, effrayée d'oser l'importuner ainsi, d'autant plus qu'il semblait maintenant stupéfait, et fort gêné. Il marmotta quelque chose à propos d'argent. Je corrigeai avec précipitation : Non, non, Eugène n'a pas besoin de votre argent, mais de votre bon sens, de votre exemple, comprenez-vous... Et ma voix mourut, je baissai les yeux pour dissimuler mon malaise. S'ensuivit un silence éloquent ; il avait oublié jusqu'à son devoir d'hôte.

Je le compris alors, dans un éclair d'intuition : de me voir, moi, le solliciter ainsi, le projetait au comble du trouble et de la détresse, malgré l'assurance acquise au fil des ans. Il eût pu triompher, car nous étions tombés au point de l'envier. A cela cependant, même, il était inapte, nous conservant intacte notre gloire. Allait-il maintenant, pensai-je devant son égarement, me supplier de retirer ce que j'avais dit, me démontrer que, s'il avait pu s'offrir le petit plaisir d'un présent de mariage à mon fils, s'autoriser cette discrète victoire sur notre mépris intransigeant d'autrefois, il était inconcevable qu'on demandât recours à son talent, qu'on espérât de lui une protection morale, et qu'il nous guidât ?

Il se leva, marcha vers la fenêtre d'un pas incertain – au cœur d'un brasier, eût-on dit, dans son vêtement cramoisi répandu en plis innombrables. Eugène se permit alors de hausser le son de la télévision. Je croisai les mains sur mon giron et attendis patiemment la réponse de notre hôte.

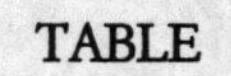

CET OUVRAGE A ÉTÉ ACHEVÉ D'IMPRIMER LE SEPT MARS DEUX MILLE SEPT DANS LES ATELIERS DE NORMANDIE ROTO IMPRESSION S.A.S. À LONRAI (61250) (FRANCE)
N° D'ÉDITEUR : 4389
N° D'IMPRIMEUR : 070236

Dépôt légal : avril 2007